AGENT SECRET

Danielle Steel

AGENT SECRET

Roman

Traduit de l'anglais (États-Unis)
par Sophie Pertus

PRESSES
DE LA CITÉ

Titre original : *Undercover*
Published in the United States in 2015 by Delacorte Press, an imprint of Random House, a division of Random House LLC, a Penguin Random House Company, New York.

© Danielle Steel, 2015
© Presses de la Cité, 2017 pour la traduction française
ISBN 978-2-258-13496-6

Presses
de
la Cité   un département **place des éditeurs**

place
des
éditeurs

À mes enfants chéris,
Beatie, Trevor, Todd, Nick, Sam,
Victoria, Vanessa, Maxx et Zara,

Vous êtes mon plus grand bonheur
et je vous aime au-delà des mots.
Que vos difficultés soient minimes
et vos bonheurs et vos victoires immenses.
Je vous aime si fort
Maman/DS

« L'être idéal n'est pas la personne
avec laquelle on peut être heureux
mais celle sans qui on ne peut l'être. »

ANONYME

Marshall

1

Les oiseaux jacassaient dans la jungle luxuriante au sud de Bogotá. Les premières lueurs de l'aube étaient annonciatrices d'une journée magnifique. Pablo Echeverría sortit de la cabane où il vivait avec Paloma. Très bronzé, les yeux presque noirs, il portait ses cheveux aux épaules, glissés derrière les oreilles, et la barbe un peu longue. Paloma attendait leur premier enfant. Le terme approchait. Paloma – « la colombe », en espagnol – portait merveilleusement son prénom. Elle était blonde, avec la peau claire, et c'était surtout un ange de paix dans cette jungle où ils vivaient et où Pablo travaillait. Il était le bras droit du frère de sa compagne, Raul Vásquez López, l'un des hommes les plus puissants de Colombie, comme ne le laissait pas deviner la simplicité de leur mode de vie. Pablo venait d'Équateur et avait intégré son équipe trois ans auparavant. Il avait gravi un à un les échelons, gagnant peu à peu la confiance de Raul « El Lobo » – le loup. Ce dernier était ainsi surnommé car il avait la ruse, l'audace et la rapidité de l'animal.

Pablo était le fils d'un général équatorien qui avait été assassiné par des rebelles lors d'un coup d'État militaire. Pablo s'était alors tourné vers le trafic de drogue. Pendant trois ans, il avait fait ses classes à petite échelle dans son pays, puis il avait fait la connaissance de Raul et s'était mis à travailler pour lui. Leur alliance se révélait satisfaisante et productive.

Pablo et Paloma n'étaient pas mariés, et personne ne s'en souciait. De toute façon, il comptait l'épouser très bientôt, après la naissance du bébé. Raul était content de la relation entre son second et sa petite sœur. Non seulement Pablo était intelligent, compétent et fiable, mais c'était un homme bien. Depuis huit mois qu'elle était enceinte, Paloma n'avait pas vu un médecin ou une sage-femme. À dix-neuf ans, elle était en pleine forme. Et elle comptait accoucher au camp. Pablo avait lu des livres pour savoir comment l'aider et, si cela se passait mal, il pourrait toujours la conduire à Bogotá : c'était à deux heures à peine.

Paloma était de vingt ans la cadette de Raul. Quant à Pablo, il avait vingt-huit ans : c'était jeune pour être monté si haut dans la hiérarchie du groupe, mais Raul savait détecter le talent, et les renseignements qu'il avait pris en Équateur lui avaient confirmé ce que son instinct lui soufflait. Il s'enorgueillissait d'un jugement infaillible sur ses hommes. Et Pablo ne l'avait jamais déçu. Le jeune Équatorien exécutait ses ordres à la perfection et dirigeait brillamment leurs opérations d'achat et de transport. Depuis qu'il était là, il n'y avait eu aucun problème, aucune erreur de jugement.

La vie toute simple au camp convenait très bien à Pablo. Il se rendait régulièrement à Bogotá et à Carthagène des Indes pour Raul, mais il était toujours heureux de rentrer, de retrouver son patron qui était désormais pour lui comme un frère, de vivre avec les autres hommes, et, le soir, de retrouver Paloma qui l'attendait dans leur cabane. Cette cabane, il l'avait lui-même construite. La première année, il avait vécu dans une tente de surplus militaire avec d'autres hommes. Cependant, une fois qu'il avait été avec Paloma, ils avaient eu envie d'un peu plus d'intimité et de place pour eux. Après la mort de leurs parents, Raul l'avait prise en charge et elle avait passé toute une partie de son enfance dans ses camps. Ses trois autres frères travaillaient également pour lui. Pablo n'avait pas tardé à attirer l'attention de la jeune femme, tout comme elle avait inévitablement attiré la sienne. Jusqu'alors, Raul avait férocement défendu sa vertu. Qu'il l'ait confiée à Pablo, qu'il lui ait accordé son consentement était la marque de son profond respect pour lui.

Pablo tenait énormément à Paloma. Il aimait le parfum si suave de sa peau quand ils étaient nichés l'un contre l'autre, la nuit, sa douceur en toute chose, et son ventre désormais arrondi, alourdi par leur enfant. Raul voulait que ce soit un garçon. Lui, cela lui était égal, même s'il se gardait de le dire. Tout ce qu'il voulait, c'était que la naissance se passe bien pour elle et que l'enfant soit en bonne santé. C'était une fille courageuse, habituée aux conditions de vie primitives ; elle disait qu'elle n'avait pas peur. Pablo sentait le bébé lui donner des coups de pied quand il posait sa main délicatement sur son ventre, dans la nuit fraîche de la jungle.

Pablo avait enfilé sa vieille veste militaire équatorienne sur un débardeur et un pantalon de treillis et chaussé ses Rangers. Il alluma sa première cigarette de la journée et tira une longue bouffée. Comme chaque matin, il s'était glissé dehors sans réveiller Paloma pour aller prendre son café avec Raul en parlant des missions de la journée et des opérations en cours. Ils avaient des affaires au Panamá, en Équateur, à Aruba, au Venezuela, en Bolivie et au Mexique ; et c'était littéralement des tonnes de cocaïne qu'ils vendaient aux États-Unis, au Canada, au Mexique, en Afrique et en Europe. Raul était à la tête du plus gros réseau sud-américain. Les exportations se faisaient par voies terrestre, aérienne et maritime. Les bateaux et hors-bord partaient de Carthagène des Indes. Pablo était responsable de la coordination des transports au plus haut niveau. Pendant que Raul dirigeait tout depuis le camp, Pablo se rendait discrètement sur place pour contrôler les opérations, puis il rentrait au camp faire son rapport à Raul. El Lobo gérait son vaste empire avec une précision toute militaire. Une efficacité extrême qui forçait l'admiration et le respect. Parti de rien, Raul avait construit pierre à pierre cet édifice dont les ramifications s'étendaient à presque toute l'Amérique du Sud. Pablo était son bras droit, mais chacun savait que c'était Raul le cœur, l'âme et le cerveau de l'affaire et qu'il la menait de main de maître.

Pablo pénétra dans la clairière où campait Raul. Toutefois, personne ne savait réellement où il dormait. Il tenait le lieu si secret que même Pablo l'ignorait. Le matin, ce dernier le retrouvait sous sa tente militaire, savamment camouflée. Dans le camp, on affirmait en plaisantant que le chef passait la nuit avec les loups. Raul avait des liaisons passagères auxquelles il n'attachait pas d'importance ; il considérait ses maîtresses davantage comme un poids que comme un atout. Souvent, il taquinait Pablo en lui disant qu'il n'avait pas son romantisme. En fait, le sentiment amoureux était une faiblesse qu'il tolérait chez son second, dans la mesure où c'était sa sœur qui en était l'objet et qu'il la traitait bien. Raul ne pensait qu'à ses affaires, ne vivait que pour ses affaires. Rien d'autre ne comptait à ses yeux, si ce n'est la loyauté de ses hommes. Il exigeait leur dévouement total, et ceux qui le décevaient de quelque manière que ce soit disparaissaient rapidement. Leur famille, leurs histoires sentimentales et leur vie personnelle ne l'intéressaient en aucune manière.

Comme tous les matins, Raul fumait un havane édition limitée Romeo y Julieta. Tous les matins, il en offrait un à Pablo, et tous les matins, Pablo refusait. Il lui arrivait d'en accepter un le soir avant d'aller retrouver Paloma, mais le matin au réveil, c'était un peu fort pour lui. En revanche, l'odeur âcre lui était devenue familière et agréable, et il rapportait souvent à son chef des cigares de Bogotá. C'était une habitude courante, pour des hommes comme Raul. Malgré le mode de vie particulier que lui imposaient ses affaires, c'était un être aux goûts raffinés. Il avait fait ses études en Europe et même passé deux ans à Oxford. Pablo prenait toujours beaucoup d'intérêt à leurs conversations du soir autour d'un cognac et d'un cigare. Issu d'une famille respectable, Pablo avait lui aussi fait des études. Cela leur faisait autre chose à partager que leurs intérêts professionnels communs.

Le regard de Raul s'éclaira d'une lueur fraternelle quand il aperçut Pablo. Il lui donna une tape sur l'épaule et les deux hommes s'étreignirent. Même teint, même couleur de cheveux et d'yeux, même tenue militaire : il existait entre eux une certaine ressemblance, bien que Pablo soit plus jeune, plus grand et dans une forme physique parfaite.

— Comment va mon énorme sœur ? s'enquit Raul sur le ton de la plaisanterie tandis que Pablo se servait une tasse du café très fort que Raul préparait lui-même et dont il buvait des litres tous les jours.

— Elle est de plus en plus grosse, répondit-il fièrement. Je crois que c'est pour bientôt.

Il se garda de faire part de sa légère inquiétude à Raul, qui le traitait de petite vieille quand il s'y laissait aller. Paloma était le talon d'Achille de Pablo. Raul le savait et il jugeait que c'était dangereux. Voilà pourquoi il ne se liait jamais à aucune femme et se contentait de les fréquenter pour son plaisir immédiat. À ses yeux, les femmes étaient dangereuses car elles avaient le pouvoir d'affaiblir les hommes. S'il pardonnait ce défaut à Pablo, c'était uniquement parce que Paloma était sa sœur.

Raul prit place devant sa table couverte de cartes, de plans et d'une liste de navires de transport. Il poussa la liste vers Pablo et pointa son cigare vers les cartes.

— Qu'en dis-tu ? On envoie en Afrique du Nord demain ? Et en Europe à la fin de la semaine ?

Il n'aimait pas perdre de temps. Ils avaient reçu la veille une livraison importante à Carthagène : il fallait la réexpédier dans les meilleurs délais. Malgré les pots-de-vin qu'ils distribuaient aux fonctionnaires et autres officiels à tous les niveaux, El Lobo savait qu'il était impératif de ne pas entreposer la marchandise plus longtemps que nécessaire.

— Ça me paraît bien, commenta Pablo en étudiant les cartes. Mais je ne vois pas pourquoi on ne peut pas faire partir la livraison pour l'Europe dès demain. Pourquoi attendre la fin de la semaine ?

Il indiqua le nom d'un bateau plus petit que les autres mais qui leur avait déjà bien servi.

— Et Miami, dès le prochain approvisionnement, ajouta-t-il.

Raul hocha la tête. Pablo était toujours très prévoyant et aussi prudent que lui-même s'agissant du transport et du stockage. Tout devait repartir au plus vite, mais à bord de bateaux sûrs.

Tandis qu'ils discutaient des détails et de l'aspect pratique de l'opération, quatre hommes entrèrent dans la tente – deux en tenue de camouflage et deux dans des vêtements semblables à ceux de Raul et Pablo, l'uniforme de l'armée silencieuse du côté obscur. Quelques minutes plus tard, ils furent rejoints par six autres qui venaient chercher les ordres. Pablo en envoya cinq à Bogotá, où ils avaient des opérations en cours, et comptait en emmener deux autres à Carthagène des Indes avec lui. Il ne lui en fallait pas plus. Très bon tireur, il préférait se déplacer en petit groupe. Raul l'écouta donner ses ordres en approuvant d'un hochement de tête silencieux puis ralluma son cigare. Il n'en proposa pas aux autres. Il n'en offrait qu'à Pablo, quand ils étaient seuls, comme témoignage de leurs liens fraternels.

Une demi-heure plus tard, les cinq hommes étaient partis pour Bogotá. Pablo et El Lobo échangèrent encore quelques mots, puis le chef fit un signe de tête et Pablo s'en fut à son tour avec ses deux compagnons. Trois hommes restaient au camp, ainsi qu'une douzaine dispersés dans la jungle, pour en assurer la protection.

— À ce soir, lança Pablo par-dessus son épaule.

Il venait systématiquement faire son rapport à Raul en rentrant. Malgré un système de communication étendu et efficace, les deux trafiquants de drogue échangeaient le moins possible par téléphone et par e-mail.

Pablo et ses compagnons avancèrent en silence pendant une bonne demi-heure à travers les broussailles. Ils arrivèrent à une Jeep soigneusement camouflée. Pablo s'assit au volant. Les deux autres la débarrassèrent de sa couverture protectrice et montèrent à bord. Ils roulèrent un moment sur un chemin de terre à peine carrossable avant de déboucher sur une route défoncée qu'ils suivirent une demi-heure encore pour rejoindre une clairière aménagée en aérodrome de fortune. Un petit avion s'y posa dix minutes plus tard. Pablo l'avait appelé par radio juste avant de quitter le camp. Ainsi, ils allaient pouvoir faire l'aller-retour dans la journée, quand bien même Carthagène était située à mille cinq cents kilomètres de là. Ils n'ouvrirent pas la bouche de tout le vol. Pablo n'était pas bavard. Il pensait aux opérations en cours, aux livraisons à destination de plusieurs villes, aux cargaisons à venir.

Une voiture les attendait sur la piste d'atterrissage qu'ils utilisaient régulièrement, située à la périphérie de Carthagène. Ils se rendirent à un hangar aux abords de la ville puis, de là, au petit immeuble délabré qui abritait leur bureau. Le lieu ne payait pas de mine ; jamais personne n'aurait pu soupçonner que s'y négociaient des transactions chiffrées en millions de dollars. Pablo gara la voiture derrière une maison voisine dont la cour accueillait des poules et pénétra dans l'immeuble par la porte de derrière. L'un de ses hommes l'attendit là tandis que l'autre se postait à l'entrée principale. Tous deux étaient armés. Pablo, armé lui aussi, gravit l'escalier qui grinçait sous ses pas et entra dans le petit bureau. Trois hommes s'y trouvaient déjà. Une heure suffit pour leur transmettre toutes les instructions de Raul et s'assurer que le plan était bien clair pour eux, qu'ils étaient prêts à l'exécuter. La cocaïne allait être expédiée en Afrique du Nord cachée dans du matériel agricole – une formule qui leur réussissait bien – et en Europe, dans une cargaison de textiles à destination de Marseille. Ils avaient déjà procédé ainsi sans rencontrer de problème.

Ils quittèrent la ville aussitôt après. La mission s'était bien déroulée. Au camp, Raul attendait Pablo. Il lui annonça qu'il l'envoyait à Bogotá le lendemain, ce qui était assez courant. Le jeune homme devait se rendre presque tous les jours dans l'une ou l'autre des villes où ils avaient leurs activités.

— Tu as mangé quelque chose ? s'enquit El Lobo.

Ils avaient acheté des sandwichs en quittant Carthagène ; les repas n'étaient pas leur préoccupation majeure.

— Oui, assura Pablo en souriant, touché de sa sollicitude.

Il accepta en revanche le cognac et le cigare rituels que lui offrit son beau-frère. Ce dernier était satisfait. Ses ordres avaient été exécutés à la perfection, comme toujours.

— Ma sœur peut attendre, déclara le chef.

Pablo sourit. Quand il la retrouvait, le soir, Paloma était toujours heureuse de le voir. Jamais elle ne lui posait de questions, jamais elle ne se plaignait. Depuis deux ans, sa vie avec Pablo était comme un coin de paradis dans ce monde si dur, qui était le sien depuis son enfance. Un monde d'hommes et de brutalité, qui ne faisait pas de place aux besoins ni aux exigences d'une femme.

Il était près de minuit quand Pablo pénétra dans la cabane. Paloma sommeillait à demi sur leur lit, un matelas posé à même le sol. Elle sourit dans le clair de lune en sentant Pablo se glisser contre elle, nu. Il souleva la couverture pour contempler sa peau veloutée et son ventre qui semblait grossir d'heure en heure, à mesure que leur enfant grandissait en elle. Elle noua ses bras autour de son cou. Il l'embrassa et la tint enlacée tandis qu'elle se rendormait dans un petit ronronnement de bien-être. Il la couva du regard un moment, puis sombra à son tour dans le sommeil.

Le lendemain, après sa réunion matinale avec Raul, Pablo se rendit à Bogotá en voiture. Cette fois, il était seul. Dans une maison du quartier de Macarena, il retrouva un homme qui lui donna une valise de billets, le fruit d'un travail effectué quelques jours plus tôt. Pablo rapportait souvent de grosses sommes en liquide à Raul. Il ne lui avait jamais demandé ce qu'il en faisait... Il avait entendu dire qu'El Lobo avait des comptes en Suisse et dans les Caraïbes, mais son beau-frère ne lui avait rien révélé à ce sujet. Malgré toute la confiance qu'il lui accordait, il gardait certains détails pour lui. Si Pablo était au courant de certaines choses concernant les comptes de l'organisation, il se gardait bien de demander des détails. Lorsqu'il rentra au camp ce soir-là, Raul lui annonça qu'il fallait qu'il retourne à Bogotá le lendemain pour une mission de moindre importance. Il n'y aurait pas d'argent à transporter. Uniquement des ordres à transmettre verbalement. Ils préparaient l'envoi à Miami. Ils travaillaient avec cette équipe depuis longtemps et tout se déroulait généralement sans accroc ; toutefois, Raul ne voulait laisser aucune trace de la transaction.

Ils bavardèrent quelques minutes. Puis Pablo, qui avait hâte de retrouver Paloma, prit congé. Comme il lui avait dit qu'il faisait simplement l'aller-retour à Bogotá, elle devait l'attendre pour dîner. Quand il entra dans la cabane, elle lui sourit et lui tendit les bras. Elle portait une robe de coton toute simple qu'elle avait confectionnée elle-même et des sandales dorées qu'il lui avait achetées en ville. Il aimait lui rapporter de petits cadeaux à chaque fois qu'il en avait l'occasion. Raul lui répétait qu'il ne fallait pas trop la gâter, qu'il le regretterait un jour. Cela en disait long sur ce qu'il pensait des femmes ; El Lobo n'avait jamais accordé sa confiance à aucune d'elles.

Ils dînèrent en écoutant les bruits familiers de la jungle. Un petit avion passa au-dessus d'eux. Des hommes rentraient ce soir d'Équateur. Raul et lui devaient se réunir avec eux le lendemain dès son retour de la capitale.

Paloma ne lui posa pas de questions sur son travail ; son frère l'avait bien éduquée. Ils ne manquaient cependant pas de choses à se dire. En ce moment, elle ne pensait qu'au bébé. Ce soir-là, elle ne put presque rien avaler. Elle était trop grosse. Après le dîner, ils s'étendirent nus l'un contre l'autre. Il lui massa le dos et elle s'endormit. Elle avait un corps d'une beauté spectaculaire, même avec ce ventre énorme qui le faisait sourire à chaque fois qu'il le voyait. Ses seins étaient plus ronds, plus pleins, mais ses longues jambes gracieuses n'avaient pas changé. Dans un autre monde, elle aurait eu énormément de succès. Ici, personne ne la regardait réellement, si ce n'est de temps à autre avec un mélange d'envie et d'admiration. Mais c'était la sœur de Raul : elle était inaccessible, sauf pour Pablo. Il était du reste le seul à apprécier à leur juste valeur sa beauté, mais aussi sa gentillesse et sa douceur. Ici, cela n'intéressait personne.

Elle dormait encore quand il quitta le camp au petit matin. À Bogotá, l'entretien avec cet homme qu'il connaissait bien fut bref. Ils avaient déjà travaillé ensemble de nombreuses fois. Ils convinrent de la quantité de cocaïne à acheminer à Miami et du prix du transport. Le règlement se ferait plus tard.

Pablo alla ensuite faire un petit tour et s'assit à une terrasse au soleil. Il commanda un café bien noir, puis un second. Au moment de poser la tasse, le serveur, maladroit, la renversa à moitié et faillit l'éclabousser. Il s'excusa et essuya la table d'un air confus. Pablo avait la mine d'un homme qu'il ne faisait pas bon contrarier. Il émanait de lui une tension qui évoquait un grand fauve prêt à bondir.

Finissant d'éponger le café, le serveur murmura, d'une voix à peine audible :

— Maintenant.

Instantanément, le regard de Pablo se durcit. Il jeta au serveur un coup d'œil meurtrier avant de se détourner. Puis il se leva, jeta quelques pièces sur la table tandis que l'autre le fixait d'un air triste.

— Non, lâcha Pablo avant de s'éloigner et de regagner sa Jeep.

Quelques minutes plus tard, il avait repris la route. Il conservait le même regard dur et froid.

2

Dans la soirée, Pablo retrouva Raul et les hommes qui étaient rentrés d'Équateur la veille. La réunion n'avait rien d'exceptionnel : un transport de marchandise à organiser entre l'Équateur et le Panamá.

Tandis que Pablo allumait le cigare que lui avait offert Raul après le départ des autres, il sentit le regard de son chef posé sur lui, comme à chaque fois. Il lui semblait toujours qu'il lisait dans ses pensées.

— Alors, qu'en dis-tu ? lui demanda Raul.

Il parlait de la réunion.

— Ça me semble bien.

Il ne s'agissait pas d'une affaire très importante. Il n'y avait pas non plus de problème particulier. Ils évoquèrent ensuite l'envoi à Miami, beaucoup plus complexe et intéressant, aussi bien techniquement que financièrement. Pablo allait encore devoir retourner à Bogotá le lendemain. Cela ne le dérangeait pas… À d'autres moments, une ou deux semaines pouvaient passer sans qu'il ait besoin de s'y rendre.

Il était près de deux heures du matin quand il quitta la tente de Raul. Ce dernier sortit également et s'évanouit dans la jungle. Comme tous les soirs, ils s'étaient embrassés au moment de se séparer. Dans sa cabane, Pablo trouva Paloma profondément endormie. Elle dormait davantage, ces derniers temps. Le terme approchait. Quelque chose lui disait qu'il n'y en avait plus que pour quelques jours. Il s'allongea en silence auprès d'elle et sombra immédiatement dans le sommeil. Aux premières lueurs de l'aube, il était déjà debout et habillé.

Il ne passa pas voir Raul avant de partir. Il fallait qu'il soit de bonne heure à Bogotá. Il espérait en revanche ne pas rentrer trop tard dans l'après-midi. Sa seule inquiétude, avec tous ces déplacements, c'était de ne pas être là pour Paloma quand le travail commencerait. Il n'y avait personne d'autre pour l'aider. C'était la seule femme du camp.

Il pensait à elle, tandis qu'il marchait sur un trottoir de la capitale, quand un homme le bouscula violemment. Il s'excusa en espagnol et regarda Pablo droit dans les yeux. Celui-ci le reconnut aussitôt. Sauf qu'il ne voulait pas être en retard pour sa réunion.

— Pas maintenant, dit-il tout bas.

L'homme répondit plus bas encore, sans même avoir l'air de s'adresser à lui :

— Maintenant.

Le visage parfaitement neutre, Pablo s'engagea dans une ruelle, tourna à un croisement, passa derrière un immeuble délabré et prit une clé sous un pot de fleurs. À une vitesse stupéfiante, il tourna la clé dans la serrure, entra et referma la porte derrière lui. Il monta l'escalier quatre à quatre, pénétra dans une pièce et jeta un regard noir aux trois hommes en civil qui l'attendaient.

— Qu'est-ce que c'est que ce bordel ? cria-t-il en anglais. Je vous l'ai dit hier : pas maintenant. Je vois deux gars dans cinq minutes pour l'envoi à Miami. Vous ne voulez pas me lâcher ?

Sa colère s'écrasa contre un mur. Les types braquaient sur lui des yeux froids et déterminés. Seule comptait leur mission. Une autre mission.

— Tu es grillé, Everett. C'est fini. Tu pars. Il y a une fuite quelque part dans la chaîne. Raul va être prévenu d'un instant à l'autre – si ce n'est pas déjà fait.

Pablo songea à sa réunion de la veille au soir, aux hommes qui rentraient d'Équateur. Avaient-ils dit quelque chose à Raul ? Il n'en était rien paru, mais El Lobo pouvait cacher son jeu, ne serait-ce que le temps de vérifier l'information. Était-ce pour cela qu'il l'avait envoyé à Bogotá une troisième fois cette semaine ? Peu importait. Pablo n'abandonnerait pas la partie tout de suite. Il était trop près du but, il en savait trop. Et il refusait de s'en aller alors que Paloma allait accoucher.

— Pas question ! cria-t-il encore.

Les autres ne bronchèrent pas.

— Nom de Dieu, ça fait trois ans que je suis là, enchaîna-t-il. Ma femme va avoir un bébé d'un jour à l'autre.

Il tremblait de rage et de douleur. Il était au bord des larmes.

— Tu risques la vie de tous les agents de l'opération, si tu restes. Tu es un homme à abattre, Everett. C'est une question d'heures. Il faut t'exfiltrer. Un avion nous attend. Tu n'es même pas certain d'y arriver, si El Lobo veut ta peau. Tu as cinq minutes. Tu sais ce que tu as à faire.

Pablo hésita un instant aussi bref qu'interminable, fixant Bill Carter d'un regard mauvais. L'homme était un agent secret de grade supérieur de la DEA[1]. Il était venu de Washington pour le chercher. Il savait qu'Everett était parfois tête brûlée et il ne voulait pas qu'une erreur soit commise.

— Et si je démissionne, que je m'en vais et que je retourne là-bas ?

— Tu seras mort avant ce soir et la fille aussi. Tout ce qui pourrait la sauver, c'est que tu te tires immédiatement. Elle est au courant ?

Pablo fit non de la tête. Il était désespéré.

— Tu connais la règle. Tu ne peux pas détruire tout ce que tu as construit en retournant là-bas.

Pablo le savait. L'organisation de Raul était truffée d'autres agents comme lui. S'il était grillé, il risquait de les faire repérer aussi. Il fallait qu'il parte. Mais quitter Paloma, à quelques jours de la naissance de leur bébé ? C'était atroce. Il ne la reverrait sans doute jamais. Et il ne connaîtrait jamais son enfant. Il savait depuis le début que ce jour finirait immanquablement par arriver. Pourtant, il avait espéré pouvoir passer un peu plus de temps avec eux, et même pouvoir la mettre à l'abri un jour. Ce rêve était vain, il le comprenait aujourd'hui.

— J'ai une vie, ici, lâcha-t-il tristement.

Cette fois, Bill Carter lui répondit avec compassion :

— Tous les infiltrés ont vécu ce genre de choses. Pour moi, cela a duré sept ans. C'est long. Maintenant, il faut que tu te prépares.

Il lui donna un petit nécessaire.

---

1. Drug Enforcement Administration : service de la police fédérale américaine chargé de la lutte antidrogue.

Pablo le prit après un instant d'hésitation puis se dirigea vers la salle de bains. Il songea même à sortir par la fenêtre et à retourner au camp. La pensée des hommes qui seraient tués à cause de son geste, de sa propre mort et de celle de Paloma, peut-être, le retint. Il n'avait pas le choix, il le savait. Il saisit le rasoir dans la trousse de toilette et se rasa la barbe et les cheveux. Il se mit du maquillage sombre sous les yeux, ce qui le vieillit instantanément. La trousse contenait également du maquillage de théâtre, avec lequel il dessina une cicatrice sur sa joue. Des lentilles changèrent la couleur de ses yeux. Sur une chaise, ils lui avaient laissé des habits semblables aux leurs, avec une casquette de baseball. Tout en s'habillant, Pablo ne pensait qu'à Paloma et au camp. Ne jamais la revoir était pour lui inconcevable. Il était résolu à y retourner. Il la retrouverait, où qu'elle soit, et il ferait ce qu'il fallait pour l'emmener avec lui. Pour l'instant, toutefois, il n'avait pas le choix. Il fallait partir.

Quand il ressortit de la salle de bains, complètement métamorphosé, un des hommes lui tendit son passeport avec son vrai nom, Marshall Everett, et l'insigne qu'il ne portait plus depuis six ans, depuis qu'il était agent secret de la DEA. C'était la DEA, l'agence de répression du trafic de drogue, qui l'avait placé en Colombie il y a trois ans, et en Équateur les trois années précédentes afin d'établir son identité pour El Lobo.

Leur sac sur l'épaule, les trois hommes étaient prêts à partir. Ils voulaient avoir décollé dans l'heure, avant qu'éclate la vengeance de Raul.

Celui qui, pendant six ans, s'était fait passer pour Pablo Echeverría, les suivit sans un mot jusqu'à la voiture garée dehors. Il monta à l'arrière et, au désespoir, il regarda défiler les rues de Bogotá.

À l'aéroport, ils montrèrent leur plaque au contrôle de sécurité et embarquèrent à bord d'un petit avion militaire à destination de Washington. Tout cela était atrocement irréel, songea Marshall Everett, tandis que le paysage rapetissait sous ses yeux. La femme qu'il aimait était là, quelque part, dans la jungle. Il l'avait abandonnée. Une seule chose le rassurait un peu : c'était la sœur de Raul. À ce titre, elle serait peut-être protégée. Jamais elle ne s'était doutée le moins du monde qu'il était une taupe de la DEA. Hélas, il ne pouvait rien faire pour elle maintenant. Plus tard, il chercherait un moyen de retourner là-bas sans la mettre en danger. Mais ce serait une mission d'une extrême délicatesse.

Une demi-heure après le décollage, Bill Carter regarda sa montre et informa Marshall que leurs hommes allaient opérer un raid dans le camp d'ici une heure. Plusieurs fois déjà, Raul leur avait échappé de peu. Cette fois, ils ne voulaient pas qu'El Lobo leur file entre les doigts. Voilà pourquoi ils avaient tenu à agir si vite. Everett leur avait déjà fait perdre une journée en refusant d'écouter le serveur qui, la veille, avait renversé le café et l'avait prévenu. Bill n'en avait pas été autrement surpris : Marshall avait une réputation d'obstination et d'indépendance. Agent extrêmement brillant, prêt à prendre tous les risques, il avait néanmoins défié ses supérieurs à plusieurs reprises au fil des ans. C'était la raison pour laquelle Carter s'était déplacé en personne. Il ne voulait prendre aucun risque. Puisqu'il y avait une fuite, il fallait exfiltrer Marshall avant qu'il se fasse descendre.

— Dites-leur que j'ai une femme, là-bas, et qu'elle est sur le point d'accoucher. Qu'ils fassent attention à elle, répondit-il d'un ton brusque avant de se détourner et de fermer les yeux.

Personne n'essaya plus de lui adresser la parole jusqu'à la fin du voyage.

Une heure après que Marshall avait décollé de Bogotá, Raul fut prévenu par ses informateurs en ville que des agents de la DEA américaine s'apprêtaient à faire un raid dans le camp. Il venait d'apprendre, pour Pablo. Après avoir rassemblé ses papiers et donné ses ordres, il débaula dans la cabane où Paloma faisait la sieste. Il la saisit brutalement par le bras et la tira du lit.

— Tu étais au courant, hein ? hurla-t-il, le visage à quelques centimètres du sien.

— Au courant de quoi ? demanda-t-elle, terrifiée.

Elle savait combien son frère pouvait être dangereux quand la colère le prenait.

— C'est une taupe... l'enfoiré... je lui faisais confiance comme à un frère... C'est une ordure et un menteur. Il n'en avait rien à foutre, de toi. Il s'est servi de toi et du bébé pour se couvrir, pour nous enfumer. Qu'est-ce qu'il t'a dit ?

— Rien..., fit-elle, horrifiée. Ce n'est pas vrai... ce n'est pas possible.

— Si, c'est vrai. Il est parti. Il a abandonné la voiture en ville, et il a disparu.

— Il va revenir. Je le sais, lâcha-t-elle d'une voix étranglée.

— Il n'est pas si bête. Il t'a utilisée, c'est tout. Et maintenant, qu'est-ce que tu vas faire de ça ? jeta-t-il avec une moue de dégoût en désignant son ventre.

— Il va revenir me chercher. J'en suis sûre.

Raul le croyait aussi. Pablo était un imposteur, d'accord, mais c'était aussi le genre de cœur tendre capable de risquer sa vie pour une femme. El Lobo, lui, n'avait plus qu'un désir, impérieux : se venger de ce fumier qui lui avait menti et s'était payé sa tête. Il n'hésita pas une seconde. Il sortit son revolver de son holster, visa sa sœur au front et tira. Paloma s'écroula. Il voulait que les hommes de Pablo la trouvent et lui disent ce qu'il avait fait. La femme qu'il aimait et l'enfant qu'il désirait tant étaient morts. Raul tourna les talons et sortit.

Marshall dormait depuis plusieurs heures lorsque Bill Carter fut appelé dans le cockpit, un peu avant l'atterrissage.

Par message codé, il fut informé que le raid dans le camp avait eu lieu. La femme de Marshall était morte, tuée d'une balle dans la tête, et El Lobo leur avait échappé. Il devait avoir filé au Venezuela ou en Équateur. Bill ne fit pas de commentaire. Il retourna s'asseoir à sa place et ne mit personne au courant de ce qu'il venait d'apprendre. Il était trop tôt pour annoncer ces mauvaises nouvelles à Marshall. Il choisirait un moment plus opportun au cours des trois semaines de débriefing que le jeune homme avait devant lui. Depuis six ans qu'il était agent secret, Marshall n'était rentré aux États-Unis que deux semaines, entre sa mission préparatoire de trois ans en Équateur et son infiltration dans l'organisation de Raul en Colombie. Il avait pleinement vécu la vie de Pablo Echeverría ; il lui faudrait du temps pour encaisser le choc d'un retrait aussi brutal. Or sa totale collaboration était essentielle pour le débriefing, afin qu'il dise tout ce qu'il savait sur Raul, tout ce qu'il avait fait pour lui. Jusque-là, il leur avait envoyé régulièrement des messages codés pour les informer des expéditions, des lieux, des quantités, du blanchiment d'argent et de l'identité de leurs divers contacts. Maintenant, il leur fallait tout le reste. Tous les détails.

Le retour allait être difficile pour Marshall... Bill le savait pour l'avoir vécu. Un moment, il avait craint que le jeune homme ne refuse tout net de partir. Son sens des responsabilités professionnelles ne l'avait emporté que de peu. Comme Bill s'y attendait, c'était le risque mortel qu'il aurait fait courir à ses collègues qui avait fait pencher la balance. Marshall était un type bien : il n'avait jamais mis en jeu la vie d'un autre agent.

Le jeune homme se réveilla au moment où l'avion se posait sur la base aérienne Andrews, dans le Maryland, tout près de Washington DC. Dans le petit miroir des toilettes de l'avion, il se trouva l'air épuisé, pâle sous son hâle. Il ôta sa fausse cicatrice, ses lentilles de couleur et sa casquette de baseball, et se démaquilla. N'empêche, il ne se reconnaissait pas. Le crâne rasé, glabre, le regard mort, une pierre à la place du cœur... Pablo Echeverría s'était évaporé. C'était Marshall Everett, agent secret de la DEA – ou ce qu'il en restait –, qui rentrait. Il aurait préféré être n'importe où plutôt qu'ici. Il se sentait comme un robot. Une partie de lui venait de mourir.

Il savait qu'il allait être conduit directement au QG de la lutte antidrogue. Un hélicoptère attendait déjà sur la piste pour l'emmener à Quantico, dans les locaux que la DEA partageait avec le FBI. Il y passerait trois semaines de débriefing et de réadaptation, lesquelles comportaient notamment des tests psychologiques qui évalueraient son état d'esprit. Il avait déjà fait l'expérience d'un débriefing de deux semaines après l'Équateur, mais ce n'était pas la même chose. Il n'était pas alors impliqué aussi profondément dans les opérations. Et il avait fait la transition très rapidement avec sa mission en Colombie. Aujourd'hui, trois ans plus tard, il avait vingt-huit ans, et il s'était infiltré bien davantage dans l'organisation de Raul. Il laissait derrière lui un univers et une vie auxquels il tenait, une femme qu'il aimait, un bébé sur le point de naître.

Il était en train de songer à Paloma et à son enfant, quand on le fit entrer dans un bureau de la base où un officier le jaugea rapidement, lui rendit ses papiers et l'autorisa à se rendre à Quantico. Il y arriva une demi-heure plus tard et fut conduit dans sa chambre. Une cellule d'aspect militaire, meublée d'un lit, une commode, un bureau, une chaise et un petit réfrigérateur. D'autres agents secrets étaient sans doute présents dans les locaux de la DEA, dont certains isolés. C'était tout ce à quoi lui-même aspirait dans l'immédiat. Il aurait préféré rester seul avec ses pensées plutôt que d'être interrogé, sondé, de se faire vider la tête dans un ordinateur afin que ses propos soient ensuite décortiqués par des agents spécialisés de la lutte antidrogue.

Il se posta à la fenêtre de sa chambre. Il avait l'impression d'être en prison ; il se retrouvait loin de tout ce qui lui était familier. D'ici quelques heures, il serait redevenu Marshall Everett, un homme qu'il ne connaissait plus et n'avait pas envie d'être. Il aurait tout donné pour se retrouver dans une certaine cabane, dans un camp en pleine jungle au sud de Bogotá, avec la femme qu'il aimait. Il songea à elle, à celui qu'il devait redevenir. Il aurait préféré être mort. Il se sentait étranger ici, dans son propre pays. Même l'anglais lui semblait une langue étrangère…

En fermant les yeux, ce soir-là, il rêva des bruits de la jungle et de la douceur de la peau de Paloma.

3

Le débriefing énergique que subit Marshall dans les locaux de la DEA à Quantico fut plus dur qu'il ne s'y attendait, plus dur que la dernière fois, après l'Équateur. Il se sentait agressé par toutes leurs questions, vidé par tout ce qu'il devait leur dire. Pourtant, ainsi qu'il devait le faire, il leur raconta ce qu'il savait. Il avait accumulé une somme incroyable d'informations sur l'organisation de Raul et avait une mémoire extrêmement précise des détails. Ses supérieurs n'en espéraient pas tant.

Le jeune homme savait maintenant qu'il y avait eu un raid dans le camp et qu'El Lobo avait filé. Cela ne l'avait pas étonné. Raul se tenait prêt en permanence à fuir. Sans doute avait-il marché dans la jungle aussi longtemps que nécessaire, se débrouillant comme il pouvait pour survivre. Puis il avait pris un hors-bord sur le fleuve ou même décollé en avion d'une petite piste cachée dans la forêt. On ne pouvait maîtriser un homme comme lui, pas plus qu'on ne pouvait l'arrêter. Toutefois, Marshall leur avait donné suffisamment de renseignements pour entraver sérieusement ses projets et le ralentir un moment.

Ses supérieurs laissèrent à la psychologue la pénible tâche de lui apprendre la mort de Paloma. Ils attendirent deux semaines – deux semaines au cours desquelles Marshall avait beaucoup parlé de Paloma et du bébé. Il ne pensait qu'à cela. Le bébé devait être né, maintenant. Pourvu que tout se fût bien passé pour Paloma...

Lorsque, enfin, il sut la vérité – à savoir que Paloma avait été tuée d'une balle dans la tête par son frère, avant le raid, Marshall crut que son cœur allait exploser. Ses yeux lancèrent des éclairs, son corps tremblait de rage. Au bout de plusieurs longues minutes, il parvint à se maîtriser.

— Il l'a fait pour me toucher, lâcha-t-il d'une voix froide.

— Non, assura la psychologue avec douceur tout en prenant note de ses réactions physiques. Je suis convaincue qu'il l'a fait pour la punir, elle.

Jamais Marshall n'aurait cru Raul capable de tuer sa sœur enceinte de sang-froid. Cela en disait long sur le personnage. Il savait qu'il pouvait faire preuve de cruauté, certes, mais pas à ce point.

— Je ne crois vraiment pas qu'il ait agi ainsi par rapport à vous, répéta la psychologue.

Elle était touchée par le visage bouleversé de Marshall et, plus encore, par son regard.

— Vous ignorez comment pensent ces gens, répliqua-t-il. Il a voulu détruire ce à quoi je tenais le plus pour me punir.

Aux yeux de la psy, c'était une analyse un peu extrême, proche de la paranoïa. Mais tout était possible.

Elle était bilingue, et bon nombre des séances s'étaient déroulées en espagnol, langue dans laquelle Marshall était plus à l'aise maintenant. Il vivait son rôle depuis longtemps ; et l'opinion de la psy rejoignait l'avis général : il faudrait des années au jeune homme pour qu'il se remette de la perte de Paloma et du bébé qu'elle portait. D'autant qu'il n'avait personne auprès de qui chercher du réconfort. Ses parents étaient morts tous les deux dans un accident de voiture alors qu'il était étudiant. Et il ne pouvait plus exercer son métier d'agent secret dans les pays où Raul avait des activités.

La femme conclut son bilan en recommandant qu'il reste au moins un an aux États-Unis, affecté à un emploi de bureau. Il fallait lui laisser le temps de s'apaiser et de guérir. De son côté, il ne parlait que de retourner en Amérique du Sud, là où on voudrait bien l'envoyer. Au Mexique par exemple, où Raul était moins puissant, et pour des opérations de moindre importance. Il n'était pas prêt à raccrocher.

Surtout, il voulait se venger. Il ne le dit pas, mais il cherchait un moyen de retourner en Colombie : là, il tuerait Raul, en représailles de ce qu'il avait fait à Paloma et à leur enfant. La psychologue lui avait confirmé que le bébé n'avait pas survécu à la mort de sa mère. Seules des techniques de pointe dans un hôpital moderne auraient permis de le sauver. Les tuer tous les deux, c'était certainement le but de Raul. Pour priver Pablo de tout ce qu'il aimait. Maintenant, Marshall le savait, Pablo Echeverría était aussi mort que Paloma et l'enfant. Il était détruit. Seule subsistait l'enveloppe de celui qu'il était désormais : Marshall Everett, agent secret de la DEA.

Son débriefing à Quantico se prolongea encore une semaine. Mais il leur avait déjà dit tout ce qu'il savait. Il se sentait vidé. Vidé de tout. Après avoir passé une nuit entière à sangloter sur Paloma, il n'avait plus pleuré. Il ne sentait plus rien.

À la fin de la troisième semaine, on lui remit les clés d'un appartement meublé de Georgetown, dans un immeuble réservé aux agents infiltrés qui rentraient de mission, et on l'affecta à un travail de bureau dans un service du Pentagone en lien avec l'Amérique du Sud. Il le vécut comme une condamnation à mort ; c'est tout juste s'il eut la force de se présenter à son poste le premier jour.

C'était la dernière semaine de février. Il neigeait et il faisait un froid mordant. Son nouveau bureau était aussi vide que sa vie. Il avait passé son enfance à Seattle, mais n'y avait jamais remis les pieds après la mort de ses parents. Il était entré en formation à la DEA, le plus jeune de sa promotion, et avait rempli sa première mission peu après son diplôme. Aujourd'hui, six ans plus tard, il n'avait ni amis, ni famille, ni foyer ou port d'attache. Personne avec qui reprendre contact ; personne à retrouver en sortant du travail ; personne à qui se confier pendant sa journée de bureau.

Au cours des mois suivants, il rendit des notes de service fouillées et rédigées avec le plus grand soin, qui témoignaient de sa grande connaissance du sujet, de la zone, des acteurs du système et de leurs agissements. Il savait tout sur le trafic de drogue en Colombie et dans les pays concernés par les activités de Raul. Il se renseignait de temps à autre ; personne n'avait entendu parler d'El Lobo depuis sa disparition.

Lorsque le printemps arriva, Marshall avait l'impression d'être vissé à ce bureau du Pentagone depuis un siècle. Il passa son anniversaire devant la télévision. Comme toutes ses soirées. Il avait vingt-neuf ans, maintenant, mais qu'est-ce que cela pouvait faire ?

Il avait déniché un restaurant colombien dans le quartier. Il y allait de temps en temps pour manger les plats qu'il aimait et bavarder en espagnol avec les serveurs. Quand on lui demandait d'où il était originaire, il répondait Bogotá. C'était plus simple que d'expliquer pourquoi il parlait aussi bien espagnol. Tout le monde croyait que c'était sa langue maternelle et c'était le sentiment qu'il finissait par avoir, lui aussi. Sa langue et son pays. Il se voyait bien plus de choses en commun avec les Latino-Américains qu'avec les Nord-Américains.

Bill Carter prenait régulièrement de ses nouvelles. Il savait que le jeune homme fournissait un travail irréprochable ; pourtant, les conversations qu'ils avaient ensemble le perturbaient : c'était comme si quelque chose en lui était mort, comme si son âme l'avait quitté. Tout ce qui l'intéressait, c'était de savoir quand il pourrait retourner en mission secrète en Amérique du Sud. Peu lui importait où, du moment qu'on ne se souvenait pas de lui et qu'on ne l'associait pas à Raul. Or Bill avait la désagréable impression qu'il ne voulait y retourner que pour se venger.

Marshall ne se voyait pas passer le restant de ses jours derrière un bureau. Il avait la clandestinité dans le sang. Il ne semblait même pas capable de réintégrer la vraie vie – si tant est que cela eût un sens pour un agent secret. Où était la vraie vie, en effet, quand on devait l'abandonner du jour au lendemain pour adopter les us et coutumes d'un autre pays, quand on devait changer d'identité et devenir, à la demande, quelqu'un d'autre. Ensuite, quand on rentrait chez soi, on ne se souvenait même plus qui on était avant. Sans compter que la « vraie vie » était infiniment plus terne que celle, dangereuse et excitante, des infiltrés.

Ses supérieurs à la DEA tenaient à le garder un an au chaud avant de réexaminer sa situation. Ils n'avaient pour l'instant aucune idée de ce qu'ils feraient de lui par la suite. Marshall avait demandé le Mexique à plusieurs reprises, affirmant que personne ne l'y reconnaîtrait. Toutefois, selon la psychologue, il fallait d'abord qu'il se réacclimate à son pays natal et reprenne sa place en douceur. Pour l'instant, il avait l'impression de vivre la vie d'un autre. Tout lui manquait : sa vie au camp, ses missions pour Raul, leurs réunions matinales, les décisions prises en commun, leur cognac du soir, le cigare qu'ils fumaient en faisant le bilan de la journée... Malgré la haine que lui inspirait désormais El Lobo, cette camaraderie lui manquait. Paloma, surtout, lui manquait... Sa beauté et tout ce qu'il avait vécu avec elle emplissaient son esprit à chaque instant. Rien, aux États-Unis, ne remplaçait ce monde perdu. Il avait l'impression d'avoir été aspiré dans le vide et de rester suspendu en apesanteur entre deux mondes.

Quand les beaux jours de mai firent leur apparition, il eut peine à croire qu'il n'était rentré que depuis trois mois. Ces trois mois avaient été aussi longs que trois ans. Comment allait-il tenir encore neuf mois derrière ce bureau ? Ou pire, une vie

entière, si on ne le renvoyait jamais sur le terrain...
En juin, il se fit plus insistant : il voulait repartir
dans un pays hispanophone, où il pourrait mettre
à profit son expérience et se confronter à des défis
plus stimulants. Il voulait une mission d'infiltré. Il
voulait quitter le Pentagone.

L'été à Washington fut interminable, lourd, mono-
tone. Marshall passa tous ses week-ends enfermé
dans son appartement, jusqu'à devenir fou. En septembre, il s'entretint avec Bill Carter : allaient-ils
vraiment le garder à Washington une année com-
plète avant de le réaffecter ? Il avait l'impression
d'être puni... À croire qu'il avait mal fait son travail en Colombie et s'était trop investi. Pourtant,
son implication avait été essentielle au succès de sa
mission. Sans compter qu'El Lobo l'avait déjà bien
assez puni.

— Tu ne veux pas te détendre un peu et profiter
de la vie, tout simplement ? lui suggéra son chef. Il
y a plein de choses à faire, à Washington. Tu n'as
même pas pris de vacances ; il n'y a pas un endroit
où tu aimerais aller ?

Marshall le fixa d'un regard intense.

— Si. En Amérique Centrale ou en Amérique du
Sud. Pour reprendre mon travail. Je n'ai rien à faire
ici.

Bill savait par ses collègues que Marshall ne s'était
pas fait d'amis depuis son retour. Il estimait sa situation provisoire. Parfait caméléon lorsqu'il était infiltré,
il ne savait plus être lui-même. Marshall Everett était
devenu pour lui un complet inconnu. Pablo seul avait
une consistance – le bras droit d'un des plus gros
trafiquants de drogue d'Amérique latine.

Même physiquement, ce n'était pas ça. Après avoir été contraint de se raser le crâne à Bogotá pour changer de tête, Marshall portait désormais la coupe tondeuse. Or sans ses cheveux longs, sans sa barbe – déconseillée au Pentagone – et sans ses vêtements de surplus militaire, il ne se reconnaissait plus quand il se regardait dans la glace.

Et à faire ce travail qu'il détestait, avec des gens dont il se fichait et qu'il n'avait pas envie de connaître, il avait l'impression de vivre chaque jour un mensonge. Qu'avait-il en commun avec ses collègues de bureau ? Les hommes comme lui étaient tous sur le terrain. En ce moment même, ils étaient infiltrés dans la hiérarchie des cartels de la drogue et tentaient de mettre fin à leurs activités. Une mission importante, une mission utile, au moins, tandis que lui perdait son temps enfermé dans un bureau. Même ses supérieurs étaient forcés d'admettre que ses qualités n'y étaient pas mises à profit.

— Nous verrons où tu en seras à la fin de l'année, conclut Bill Carter pour gagner du temps.

Sauf qu'il n'avait nullement le projet de le renvoyer à l'étranger pour le moment. Dans ce métier, il était essentiel de garder la tête froide, de rester neutre en toute circonstance. Or Bill doutait que Marshall en fût encore capable. Il avait trop perdu. Il n'était plus objectif. Il ne pensait plus qu'à une chose, quoi qu'il pût affirmer : se venger. Il fallait donc attendre qu'il fasse le deuil de la femme et de l'enfant qu'il avait perdus. Alors seulement, il serait prêt à être de nouveau infiltré. Pour le moment, il n'était pas question de le laisser exercer des représailles au nom de la DEA.

Néanmoins, tout le monde s'accordait à dire qu'il était actuellement sous-employé – et il était le premier à en avoir conscience. S'ils ne lui trouvaient pas rapidement une mission, il pourrait bien finir par quitter l'agence. Que deviendrait-il, alors, avec un parcours comme le sien ?

Un jour, lors d'un déjeuner, Bill Carter s'ouvrit de ce problème à son vieil ami Jack Washington, son alter ego au Secret Service, les services chargés de la protection du président. Les deux hommes se consultaient souvent quand ils rencontraient des problèmes particulièrement délicats, sans jamais se départir, bien entendu, de leur loyauté vis-à-vis de leurs agences et de leurs collaborateurs respectifs.

— J'ai un type en train de pourrir sur place dans un bureau au Pentagone, lui dit Bill. Un infiltré de tout premier ordre. Il a passé six ans en Équateur et en Colombie. Malheureusement, il est allé trop loin. Il y a eu une fuite, ce qui a facilité la prise de décision, mais je crois qu'on l'a laissé trop longtemps là-bas. On ne l'a pas complètement retrouvé. Son corps est ici, à Washington, mais son cœur et son esprit sont restés dans la jungle au sud de Bogotá. Il avait une femme, là-bas – que notre cible a tuée quelques heures après son départ. Bref, ce gars est en train de se transformer en zombie sous mes yeux. Il donne pleine et entière satisfaction dans son travail, mais nous constatons tous qu'il est encore en état de choc, même s'il n'en a pas réellement conscience. Cela fait des mois maintenant que je me demande ce que je peux bien faire de lui, que j'ai l'impression de gaspiller son talent.

— C'est tout votre problème, à la DEA... Vous envoyez des gars vivre une vie censée être réelle dans une situation fausse. Ils finissent par y croire et, quand vous les récupérez, ils ne savent plus qui ils sont. J'ai vu des mecs géniaux se retrouver brisés mentalement et psychologiquement à cause de ça. C'est la nature même de votre travail, mais le prix est lourd à payer. C'est un peu comme l'intelligence militaire en zone de guerre. Les agents ne reviennent jamais entiers.

— Si, quelquefois, affirma Bill.

Jack semblait sceptique.

— Chez nous, fit-il valoir, les gars risquent leur vie tous les jours, mais ils ont les pieds sur terre, au moins. Ils savent qui ils sont, pour qui ils travaillent et qui ils défendent. Ils n'ont pas à devenir un autre, à adopter une autre culture, une autre langue, un autre pays ; ça leur évite de devenir fous. Il faudrait que tu lui trouves une mission un peu plus peinarde, à ton type...

— Je n'ai vraiment rien pour le moment. Il voudrait aller au Mexique, mais l'équipe psy qui s'est occupée de son débriefing estime qu'il ne doit pas repartir avant au moins un an. L'ennui, c'est qu'il se sent à l'étranger, ici. Chez lui, c'est là-bas, dans la jungle, un camp de l'un des plus gros cartels de la drogue de Colombie.

— C'est ce que je te disais, tu vois...

Bill ne pouvait lui donner tort : le travail des infiltrés était particulièrement difficile. Mais la lutte contre les trafiquants de drogue devait en passer par là, ils le savaient aussi bien l'un que l'autre.

— Quand je pense que c'est l'un de nos meilleurs agents, reprit Bill. Hormis le fait qu'il doit se réacclimater aux États-Unis, son rapport psy est impeccable. Il faudrait lui trouver mieux, une mission de terrain... Sinon, il risque de démissionner, ce qui serait dommage. Il est doué... je n'ai jamais vu un instinct pareil.

— J'aurais bien besoin de gars comme lui, fit Jack en souriant. Chez nous aussi, il y a des pertes. Protéger des ex-présidents, ce n'est pas drôle tous les jours. Il y a peu d'occasions de briller, et c'est tant mieux... Mais au fait... Tu dis que tu as peur qu'il démissionne. Tu crois qu'il accepterait de quitter la DEA pour venir chez nous ? J'ai deux postes à pourvoir dans le détachement présidentiel. Un de mes gars est tombé raide mort d'une crise cardiaque en faisant son jogging. Il avait trente-neuf ans, et aucun antécédent... Et un autre prend un congé parce que sa femme souffre d'un cancer et qu'il veut s'occuper d'elle et de leurs enfants. Nous n'avons pas pour habitude de recruter dans vos équipes, mais tu pourrais mettre ton gars en disponibilité pour qu'il vienne chez nous, disons six mois ou un an. D'après ce que tu dis, il a les qualités requises et ça le branchera peut-être plus que son boulot de bureau à la DEA.

Bill était songeur.

— Alors, qu'est-ce que tu en penses ? reprit Jack. Tu crois qu'il pourrait se faire au protocole de la Maison-Blanche ? Ce n'est pas tout à fait la jungle colombienne ; il ferait l'affaire ?

Il avait une douzaine d'autres candidats possibles, mais quelque chose dans cette histoire l'intriguait. Et puis, surtout, il avait besoin d'un intérimaire : d'ici quelques mois, cet agent pourrait réintégrer la DEA et reprendre une mission d'infiltré. Alors que s'il recrutait dans les rangs du Secret Service, il aurait plus de mal à rendre son poste à l'agent en congé à son retour, car les places au détachement présidentiel étaient très convoitées. Il y avait des risques, certes, mais c'était beaucoup moins dangereux qu'une mission d'infiltré à la DEA. Le gars de Bill serait tout à fait à la hauteur de la situation – s'il était partant, bien sûr.

— Tu ne veux pas me l'envoyer que je voie un peu ce qu'il en est ? suggéra Jack. Si tu lui accordais une permission exceptionnelle, je pourrais te « l'emprunter » six à neuf mois. S'il me paraît faire l'affaire, je demanderai son avis au président. On a déjà eu recours à des procédés moins orthodoxes. En tout cas, ce serait une bonne solution pour tout le monde. Moi, j'aurai mon intérimaire ; lui ne sera plus cantonné derrière un bureau et toi, tu le récupéreras à la fin de la mission, ce qui ne sera pas le cas s'il démissionne. Parle-lui-en et vois ce qu'il dit.

Sur ce, les deux amis changèrent de sujet pour évoquer tour à tour un scandale au Sénat, des changements structurels au ministère de la Justice et la nomination-surprise d'un magistrat. Le nouveau président des États-Unis était jeune ; il avait des idées neuves qui ne plaisaient pas à tout le monde. Il se passait toujours quelque chose, à Washington.

Le lendemain, Bill convoqua Marshall dans son bureau. Celui-ci le salua d'un air plein d'espoir.

— Bonjour, Bill ! Une bonne nouvelle pour moi ? Vous me renvoyez sur le terrain ?

On aurait dit un gamin attendant le cadeau du père Noël. Bill le détrompa à regret.

— Pas comme tu l'espères, répondit-il. Mais ça t'intéressera peut-être quand même. J'ai déjeuné hier avec un ami qui est dans les services chargés de la protection du président. Ils viennent de perdre deux éléments...

— Ah oui ! J'ai lu qu'un agent avait fait une crise cardiaque il y a deux semaines. Qu'est-il arrivé à l'autre ?

— Sa femme est malade ; il a demandé un congé. En principe, il n'y a pas de passerelle d'un service à l'autre. Toutefois, mon ami a eu une idée : si tu prenais un congé de la DEA, il pourrait « t'emprunter » quelque temps, jusqu'au retour de son agent. Ça te dirait, le détachement présidentiel ?

Marshall ne put cacher sa déception. Ce n'était pas du tout ce qu'il espérait. Son poste actuel au bureau de l'Amérique latine lui déplaisait souverainement, mais faire le planton à la Maison-Blanche ou dans les dîners officiels n'était guère plus passionnant. Ce qu'il voulait, c'était retrouver l'adrénaline quotidienne du terrain, faire quelque chose d'utile, combattre les vrais salauds. Il était entré à la DEA pour changer le monde. Dans le détachement présidentiel, sauf en cas de bombe ou d'agression directe sur le président, il serait aussi inutile qu'actuellement, enfermé entre les murs du Pentagone.

— Je ne sais pas, répondit-il honnêtement. Cela ne correspond pas à ma formation. Je voudrais reprendre mon travail, faire ce que je sais faire. Je ne suis ni un baby-sitter ni un gratte-papier. Ce que je veux, c'est être opérationnel sur le terrain.

— Tu y retourneras, promit Bill, mais pas tout de suite. Il faut laisser passer un peu de temps. Tu es connu en Amérique du Sud, maintenant. Nous ne voulons pas t'envoyer à l'abattoir. Il faut attendre que les choses se calment... Le détachement présidentiel pourrait être une bonne alternative, provisoirement.

Je t'assure que ces gars font un vrai boulot ; ce ne sont pas des dégonflés. Veux-tu rencontrer mon ami du Secret Service ?

Marshall hocha la tête sans conviction.

Mais trois jours plus tard, lorsqu'il s'entretint avec Jack Washington, il le trouva extrêmement charismatique et convaincant. À l'entendre, le poste était aussi passionnant que celui qu'il avait occupé ces six dernières années.

— Hum... Et ce serait possible alors ? Vous pourriez me prendre en intérim à la protection du président ? demanda-t-il finalement.

Il ne voulait pas quitter définitivement la DEA, ce que Jack comprenait fort bien. De son côté, il n'avait rien à redire à la candidature de Marshall. Le jeune homme présentait bien, il était brillant et il comprenait tout à demi-mot.

— Je crois que c'est faisable, quitte à user un peu de mon influence, répondit-il avec prudence.

Ce serait une première, mais il avait envie d'essayer.

— Je tiens à être franc avec vous, dit Marshall. Ce n'est pas ce que je rêve de faire, et si on me propose une mission en Amérique latine, je sauterai dessus. Mais vous avez raison : cela vaudra toujours mieux que mon poste actuel.

— Bon, très bien ! Commencez par m'envoyer votre CV. Je vais faire savoir en haut lieu combien j'ai besoin de vous et leur dire qu'une occasion unique s'offre à nous de mettre la main sur un agent de la DEA. Nous avons déjà fait une opération de ce genre il y a quelques années avec un type de la CIA, et il y a une dizaine d'années avec un agent spécial du FBI. Comme vous voyez, cela arrive, mais pas très souvent. Pour certains profils, le jeu en vaut la chandelle.

— Je suis très motivé, assura Marshall, de plus en plus enthousiaste. Si je reste enfermé encore cinq mois – ou davantage –, je vais devenir fou. Ou démissionner. J'y ai déjà pensé.

Ainsi Bill avait vu juste.

— Non, ne faites pas cela, lui conseilla Jack d'un ton calme. Cette option est peut-être la solution à nos problèmes à tous les deux. Ne vous inquiétez pas, Marshall, je vais intervenir en votre faveur. Il suffit parfois d'être un peu créatif.

Le jeune homme hocha la tête. L'idée commençait à l'intriguer et même à lui plaire. Il voulait de l'action. Et c'était une mission prestigieuse et très convoitée.

Jack ne se manifesta pas avant la fin octobre. Il avait reparlé avec Bill et obtenu toutes les autorisations nécessaires en haut lieu. Il était très satisfait de ce que lui avait appris l'enquête interne sur Marshall. Bref, ne manquait plus que l'accord définitif de l'intéressé.

Ce que Jack lui dit du poste à la Maison-Blanche acheva de le décider. C'était après tout une mission intéressante, prestigieuse et très convoitée.

Les formalités de transfert furent rapides. Il aborda sa première journée avec une certaine nervosité. Il ne savait pas trop à quoi s'attendre... Sur place, un conseiller lui exposa sa mission et lui fit visiter les lieux, y compris le bureau ovale et les appartements privés. Par souci de discrétion, ils ne dérangèrent pas la première dame, qui dînait avec ses enfants – comme elle aimait à le faire lorsqu'elle n'en était pas empêchée par une réception officielle.

Le président lui-même était absent : il prononçait un discours à l'ONU. La famille comptait beaucoup pour le couple présidentiel et l'on voyait souvent le président jouer avec ses enfants de six et neuf ans le week-end. L'administration actuelle semblait moins guindée que d'autres par le passé, et la Maison-Blanche prenait des airs de véritable foyer. La fille du président était même descendue en catimini, un soir, curieuse de voir à quoi ressemblait un dîner d'État. Elle avait été photographiée regardant entre les barreaux de la rampe du grand escalier. Un cliché adorable, précisa le conseiller, mais Marshall ne se rappelait pas l'avoir vu. Les enfants en général n'attiraient pas son attention. Il faut dire que, jusque-là, il avait eu très peu de contact avec ces jeunes êtres, dans sa vie privée comme dans sa vie professionnelle. Son bébé avec Paloma aurait été le premier.

Puis Marshall fut convoqué pour son premier jour de travail. Il mit le costume foncé qu'il avait acheté pour le bureau et arriva en avance. Quand il avait quitté la DEA pour son « congé sabbatique », Bill lui avait exprimé son souhait que sa mission temporaire lui plaise. Il espérait bien cependant le voir réintégrer la DEA bientôt, lui assurant que, s'il le voulait toujours, ils le renverraient en Amérique latine. Marshall avait répondu que, oui, il le voudrait toujours mais que, dans l'intervalle, il comptait bien donner le meilleur de lui-même dans ses fonctions au détachement présidentiel.

« Fais-nous honneur, avait conclu son chef.

— Je n'y manquerai pas, Bill. »

Ce matin-là, on le posta en faction devant le bureau ovale, avec trois autres agents du Secret Service dans les parages, en lui indiquant que, si le président se déplaçait, il fallait le suivre. En principe, il ne devait pas sortir avant l'heure du déjeuner – déjeuner qu'il prendrait dans la salle à manger de ses appartements privés. Il devait passer également tout l'après-midi dans le bureau ovale, en rendez-vous et conférences téléphoniques, notamment avec des chefs d'État étrangers.

Marshall était planté au même endroit depuis deux heures, telle une statue, avec une oreillette – un « spaghetti », comme on disait dans le métier – qui lui permettait de rester en contact radio permanent avec le reste de l'équipe. Il s'ennuyait ferme et commençait à lutter pour ne pas s'endormir debout. De jolies femmes passaient devant lui à toute allure avec des documents, des dossiers ou un iPad. Il avait baissé les yeux un instant quand il vit approcher deux petits pieds chaussés de souliers roses ornés d'un nœud. Il fit remonter son regard et découvrit une petite fille blonde avec des couettes, vêtue d'une jupe grise et d'un pull rose. Elle le fixait avec le plus grand sérieux. Elle était adorable, avec ses dents de devant manquantes et ses immenses yeux bleus qui regardaient droit dans les siens.

— Je ne t'ai jamais vu, remarqua-t-elle. Tu es nouveau ?

— Oui, j'ai commencé aujourd'hui, lui répondit-il comme à une adulte.

Il ne savait trop comment s'adresser à elle.

— Tu es content ? s'enquit-elle poliment.

Il hocha la tête en réprimant un sourire amusé devant ce drôle de petit elfe. Une rencontre et une conversation des plus inattendues.

— Oui, très, assura-t-il. Tout le monde est très gentil.

Mais comment se faisait-il que la fille de six ans du président se promenât seule, sans escorte, dans la Maison-Blanche ? D'ailleurs, pourquoi n'était-elle pas à l'école.

— Je m'appelle Amelia, dit-elle. C'est mon papa, ajouta-t-elle en pointant le doigt vers le bureau ovale. Tu l'as déjà vu ?

— Eh bien non, pas encore. Il a été très occupé toute la matinée.

Elle hocha la tête comme pour signifier que c'était dans l'ordre des choses, puis répondit à la question qu'il se posait sans l'avoir formulée.

— Moi aussi, d'habitude, je suis occupée. Mais il y a la vermicelle à mon école et ma maman ne veut pas que je l'attrape. Ça donne des boutons et ça gratte. Tu l'as déjà eue, cette maladie ?

— Je crois que oui, mais je ne me souviens pas.

— De toute façon, je ne l'ai pas, alors je ne te la passerai pas. Mon frère l'a eue l'année dernière, mais moi non, et ma maman ne veut pas que je l'attrape maintenant non plus. Martha, la dame qui s'occupe de nous, a la grippe. Et ma maman se fait coiffer. Alors je suis descendue me promener. Tu vas te déguiser comment, pour Halloween ?

Pris au dépourvu par cette question, Marshall se mit à rire.

— Aucune idée ! Je n'y ai pas réfléchi.

Cela faisait vingt ans qu'il ne s'était pas déguisé pour Halloween.

— Il faut te dépêcher, remarqua-t-elle d'un ton solennel. C'est demain.

— Et toi, en quoi vas-tu te déguiser ?

C'était un plaisir, de bavarder avec cette petite fille aux chaussures roses, vive et drôle.

— Je voulais me déguiser en Cendrillon, mais c'est trop difficile de marcher avec ses chaussures et je risque de tomber, alors je serai en souris. Je mettrai mes ballerines. Et un tutu, ajouta-t-elle d'un air satisfait.

Marshall sourit.

— Une souris en tutu, quelle bonne idée !

— Mon frère se déguise en vampire et papa lui a acheté du faux sang. Maman dit que ça va tout salir...

Le président des États-Unis était-il vraiment allé acheter du faux sang pour le déguisement de son fils ? songea Marshall. Comme monsieur Tout-le-Monde ? Quel contraste avec sa vie en Amérique du Sud ces six dernières années... Qu'elle était loin, la jungle où des femmes se faisaient tuer d'une balle dans le front par leur frère.

C'est alors que la porte du bureau ovale s'ouvrit et que le président apparut. Il eut l'air un instant étonné de trouver sa fille sur le seuil, mais il sourit aussitôt à Marshall avant d'adresser à Amelia un regard interrogateur.

— Qu'est-ce que tu fais là toute seule, jeune fille ?

— Martha est malade et maman est avec le coiffeur. J'ai raconté au monsieur le faux sang pour Brad. Il n'a pas de déguisement pour demain, précisa-t-elle en regardant Marshall. Il a oublié que c'était Halloween. Je lui ai dit que je serais en souris.

— Hum... C'est bientôt l'heure du déjeuner, je crois. Maman va se demander où tu es passée. Tu l'as prévenue que tu descendais ?

Amelia parut toute penaude.

— Elle est occupée, dit-elle pour se défendre.

— Je vais remonter avec toi. Merci d'avoir distrait ma fille, ajouta-t-il chaleureusement à l'adresse de Marshall. Elle a beaucoup d'amis à la Maison-Blanche. Elle descend souvent ici...

Ils se dirigèrent vers l'ascenseur privé. Amelia se retourna, fit un petit signe à Marshall et lança :

— Je viendrai te montrer mon déguisement demain !

Une jeune femme passa avec une brassée de livres tandis que la porte se refermait.

— Elle est trop mignonne, hein ? fit-elle. Ils sont adorables tous les deux, son frère et elle. On les voit souvent. C'est l'un des avantages du métier.

Marshall était loin de s'attendre à une atmosphère aussi sympathique. Il se surprit même à avoir hâte de voir Amelia déguisée en souris. Les enfants du président allaient-ils faire la tournée des bureaux pour avoir des bonbons ? Il avait l'impression d'être accueilli au sein d'une famille. Cette dimension humaine lui plaisait infiniment. C'était tout nouveau, pour lui.

Le président revint une demi-heure plus tard ; sa pause déjeuner n'avait pas été longue. Il serra la main à Marshall.

— J'espère qu'Amelia ne vous a pas trop embêté... Elle adore se faire de nouveaux amis.

— Pas du tout, monsieur. Elle a l'air très enthousiaste, pour demain....

— Je crois bien qu'il va y avoir du rouge partout. Notamment sur le canapé blanc de sa mère – et moi je ne serai pas en odeur de sainteté... Amelia voudrait que je me déguise aussi. Superman me semblerait plutôt approprié, vu tout ce que j'ai à faire, mais je crains de voir ce que ferait la presse d'un président en collant !

Cette remarque les fit rire tous les deux, puis Phillip Armstrong entra dans le bureau ovale. Cet après-midi-là, il recevait un chef d'État du Moyen-Orient, et on avait déjà averti Marshall de la visite du Premier ministre britannique le lendemain. L'idée du président déguisé en Superman le fit rire à nouveau. La tension qu'il avait éprouvée quelques heures auparavant en prenant son poste était maintenant complètement dissipée.

Phillip Armstrong sortit du bureau ovale à dix-neuf heures. Il salua tout le monde et sourit à Marshall.

— Ça a été, cette première journée ? s'enquit-il.

Cette nouvelle recrue lui semblait très bien. Le jeune homme paraissait sérieux et sympathique, au-delà de sa gentillesse avec Amelia, qui avait chanté ses louanges pendant tout le déjeuner.

— Très bien, monsieur. Merci beaucoup, répondit-il en souriant. Et j'ai été très heureux de faire la connaissance de votre fille.

— Quel était votre poste précédent ?

— En fait, je suis en congé temporaire de la DEA. J'ai été infiltré six ans en Amérique du Sud. Depuis huit mois, entre deux missions, j'étais au Pentagone. On m'a en quelque sorte prêté à vous.

— Vous devez trouver le détachement présidentiel terriblement ennuyeux, observa le président en haussant les sourcils, conscient du changement de vie que cela impliquait pour un agent d'élite comme lui.

— Non, monsieur. En réalité, c'est beaucoup plus animé ici qu'au Pentagone.

La Maison-Blanche était une vraie ruche. Et Marshall était aux premières loges, à ce poste d'observateur toujours en éveil mais passif – jusque-là tout du moins.

— Alors bienvenue à la Maison-Blanche, jeune homme. J'espère que vous vous y plairez. Nous sommes heureux de vous accueillir au sein de l'équipe, en tout cas.

Sur ce, le président s'éloigna, dit un mot à une secrétaire et monta dans l'ascenseur privé. Phillip Armstrong faisait à Marshall l'effet d'un homme posé, sain, bon père de famille ; il s'était montré très aimable, cordial, et l'avait tout de suite mis à l'aise. Les sondages pouvaient en témoigner : l'homme était très populaire chez les Américains dans leur ensemble.

En quittant la Maison-Blanche, Marshall songea qu'il avait passé une bonne journée. Pourtant, il n'avait pas combattu les trafiquants de drogue ; il n'avait pas organisé le transport de tonnes de cocaïne vers l'Afrique, les Caraïbes ou les États-Unis. Non, il avait passé une journée de travail normale, même s'il était en poste à la Maison-Blanche et qu'il avait bavardé avec le président. Il sourit tout seul en songeant à sa rencontre avec la petite Amelia.

Ce soir-là, pour la première fois, il se sentit un peu chez lui dans son appartement meublé aux murs nus de Georgetown. Allez, songea-t-il en le considérant soudain d'un œil neuf, il suffirait que je fasse un petit effort de décoration pour le rendre plus chaleureux. Il réalisa alors que son corps vibrait de nouveau, il se sentait vivant. Une petite fille avec des couettes et des chaussures roses avait su toucher son cœur.

4

Dès le deuxième jour, Marshall eut beaucoup plus à faire. Il faisait partie d'un détachement de six hommes qui accompagnaient le président en hélicoptère pour une rencontre à Camp David avec le Premier ministre britannique. Ils en repartirent après le déjeuner pour se rendre au Congrès, où le président devait prendre la parole, et ne regagnèrent la Maison-Blanche qu'en milieu d'après-midi. C'était intéressant, et le Premier ministre et ses conseillers s'étaient montrés très aimables avec eux tous. Les échanges entre les agents du Secret Service et leurs homologues britanniques avaient également été très sympathiques. Ces rencontres que lui permettaient ses nouvelles fonctions avaient quelque chose de passionnant. Il eut également l'occasion de parler avec ses confrères du Secret Service. Sous leurs airs décontractés, ils étaient toujours sur le qui-vive. L'un d'eux exerçait ce métier depuis plus de vingt ans ; les autres étaient plus proches de Marshall en âge. Ils furent vivement intéressés d'apprendre qu'il appartenait à la DEA et revenait de six ans sur le terrain en Amérique latine. Son expérience de la lutte antidrogue lui valut leur respect immédiat.

— Quel changement ça doit te faire ! remarqua l'un des plus jeunes. J'avais pensé à la DEA, moi aussi, mais je me suis marié juste après la fac. Ce n'est pas un métier qu'on peut faire quand on a une femme et des enfants...

Marshall songea à Paloma et au bébé, et hocha la tête.

— Tu as de la chance d'en être sorti indemne, commenta un autre. On entend quelquefois de sales histoires.

Oui, comme ce type qui avait appris que la femme qu'il aimait et l'enfant qu'elle portait avaient été assassinés en représailles...

— C'est vrai, répondit-il simplement sans rien révéler de ce qui lui était arrivé. Mais, sur le terrain, on n'y pense pas. On fait ce qu'on a à faire. D'ailleurs, votre mission à vous est tout aussi importante, si ce n'est plus. La mienne consistait seulement à suivre les trafiquants de drogue et à essayer de créer des brèches dans les cartels.

Malgré la difficulté de la tâche, Marshall avait réussi à causer des dommages sérieux et durables à l'organisation de Raul. D'après ses supérieurs, les informations qu'il avait rapportées étaient d'une importance considérable.

— Tu as dû t'en aller parce que quelqu'un t'avait grillé ? voulut savoir un gars.

— Il y a eu une fuite... Il n'a pas fallu que je traîne.

Il se garda bien de laisser paraître combien son départ avait été douloureux et ce qu'il avait laissé derrière lui.

— Ce ne doit pas être une vie facile. J'imagine que tu es content d'être rentré.

Marshall soupira en guise de réponse. À la vérité, il n'était pas content. Sa vie d'avant lui manquait ; pour lui, Washington, c'était du provisoire. Seule la certitude de retrouver bientôt une mission d'infiltré le faisait tenir.

— Ça change, c'est sûr, fit-il laconiquement.

Ses collègues étaient certainement au courant de la forme de dépendance que ce genre de travail pouvait engendrer.

— Tu dois super bien parler espagnol, remarqua un autre avec une espèce de respect discret.

Marshall rit.

— Mieux qu'anglais, parfois, concéda-t-il. Cela faisait six ans que je n'avais pas parlé anglais. On finit par devenir quelqu'un d'autre, par oublier qui on est, qui on était. Ça fait tout drôle, au début, quand on arrive dans le pays étranger, puis on s'y fait, et ça devient la seule vie qu'on connaisse.

Il lisait encore la presse sud-américaine et regardait les chaînes de télévision hispanophones. Il n'osa pas le leur avouer de peur de paraître bizarre.

— Du coup, tu as quitté la DEA pour de bon ?

— J'espère que non. J'aime ce boulot. On a plus de marge de manœuvre pour agir. Et puis je suis peut-être accro à l'adrénaline.

Beaucoup d'agents de la lutte antidrogue se faisaient tuer sur le terrain, y compris aux États-Unis...

— Oh, tu verras... chez nous aussi, on peut se prendre de bonnes décharges d'adrénaline. Je n'imagine même pas ce qu'ont ressenti les gars quand Kennedy a été abattu, à l'époque. On a beau faire de son mieux, on n'est pas infaillible. On peut se faire avoir.

— Pareil pour les infiltrés. On ne peut jamais savoir à l'avance comment ça va finir, si on va réussir ou se faire descendre.

Ils hochèrent la tête. Mais la rencontre avec le Premier ministre britannique avait pris fin. Ils partirent au Congrès avec le président et n'eurent plus le temps de bavarder. Mais l'échange avait été intéressant et leur avait permis d'un peu mieux se connaître, même si Marshall se livrait peu et que, avec le sérieux et la conscience professionnelle qui le caractérisaient, il en était encore à prendre ses marques à son nouveau poste.

Il ne baissa pas la garde de la journée, jusqu'au retour du président dans le bureau ovale. À seize heures, Amelia fit son apparition, dans son déguisement de souris, avec son tutu et ses ballerines roses. Quelqu'un lui avait dessiné des petites moustaches. Aux anges, elle sautillait d'un bureau à l'autre. Elle s'approcha de Marshall avec un grand sourire édenté. Elle tenait entre ses mains une citrouille d'Halloween en plastique déjà à moitié pleine de bonbons. Les secrétaires, prévoyantes, avaient apporté des friandises. Marshall, lui, n'y avait pas pensé, mais il le regrettait… Quelques instants plus tard, le frère d'Amelia descendit à son tour. C'était un beau petit garçon, qui conservait un air sérieux malgré ses crocs en plastique et le faux sang au coin de ses lèvres. Il serra poliment la main de Marshall.

Amelia fit les présentations.

— C'est mon frère, Brad.

— Enchanté, Brad. Moi, c'est Marshall. Très réussi, le sang, ajouta-t-il d'un ton admiratif, ce qui lui valut un sourire digne de Dracula.

Le sang coulait un peu ; on n'imaginait que trop bien les dégâts qu'il avait pu faire à l'étage...

— Vous allez sortir faire le tour des maisons du quartier ? s'enquit Marshall.

Amelia soupira, l'air déçue.

— Papa ne veut pas. Et puis il faudrait emmener des gardes du corps, ce ne serait pas drôle. On a juste le droit de demander des bonbons dans la Maison-Blanche. Mais ce matin, j'ai fait la parade à l'école, lâcha-t-elle fièrement.

Pendant ce temps, son frère avait frappé à la porte du bureau ovale. Leur père les invita à entrer. Quand ils ressortirent, une demi-heure plus tard, le président avait du sang sur sa chemise et une tache sur sa cravate. Il jeta un coup d'œil narquois à Marshall, qui sourit.

— Je vois que vous vous êtes fait mordre par un vampire, monsieur le président.

Brad s'esclaffa. Une secrétaire qui passait donna des bonbons aux deux enfants.

— Maintenant, annonça Amelia, on va à la cuisine !

Elle était plus extravertie et bavarde que son frère. Elle avait des amis partout et semblait inclure Marshall dans le nombre, à croire qu'elle le connaissait depuis des années. Les deux gamins filèrent, leurs citrouilles en plastique déjà presque pleines. Le président se remit au travail tandis que Marshall et trois autres agents restaient postés devant son bureau.

— Ils sont mignons, ces gosses, commenta l'un de ses collègues. Mais ça doit être une drôle de vie, pour eux...

Sauf qu'ils n'avaient guère connu autre chose. Leur père avait été élu près de deux ans auparavant ; Amelia avait donc quatre ans et Brad sept quand ils avaient emménagé. Avant cela, le président avait passé huit ans au Sénat. Et d'après les sondages, il avait toutes les chances d'être réélu. Amelia aurait alors douze ans lorsqu'ils quitteraient la Maison-Blanche et Brad serait lycéen. Leurs parents s'appliquaient à les élever le plus normalement possible. Ils étaient toutefois extrêmement privilégiés de vivre cette expérience.

Le lendemain, à l'occasion d'un dîner d'État, Marshall fit la connaissance de la première dame. C'était le portrait d'Amelia en plus grand, et en encore plus joli – mais elle était aussi timide que Brad. Au fond, la petite fille était le parfait mélange de ses deux parents. Marshall la voyait très bien présidente un jour. Oui, même avec ses couettes et son déguisement de souris.

La première dame, quoique réservée, était une avocate sortie major de sa promotion à Yale. Le président et elle avaient fait leurs études de droit ensemble, mais elle avait interrompu sa carrière peu après leur mariage, lorsqu'il s'était présenté à l'investiture de sénateur. Dévouée à son mari et à son rôle, elle soutenait de nombreuses organisations caritatives en faveur des plus démunis. Elle soutenait activement la lutte contre la pauvreté, en particulier lorsqu'elle concernait les enfants. Elle évitait soigneusement la controverse, les sujets sensibles ou les prises de position politique agressives.

En un mot, Melissa Armstrong était une épouse modèle et une première dame parfaite. Elle avait appris le français et l'espagnol lorsque son mari avait accédé à la présidence et étudiait maintenant le chinois. À quarante-deux ans – quatre de moins que lui –, elle était superbe. Joueuse de tennis, excellente skieuse, elle faisait de la gymnastique tous les matins à six heures avec un professeur pour entretenir sa forme et sa silhouette. Résultat, le pays l'adorait. Sa grande intelligence et sa douceur étaient ses meilleurs atouts. Son mari lui attribuait d'ailleurs ses victoires électorales. Quelque chose chez eux évoquait un peu les Kennedy, mais en plus moderne et plus discret. Authentiques, sans la moindre ostentation, ils étaient plus populaires, plus aimés qu'aucune famille présidentielle depuis des années.

Lorsqu'il vit la première dame la première fois, Marshall fut frappé par sa beauté et par son élégance. Elle portait ce soir-là une longue robe noire asymétrique. Elle le repéra aussitôt, car il était nouveau, et prit le temps de venir le saluer.

— Amelia m'a parlé de vous, dit-elle chaleureusement avec ce sourire timide qui avait déjà fait le tour du monde.

Il songea aussitôt aux images de la princesse Diana jeune. C'était ce genre de beauté blonde, avec un côté sain et nature très américain.

— Vous avez une petite fille merveilleuse, madame, répondit-il. Et votre fils est magnifique, malgré le sang de vampire.

— Si vous voyiez l'état de notre canapé blanc tout neuf..., soupira-t-elle en levant les yeux au ciel.

Le président avait tenu à faire plaisir à son fils. Il s'efforçait de compenser les contraintes que sa fonction imposait à ses enfants. Amelia ne semblait guère souffrir de vivre à la Maison-Blanche et d'être moins libre que les enfants de son âge. Pour Brad, c'était apparemment plus difficile. Il faisait partie depuis peu de l'équipe de football de son école, mais devait être accompagné d'une demi-douzaine d'agents du Secret Service à chaque entraînement ou match.

Marshall fut très sensible à ce premier échange avec Melissa Armstrong. Au cours de la soirée, le président vint lui aussi lui dire un mot sympathique. Le jeune homme appréciait de plus en plus son nouveau poste...

Le dîner d'État comptait une quarantaine d'invités et était donné en l'honneur du prince héritier du Japon et de son épouse. En l'espace de trois jours, Marshall avait vu beaucoup de choses, de la réunion à Camp David à cette grande réception officielle, en passant par le Halloween des enfants. Son travail n'était réellement stressant que lors des déplacements. Là, il fallait être en alerte maximale, prêt à tout pour protéger le président. D'autant que le style assez détendu et liant de ce dernier – lequel n'hésitait pas à serrer les mains qui se tendaient et à faire des haltes imprévues – ne leur simplifiait pas la tâche.

C'est précisément ce qui se produisit au cours de la deuxième semaine de prise de fonctions de Marshall. Le président voulut s'arrêter dans un grand magasin pour acheter le sac à main que son épouse avait évoqué la veille et qui irait si bien avec le tailleur qu'elle comptait porter pour Thanksgiving. Il débarqua dans les rayons, entouré des hommes du Secret Service, dont Marshall. Il fut instantanément assailli par les clients stupéfaits qui voulaient lui serrer la main. Les hommes de la sécurité du magasin firent de leur mieux pour les tenir en respect. Et Marshall et ses collègues réussirent finalement à convaincre le président d'attendre dans la voiture tandis que l'un d'eux s'occupait d'acheter le fameux sac.

— Il me fiche une de ces trouilles, quand il fait des trucs comme ça, dit le responsable du groupe à Marshall une fois que le président eut repris sa place, sain et sauf, dans la voiture. Je vieillis de dix ans à chaque arrêt improvisé. Avec les enfants, c'est encore pire. Il ne semble pas avoir conscience du danger.

Même si les sorties planifiées n'étaient pas moins dangereuses – puisqu'elles permettaient à des fous ou même des groupes terroristes de préparer une attaque –, la séance de shopping improvisée avait également inquiété Marshall. Il avait scruté la foule sans relâche de manière qu'aucun individu suspect ne puisse lui échapper. Il comprenait toutefois la volonté du président : celui-ci voulait conserver un semblant de normalité et de spontanéité dans sa vie. Par chance, la première dame était généralement plus raisonnable et très soucieuse de la sécurité de ses enfants.

Le président et les siens passèrent Thanksgiving à Camp David, avec des proches. Marshall s'était porté volontaire pour être de service les quatre jours. Certains de ses collègues lui en furent très reconnaissants, qui avaient envie de passer les congés en famille. Marshall, lui, aimait mieux travailler que rester seul entre les quatre murs de son appartement.

Passer les fêtes avec la famille présidentielle, même à distance, se révéla plutôt agréable. Il n'eut pas la sensation d'être considéré comme un robot. Il joua au ballon avec Brad et bavarda avec Amelia. Les deux parents le remercièrent de sa gentillesse avec les enfants, tout en lui conseillant de ne pas les laisser abuser de sa patience. La famille avait aussi un chiot labrador noir débordant d'énergie avec lequel Marshall passa pas mal de temps à jouer. Ses collègues étaient sympathiques et sérieux et ils formaient une équipe soudée. Ce fut, somme toute, son meilleur Thanksgiving depuis bien des années.

Lorsque Bill Carter demanda des nouvelles de Marshall, on lui répondit qu'il s'était parfaitement intégré et que la famille présidentielle l'appréciait beaucoup. Le président l'avait même requis spécifiquement à plusieurs reprises, notamment le week-end, parce qu'il était formidable avec les enfants.

— Je ne sais pas si nous allons vous le rendre dans un an, conclut en riant son superviseur au Secret Service. Il n'aura peut-être même plus envie de retourner sur le terrain...

— N'y comptez pas trop : il a ça dans le sang, assura Bill. Cela dit, je suis heureux que tout se passe bien. Son retour a été difficile, et je me faisais du souci pour lui. Il arrive, hélas, que nos agents ne retrouvent jamais vraiment une stabilité psychologique et restent déchirés entre différentes identités.

Bill avait vu le phénomène se produire à plusieurs reprises et en avait éprouvé à chaque fois la même culpabilité. Il avait réellement craint que Marshall soit du nombre. Les premiers temps, le jeune homme semblait pour ainsi dire mort. Alors, tant mieux si ce poste au contact du président et de sa famille ramenait à la vie ce garçon d'une grande valeur humaine autant que professionnelle.

Marshall se porta de nouveau volontaire pour être de service à Noël et accompagna la famille aux sports d'hiver à Aspen. Ancienne championne de ski, Melissa donnait des leçons à sa fille. La petite Amelia dévalait les pentes avec beaucoup d'aisance déjà. Le président, lui, sortait peu du chalet : il avait trop de travail. Il demanda à Marshall s'il voulait bien skier avec Brad. D'autant que le garçon appréciait sa compagnie et aimait plaisanter avec lui. Marshall lui parlait parfois en espagnol, ce qui le faisait beaucoup rire. Un jour, la première dame l'entendit et s'adressa à lui dans un espagnol presque parfait. Elle voulut savoir où il avait appris cette langue. Il lui expliqua qu'il avait passé six ans en Amérique du Sud, et elle se rappela qu'il venait de la DEA. Elle parut curieuse d'en savoir plus, mais resta très discrète. Brad, lui, mis au courant de son passé d'infiltré par les autres agents, n'avait aucun scrupule à le bombarder de questions – auxquelles Marshall refusait de répondre, bien sûr. Le garçon affirmait vouloir travailler à la CIA, plus tard. Pour le taquiner, Marshall lui rétorquait que la DEA, c'était bien mieux. À la fin du séjour, son affection pour les enfants et son respect pour leurs parents – aussi bons avec eux qu'avec leurs employés – avaient encore grandi. Il quitta Aspen à regret.

Cependant, il n'avait toujours pas de vie sociale et ne souhaitait pas en avoir. Il ne s'intéressait pas aux femmes qu'il rencontrait au travail. Après la mort de Paloma et de leur bébé et celle, des années plus tôt, de ses deux parents, il ne voulait plus s'attacher à un être de peur de le perdre. Son travail lui suffisait.

L'hiver et le printemps furent très occupés entre dîners d'État, réunions politiques et voyages un peu partout dans le monde – Europe, Asie, Australie –, mais aussi à l'intérieur du pays, notamment un séjour dans l'Oklahoma ravagé par une série de tornades. Quand le rythme retomba un peu, en mai, Marshall se rendit compte avec surprise que cela faisait quinze mois qu'il était rentré de Colombie et sept qu'il était affecté à la protection du président.

Le jour de son anniversaire – celui de ses trente ans –, Amelia lui donna une carte qu'elle avait faite elle-même et un cupcake avec une bougie. Quant à Brad, il lui offrit l'un de ses trésors : un ballon de football dédicacé par Aaron Rodgers. Marshall hésita à l'accepter, mais le garçon insista fortement. Marshall lui promit alors de le mettre bien en vue dans son appartement. Celui-ci était d'ailleurs toujours aussi austère, malgré les velléités qu'il avait eues de le décorer. En fait, il continuait à ne pas se sentir chez lui à Georgetown. La dernière fois qu'il s'était senti chez lui quelque part, c'était au camp de Raul. Parce qu'il y avait là-bas des êtres qu'il aimait.

Le souvenir de Paloma et de son beau ventre rond n'était plus omniprésent, mais s'invitait régulièrement. Au fond de lui, il demeurait résolu à retrouver Raul et à le tuer. Il savait par ses sources à la DEA que ses affaires avaient reçu un sérieux coup d'arrêt et qu'il était de retour en Colombie – dans un autre camp, évidemment. La DEA avait un agent sur place, mais il lui serait extrêmement difficile de parvenir à rentrer dans l'organisation de Raul au même niveau que Marshall, d'autant qu'El Lobo était devenu encore plus méfiant qu'auparavant, si c'était possible.

En juillet, Marshall apprit la nouvelle par un coup de fil de Bill Carter : la DEA avait fait un raid dans le camp de Raul ; celui-ci avait été tué. Si Bill avait pensé que Marshall serait soulagé, il se trompait. Tout ce que le jeune homme ressentait, c'était un grand vide, comme un trou dans le ventre ou dans le cœur. En fait, découvrait-il avec étonnement, la mort de Raul ne changeait rien. La belle, la merveilleuse jeune femme qu'il aimait n'était plus là et leur enfant ne naîtrait jamais. Tout cela appartenait au passé.

Le lendemain, tandis qu'il se tenait devant une maison de vacances que le président avait louée pour le mois à Long Island, Marshall pensait à eux, à Raul et Paloma, à sa vie d'avant, celle de Pablo Echeverría, à la fois si lointaine et si proche. C'est alors qu'il sentit qu'on le tirait par la manche. Amelia, en maillot de bain, fixait sur lui de grands yeux inquiets.

— Tu es triste ? lui demanda-t-elle de but en blanc.

Il ne pouvait expliquer à la petite fille ni sa tristesse ni cette impression, tout de même, que justice avait été faite.

— Mais non, répondit-il en souriant. Alors, tu veux aller te baigner ?

Il lui avait promis de l'emmener à la plage dans l'après-midi. Brad était parti à la pêche avec son père à bord du bateau d'un ami ; Marshall était resté à terre veiller sur Amelia et sa mère.

— Ah. Je trouve que tu avais l'air triste…, dit-elle avec insistance en le scrutant. J'ai envie d'aller ramasser des coquillages sur la plage. Et tu voudras bien construire un château de sable avec moi ?

— D'accord, allons-y.

Il en informa par radio les autres agents du détachement. Il leur fallait trois hommes sur la plage et un pour le remplacer à la maison. Quelques minutes plus tard, ils descendaient à la plage, armés de pelles, de seaux et de moules. Martha, la nounou des enfants, les accompagnait.

Lorsque la première dame les rejoignit, ils avaient bâti un château tout à fait honorable et ramassé tout un seau de coquillages. Elle parut ravie. Ces derniers temps, elle ne se sentait pas très bien et se reposait beaucoup. Des rumeurs avaient commencé à courir sur sa santé… Aujourd'hui, elle était en maillot de bain, avec un paréo blanc à travers lequel il décelait la forme de son corps. Il remarqua alors son petit ventre bombé et comprit que la première dame attendait un troisième enfant. Elle devait en être au quatrième ou cinquième mois, estima-t-il. Elle s'était admirablement débrouillée pour cacher son état jusqu'à maintenant. Il ne dit rien, mais elle avait vu son regard. Elle lui sourit.

— Nous avons préféré garder le silence le plus longtemps possible pour que la presse ne s'empare pas de la nouvelle. Nous allons l'annoncer aux enfants ce week-end, ajouta-t-elle.

— Félicitations, dit Marshall à voix basse.

Melissa avait quarante-deux ans et menait une vie plutôt stressante. Ce ne serait sans doute pas facile. Et comment Amelia accueillerait-elle l'arrivée d'un nouveau venu dans la famille ? Pour l'instant, c'était elle, la star... Elle ne verrait peut-être pas la concurrence d'un bon œil.

Deux jours plus tard, il eut la réponse.

— On va avoir un bébé, lâcha-t-elle d'un ton détaché tandis qu'ils construisaient un château sur la plage. Je veux une fille. Si c'est un garçon, à mon avis, il faut le renvoyer. Maman dit que je pourrai l'aider à s'occuper d'elle.

Elle ne paraissait pas perturbée le moins du monde. De toute évidence, l'annonce s'était bien passée. À presque sept ans, elle était finalement assez contente de devenir grande sœur. Marshall se surprit lui aussi à se réjouir pour la famille présidentielle, malgré ce que cette naissance faisait résonner de douloureux en lui. Amelia et lui jouaient à chercher des prénoms. De temps en temps, pour la taquiner, il lui rappelait que ce pouvait être un garçon, et elle faisait la grimace.

La semaine suivante, la nouvelle parut dans la presse. Le président et son épouse allaient avoir un troisième enfant en novembre, juste avant Thanksgiving. La première dame allait donc alléger quelque peu son programme dans les mois à venir.

Lorsqu'ils rentrèrent à Washington fin août, Melissa était enceinte de six mois et son état devenait visible. La famille n'en paraissait que plus touchante et humaine, et la popularité du président monta encore dans les sondages. L'élection de l'année suivante lui était acquise. Il avait pris de très bonnes mesures au cours des trois premières années de son mandat. Le pays se portait mieux, et, avec Phillip Armstrong aux commandes, la population se sentait en sécurité.

En septembre, Bill Carter convoqua Marshall pour évoquer la fin de sa mise en disponibilité et son retour à la DEA un mois plus tard. Le jeune homme semblait en pleine forme, physiquement et moralement. Ces onze mois au détachement présidentiel lui avaient fait le plus grand bien. À tel point que Bill douta de le voir revenir dans son équipe. Du reste, cela vaudrait peut-être mieux pour lui...

— Alors, qu'est-ce que tu veux faire ? lui demanda-t-il. Tu sais que tu peux démissionner de la DEA et entrer au Secret Service si tu le souhaites. Tu as déjà énormément donné à la DEA, et tu as suffisamment payé de ta personne.

Il ne voulait pas que Marshall se sente coupable de démissionner. Et s'il faisait merveille au Secret Service, il était peut-être dommage qu'il n'y reste pas. La réponse de Marshall le surprit.

— Je veux revenir, dit son agent calmement. C'est pour cela que j'ai été formé. J'ai passé une excellente année et j'avais sans doute besoin de faire une pause – même si je n'en avais pas conscience, c'est vrai. J'aime énormément les Armstrong ; c'est une famille formidable. Mais mon cœur est à la DEA.

— Tu tiens vraiment à retourner sur le terrain comme infiltré ? lâcha Bill, stupéfait.

— Oui, c'est là que je serai le plus utile. Le détachement présidentiel, c'est super, mais ce n'est pas là que mes compétences et mon expérience servent le plus. Vous savez, Bill, j'ai beaucoup réfléchi à tout ça.

— Mais ils t'adorent, Marshall ! Je n'ai reçu que des rapports dithyrambiques. Armstrong est sûr d'être réélu l'année prochaine : tu aurais devant toi cinq ans auprès d'un président que tu apprécies.

— Je sais, mais ce n'est pas ma place. Je n'ai pas envie de gaspiller tout ce que j'ai appris au cours de mes six années sur le terrain. Et je veux être utile. Raul est mort, certes, mais ils sont des paquets à pouvoir le remplacer. Nous avons du boulot, et c'est là-bas que je serai le mieux à même de servir mon pays. Peu importe où vous m'enverrez, du moment que c'est en Amérique latine. Je ne peux pas retourner en Équateur ni en Colombie, je sais, mais ça devient de plus en plus chaud au Mexique : il y a des choses à tenter !

Marshall fixait son interlocuteur intensément, le suppliant presque du regard.

— Toutes mes opérations au Mexique pour Raul s'étaient faites via des tiers. Personne ne me reconnaîtra, je vous assure, Bill. Mon contrat avec le Secret Service se termine dans six semaines. Je peux pousser jusqu'à la fin de l'année si vous voulez. Mais ils n'ont pas réellement besoin de moi, eux, alors que la lutte contre le trafic de drogue, si. Et moi, je veux retourner sur le terrain, même si c'est dur. Il est temps. Je me ramollis à la Maison-Blanche, à assister à des dîners d'État et à jouer avec les enfants. J'ai trente ans, il est trop tôt pour m'encroûter.

Bill Carter ne put qu'acquiescer. Les arguments avancés par Marshall étaient justes.

— Bon, très bien... Laisse-nous juste le temps de te trouver le bon endroit.

Un cartel était en train de se développer au Panamá et semblait prendre plus d'ampleur encore que celui de Raul. Ils pourraient peut-être le placer là. Ou alors au Mexique, comme il l'avait suggéré. Ces décisions se prenaient en commission, d'autant qu'il s'agissait de missions très dangereuses.

Les collègues de Marshall au Secret Service furent déçus d'apprendre son départ. Toutefois, l'agent qu'il remplaçait se disait prêt à reprendre du service. La chimiothérapie de sa femme avait donné de bons résultats et elle était en rémission.

Au 1er octobre, ce fut officiel : Marshall retournerait sur le terrain avant la fin de l'année. Il devait savoir plus précisément où d'ici quelques semaines. Il partirait en novembre ou décembre. Le président lui assura qu'il était désolé de le voir s'en aller, mais qu'il admirait son courage et ses choix professionnels. Brad voulait connaître tous les détails les plus effrayants de sa prochaine mission – qu'il se serait bien gardé de lui révéler, les eût-il connus. La première dame lui fit promettre de venir voir le bébé, une petite fille. Amelia, quant à elle, fut désespérée d'apprendre le départ de Marshall.

— Il faut que je retourne combattre les méchants, lui expliqua-t-il. Pour que ton frère, toi et ta future petite sœur n'ayez rien à craindre. C'est mon travail.

— Je veux que quelqu'un d'autre y aille et que, toi, tu restes ici. Pourquoi ce n'est pas un autre qui va combattre les méchants ?

— Parce que je suis le meilleur.

Il plaisantait, mais c'était vrai à bien des égards.

— Je reviendrai te voir à chaque fois que je serai à Washington, je te promets. De toute façon, tu vas être bien occupée avec ta petite sœur. Je ne vais pas te manquer du tout.

Elle, en revanche, lui manquerait terriblement ; il le savait déjà. Au cours des onze derniers mois, il s'était énormément attaché aux deux enfants ; il éprouvait également beaucoup d'affection et de respect pour leurs parents. Il allait être triste de les quitter.

Sa dernière semaine au détachement présidentiel coïncida avec les préparatifs d'Halloween. Cette année, Amelia avait décidé d'être la méchante sorcière de l'Ouest du *Magicien d'Oz*, avec un visage vert. Brad, lui, se déguiserait en astronaute : la NASA lui avait offert une combinaison spatiale, faite sur mesure pour lui. Cette perspective l'excitait au plus haut point. Pour se préparer, Amelia s'était déjà promenée plusieurs fois dans la Maison-Blanche le visage peint en vert. Cela faisait tout juste un an qu'il avait fait leur connaissance, à Halloween dernier, songea Marshall un peu tristement.

Leur mère, maintenant enceinte de huit mois, disait qu'elle allait se déguiser en grosse citrouille. Toute la famille attendait la naissance du bébé avec impatience et était de très bonne humeur.

Le président devait se rendre à l'inauguration d'un hôpital pour enfants en Virginie. Il décida d'emmener Brad et Amelia avec lui. Quoique fatiguée, Melissa tint à les accompagner. Le projet lui tenait énormément à cœur : elle travaillait dessus depuis deux ans avec le soutien du président. Il s'agissait d'un hôpital à destination des enfants pauvres de tout le pays, dont les parents n'avaient pas les moyens de payer les opérations qui permettraient de les soigner. Marshall fut missionné pour diriger l'équipe de sécurité qui accompagnerait la famille présidentielle. La cérémonie devait avoir lieu le samedi afin que les enfants puissent y assister sans manquer l'école. C'était Amelia qui couperait le ruban. En montant à bord de l'hélicoptère, Marshall avait le cœur gros. C'était sans doute son dernier déplacement officiel avec eux et ils allaient terriblement lui manquer.

Une limousine les attendait sur la piste pour les conduire à l'hôpital. Marshall aida Melissa à descendre de l'appareil et à monter en voiture. Elle se déplaçait lentement et lui rappelait Paloma les derniers jours, quand il lui semblait que son ventre ne pourrait se dilater davantage. À trois semaines du terme, elle commençait à peiner. Il la trouvait bien courageuse d'être venue aujourd'hui.

Un important comité d'accueil les reçut à l'hôpital, ainsi que de nombreux badauds venus voir la famille présidentielle. Le président fendit la foule en serrant des mains, ses gardes du corps tout autour de lui. Comme prévu, Marshall était resté en arrière pour protéger Melissa et les enfants, avec d'autres agents.

Ils visitèrent l'hôpital, puis ressortirent pour la cérémonie. Pendant les discours, Amelia eut du mal à contenir son impatience de couper le ruban ; elle ne cessait de sautiller et de trépigner devant sa mère. Marshall surveillait la foule, concentré – non qu'il fût inquiet, mais c'était là son devoir le plus élémentaire. C'est alors qu'il vit, comme au ralenti, un homme s'avancer et épauler une arme de gros calibre, viser le président et, une fraction de seconde plus tard, la diriger vers Melissa. Marshall poussa un cri d'alarme. Trois agents jetèrent le président à terre et le couvrirent de leurs corps. Marshall bondit vers Melissa et Amelia et les fit tomber elles aussi. Amelia hurlait. Et tout se déchaîna.

Les hommes du Secret Service étaient partout. Deux d'entre eux s'emparèrent du tireur. Deux autres étaient toujours sur le président à terre. Un mouvement de panique s'empara de la foule. Melissa gémissait. Elle s'était cogné la tête en tombant au sol. Brad était tenu par un garde du corps et Marshall était toujours allongé sur Amelia. Il avait cependant entendu siffler une balle. Quand il regarda sous lui, il y avait du sang partout, sur le visage de la petite fille, sur ses mains à lui. Elle avait été touchée. Il ne savait pas où, mais elle avait été touchée. Elle fixait sur lui de grands yeux terrifiés. Elle ne pleurait même pas.

— Est-ce que je vais mourir, Marsh ? demanda-t-elle dans un souffle.

Sa mère était déjà à genoux auprès d'elle et essayait de la prendre dans ses bras. Il lui dit de ne pas la déplacer et de s'allonger. Car elle pouvait être blessée, elle aussi, et elle était très pâle.

— Ne bouge pas, Amelia, enjoignit-il à la fillette.

Les secours se précipitaient vers eux, suivis du président et de ses gardes du corps. Ils installèrent Amelia sur une civière et l'emmenèrent à l'intérieur de l'hôpital. Melissa courait à côté d'eux, soutenue par le président. Un bataillon d'hommes du Secret Service et de policiers les entourait. Des médecins surgirent de partout. Tous les regards étaient braqués sur Amelia et son petit visage en sang. Les soignants la déshabillèrent pour l'examiner.

La balle lui avait frôlé la tête, mais il n'y avait ni point d'entrée ni blessure grave. Grâce à l'intervention de Marshall, la plaie était superficielle. À moins de cinq centimètres près, elle aurait reçu une balle dans le crâne et serait morte. En prenant conscience de ce qui avait failli arriver à sa fille, Melissa s'évanouit. Des médecins s'occupèrent d'elle. Le président craignait qu'elle n'accouche. Amelia, pendant ce temps, était soignée pour le choc et le risque d'infection. On lui banda la tête après avoir rasé et désinfecté la zone touchée, mais la blessure était bénigne. Marshall ne l'avait pas quittée des yeux depuis qu'ils étaient entrés dans l'hôpital. Amelia lui sourit.

— Tu m'as sauvée, Marsh.

Il lui sourit à son tour, les yeux pleins de larmes de soulagement.

Melissa, quant à elle, avait subi un léger traumatisme crânien en tombant et on allait lui faire une échographie pour s'assurer que le bébé se portait bien. En tout cas, il bougeait normalement et les médecins percevaient les battements de son cœur. L'instinct, les réflexes et la réactivité de Marshall avaient permis d'éviter le pire. Visiblement très ému, le président lui passa un bras autour des épaules – et se retrouva la main pleine de sang. La manche de Marshall en était imbibée. Il ne s'était même pas rendu compte qu'il était blessé.

La balle qui avait frôlé la tête d'Amelia l'avait atteint à l'épaule gauche. Son bras pendait, inerte. Tout se mit à tourner autour de lui. Les médecins accoururent, appelés par le président.

On le fit asseoir dans un fauteuil roulant et on découpa sa veste et sa chemise. Quelques minutes plus tard, il était installé sur un brancard. La balle était toujours fichée dans son épaule. Il se mit brusquement à délirer en espagnol. Il voyait le visage de Raul, ne cessait d'appeler Paloma...

Ses collègues du Secret Service organisèrent la sortie de la famille présidentielle par l'arrière du bâtiment. Ils furent conduits au plus vite à l'hélicoptère qui les ramena à Washington. Devant l'hôpital, c'était la cohue ; les gens voulaient savoir si quelqu'un avait été tué. La presse et les caméras de télévision étaient là.

— Est-ce que Marshall va mourir, papa ? demanda Amelia en larmes. Il m'a sauvé la vie. Il a reçu un coup de fusil à cause de moi.

— Non, ma chérie, répondit son père d'un air sombre, il ne va pas mourir. Mais il a été très courageux.

C'était un miracle que personne n'ait été tué… De retour à la Maison-Blanche, ils subirent à nouveau quelques examens qui confirmèrent que Melissa et le bébé allaient bien, même si elle avait encore un peu mal à la tête, et que la plaie d'Amelia était parfaitement propre. Dans les heures qui suivirent, le président prit des nouvelles de Marshall. On lui apprit que son état était stable mais qu'il se trouvait encore en salle d'opération pour l'extraction de la balle. On lui refit la même réponse plusieurs fois au cours des cinq heures qui suivirent. Inquiet, il finit par demander à parler à un médecin qui lui expliqua qu'ils essayaient de sauver l'usage de son bras gauche mais que les nerfs étaient très abîmés. Deux de ses collègues du Secret Service étaient restés avec lui à l'hôpital. Quatre autres les rejoignirent. On appela également Bill Carter, qui se rendit sur-le-champ en Virginie. Les sept hommes attendirent ensemble que Marshall sorte du bloc.

À vingt heures, les chirurgiens vinrent leur annoncer qu'il avait survécu, bien qu'il ait perdu énormément de sang, mais qu'il ne recouvrerait jamais l'usage de son bras gauche. Ils accueillirent cette nouvelle dans un silence consterné. Elle signifiait que sa carrière au Secret Service aussi bien qu'à la DEA était terminée. Même si, avec le temps, il récupérerait un peu, il ne pourrait reprendre une activité sur le terrain. C'était à ce prix qu'il avait sauvé trois vies – celles d'Amelia, de Melissa et du bébé à naître. Protéger les autres, c'était son métier, ce à quoi il consacrait sa vie. Tous savaient qu'il ne reviendrait en arrière pour rien au monde. Mais ils savaient aussi que la vie de Marshall Everett, homme d'action entièrement dévoué à sa carrière, allait en être bouleversée à tout jamais. Très inquiet, Bill Carter se demandait même s'il y survivrait.

5

Dès qu'il fut en état d'être déplacé, le président fit transférer Marshall au Walter Reed Hospital en hélicoptère. Trois spécialistes confirmèrent le pronostic des chirurgiens : le jeune homme ne recouvrerait jamais l'usage complet – et peut-être même partiel – de son bras. Il allait rester hospitalisé plusieurs semaines et commencerait la rééducation et la kiné le plus vite possible afin que son bras ne s'atrophie pas trop vite. Il allait notamment devoir travailler son équilibre, avec ce poids mort à son côté gauche.

Tout en comprenant parfaitement la situation, Marshall avait du mal à en saisir la logique. Il avait passé six ans à risquer sa vie dans une mission d'infiltré extrêmement dangereuse et en était sorti indemne. Et voilà que, au cours de sa dernière semaine au Secret Service, à l'occasion d'une inauguration toute bête, un acte de protection – que, bien entendu, il ne regrettait en rien – mettait un terme à sa carrière. Fini, le terrain, que ce soit à la DEA ou même au Secret Service qui lui avait pourtant paru si calme. Il ne pouvait plus prétendre qu'à un emploi de bureau. Or il détestait cela.

Les membres de la famille présidentielle vinrent le voir à plusieurs reprises dès qu'il fut en état de recevoir des visites. Melissa lui annonça qu'ils allaient donner son nom comme deuxième prénom au bébé parce qu'il lui avait sauvé la vie. Il fut ému aux larmes... Son acte rachetait-il, quelque part, la vie du bébé mort à cause de lui, quand Raul avait tiré sur Paloma ?

Amelia lui montra son déguisement d'Halloween et son visage vert. Quand elle l'embrassa sur la joue, elle y laissa un peu de maquillage.

— Tu es en colère après moi, pour ton bras ? demanda-t-elle d'une toute petite voix.

Sa mère, qui l'accompagnait, caressait doucement son gros ventre.

— Bien sûr que non, assura-t-il gentiment. J'aurais été bien plus en colère si tu avais été tuée. Je ne pouvais pas laisser arriver une chose pareille.

— Tu viendras nous voir ? Mon papa dit que tu ne peux plus aller en Amérique du Sud.

— C'est vrai, confirma Marshall sans laisser voir combien cela l'affectait.

— Tant mieux. Comme ça, les méchants vendeurs de drogue ne pourront pas te tuer. Mon papa dit que tu as eu beaucoup de chance, avant, et que tu n'en aurais peut-être pas eu autant cette fois-ci.

Peut-être... Pourtant, Marshall aurait préféré la mort à l'invalidité. Il était né pour rôder dans la jungle, au péril de sa vie. Qu'allait-il faire, maintenant ? Bien sûr, on lui disait qu'il pourrait apprendre à faire tout un tas de choses avec un seul bras – conduire, skier, jouer au tennis, se servir d'un ordinateur –, d'autant qu'il était droitier. Mais la seule chose qui lui importait, retourner sur le terrain, lui resterait interdite. D'abord parce qu'il serait trop repérable, et ensuite parce qu'il ne pourrait charger une arme assez vite, qu'il serait incapable de se défendre en cas d'affrontement. Il allait toucher des indemnités très correctes de la DEA du fait de son handicap et, à la demande du président, une pension à vie majorée pour acte de courage et de dévouement. C'était donc une fin de carrière des plus honorables ; mais une fin tout de même. Il ne lui restait plus qu'à monter une entreprise ou à vivre confortablement de sa pension pour le restant de ses jours. À acheter une maison... Il avait aussi mis de côté presque tout ce qu'il avait gagné lors de ses années en Amérique latine, salaires et primes de risque. Sauf que tout cela ne répondait pas à la seule question importante : que faire, maintenant ? Sa vie s'étendait devant lui comme un désert immense et terrifiant.

Une chose était certaine, cependant : il ne regrettait rien. Il avait agi par instinct, et parce que c'était son travail. Son geste n'avait rien d'un choix réfléchi... Mais il avait l'impression qu'il lui permettait de racheter la vie des innocents morts à cause de lui.

La semaine qui suivit leur dernière visite à l'hôpital, Amelia l'appela pour lui annoncer que le bébé était né. Tout le monde allait bien. La fillette adorait déjà sa petite sœur, et voulait absolument la lui présenter.

Après avoir raccroché, Marshall resta étendu, à songer à la famille présidentielle. Elle incarnait le foyer stable et aimant par excellence. Un rêve qui n'était pas le sien quand il était plus jeune, mais qu'il avait touché du doigt avec Paloma. Un rêve qui s'était évanoui dans la jungle colombienne...

Mais quel était son rêve aujourd'hui ? Avec un seul bras, il se sentait si vieux... Il s'en voulait de s'apitoyer sur son sort, mais il ne pouvait s'en empêcher. L'équipe soignante insistait pour qu'il suive une psychothérapie et qu'il rencontre un conseiller en orientation professionnelle, mais il refusait. Il n'allait quand même pas se faire engager comme tueur à gages manchot... Certes, Bill Carter lui avait assuré que de nombreuses possibilités s'offraient à lui à la DEA. Ses compétences et ses connaissances de terrain et linguistiques seraient d'une grande utilité pour la lutte antidrogue. Cependant, il ne se voyait vraiment pas assis derrière un bureau. C'était bon pour les retraités, ça ! Mais lui, il avait trente ans, pas cinquante !

Les Armstrong insistèrent pour que Marshall passe Thanksgiving avec eux. Il put, à cette occasion, tenir la petite Daphne Marshall Armstrong, âgée de trois semaines, dans son bras valide. Elle le fixa d'un air étonné. Elle était aussi blonde et fine que sa mère et Amelia. Le bébé que Paloma attendait lui aurait ressemblé, sans doute, puisque Paloma avait les cheveux et le teint aussi clairs que Melissa. Mais tout cela était derrière lui. Sa vie elle-même était derrière lui.

Il passa Noël seul dans son appartement, à se demander ce qu'il allait devenir et à se saouler au vin rouge après un scotch bien tassé. C'était une autre possibilité, tiens. Devenir alcoolique et ne plus rien faire. C'était tentant. Bill Carter s'en rendit compte quelques jours plus tard, quand il l'invita à déjeuner pour voir comment il allait et qu'il but deux bloody mary à la tequila à l'apéritif. Beaucoup de gars quittaient la DEA avec un handicap, et tous devaient trouver le moyen de redonner un sens à leur vie après cela sans sombrer dans l'alcool ou baisser les bras.

Bill le sermonna. Marshall fit semblant de l'écouter mais, dans le fond, il s'en fichait. Voir des gens, faire de nouvelles rencontres ? C'était facile à dire, pour lui qui avait encore un job. Les femmes ? Il n'était sorti avec aucune depuis la mort de Paloma, deux ans plus tôt. Il n'imaginait pas pouvoir aimer une autre femme autant qu'elle. De toute façon, avec un seul bras, il avait l'impression de n'être plus que la moitié d'un homme – un homme très diminué, en tout cas – et rien n'était plus loin de ses pensées qu'une relation amoureuse. Non, il était mieux seul. Même les agents du Secret Service avec lesquels il s'était lié, il n'avait pas envie de les voir. Il aurait eu l'impression de leur faire pitié.

En janvier, il apprit qu'il allait être décoré pour son acte d'héroïsme. La cérémonie aurait lieu à la fin du mois. Tous les hommes qu'il connaissait à la DEA et au Secret Service seraient présents, ainsi que le président et sa famille.

Le président prononça un discours très émouvant dans l'East Room. Puis il chargea Amelia d'épingler la médaille sur sa poitrine, ce qui émut Marshall aux larmes. La cérémonie se conclut par un tonnerre d'applaudissements et fut suivie d'une réception. La médaille, dorée et émaillée de bleu, en forme d'étoile à cinq branches, était fixée à un ruban rouge, blanc et bleu. Marshall se rendit compte qu'il lui accordait plus de valeur qu'il n'aurait cru...

Malgré la douleur qui lui tenaillait toujours l'épaule, il faisait ses exercices de rééducation avec application. Désormais, il était capable de lever l'avant-bras de quelques centimètres, ce qui l'aidait à accomplir certains gestes simples. En revanche, il ne pouvait toujours rien saisir de la main gauche ni s'en servir en aucune manière. Il était devenu très habile pour tout faire de sa seule main droite, y compris conduire une voiture. Il alla même skier quelques jours dans le Vermont et se débrouilla plutôt bien.

Mais tout cela ne lui disait pas ce qu'il allait devenir. Le soir, surtout, il était désœuvré. Il répugnait à fréquenter ses anciens collègues, qui ne parlaient que de leur travail. Sorti de la vie professionnelle, il ne voyait pas comment participer à la conversation. Un jour qu'il surfait sur Internet, il se retrouva sur un site qui proposait des locations d'appartements et de maisons en Europe. Pour tuer le temps, il parcourut les offres : des villas en Toscane, un palais à Venise, une résidence d'été dans le sud de la France, un mas en Provence, des appartements à Paris. Il y avait également de charmants cottages dans les Cotswolds, mais le climat anglais ne l'attirait guère. Sans trop savoir pourquoi, il s'arrêta sur les logements parisiens. C'était fou ce qu'ils étaient bon marché. Oh, il n'était pas vraiment tenté... N'empêche que, après quelques verres de vin, tout semblait plus intéressant. La veille, il s'était même passionné pour la parade nuptiale des lions. Et l'avant-veille, il avait passé une nuit entière à se documenter sur les OVNI ! Que les soirées étaient donc longues et tristes.

C'était absurde, mais... un de ces appartements lui plaisait bien. D'après les photos publiées sur le site, il était meublé et paraissait clair et ensoleillé. Il était situé dans le XVIe arrondissement, un quartier plutôt chic apparemment, dans une rue qui donnait sur l'avenue Foch. D'après le plan, ce n'était pas loin de l'Arc de triomphe et d'un parc appelé Bagatelle.

— Qu'est-ce que tu pourrais bien fabriquer à Paris ? se demanda-t-il tout haut.

Mouais, qu'est-ce qu'il pourrait bien fabriquer n'importe où, de toute façon ? Paris, c'était assez tentant pour traîner, boire et s'apitoyer sur son sort pendant quelque temps. L'appartement était proposé pour six mois à un an. Il se composait d'un salon, d'une grande chambre lumineuse, d'une petite cuisine et d'un coin salle à manger. Il y avait un ascenseur, une terrasse, et on apercevait la tour Eiffel, qu'une photo montrait illuminée, la nuit. Pour se perdre, c'était bien. Ce n'était pas l'Amérique du Sud, où sa vie d'avant lui manquerait trop, ni l'Espagne, trop différente des pays hispanophones qu'il connaissait et qui ne lui apparaissait que comme un pis-aller. Les hivers anglais étaient trop maussades. Il conservait en revanche un bon souvenir d'un séjour à Paris qu'il avait fait autrefois. Et puis, de là, il pourrait voyager dans le reste de l'Europe : en Italie, en Suisse pour faire du ski... Il en avait assez que ses anciens collègues du Secret Service l'appellent pour prendre de ses nouvelles. Leur pitié lui faisait mal. Il n'en pouvait plus de leur répondre que tout allait bien alors que, à la vérité, il se sentait minable et ne fichait rien. La médaille qu'il avait reçue commençait même à lui sembler une bien piètre compensation pour la perte de l'usage d'un bras.

Autant pleurnicher sur son sort à Paris. C'était loin, c'était moins embêtant... Et le changement de décor serait le bienvenu. De toute façon, il fallait qu'il quitte son appartement actuel qui appartenait à la DEA. Il avait été autorisé à le conserver pendant son service au détachement présidentiel, puis après sa blessure, mais il allait finir par devoir déménager. Alors pourquoi ne pas passer quelques mois à Paris le temps d'y voir plus clair ?

Il envoya un e-mail au site et reçut une réponse le lendemain. Il eut la bonne surprise d'apprendre que le loyer venait de baisser. Avec l'impression de faire une folie, il convint d'un bail de six mois, renouvelable une fois. Le propriétaire partait vivre à Bruxelles mais souhaitait conserver son appartement parisien. C'était idéal pour une personne seule, faisable à deux mais un peu compliqué parce qu'il y avait peu de placards, impossible avec un enfant. Les fauteuils et canapés en cuir, comme tout le reste du mobilier, étaient en parfait état – et le propriétaire entendait qu'ils le restent. La décoration était plutôt masculine ; c'était d'ailleurs ce qui avait attiré Marshall.

« Ne vous inquiétez pas, répondit Marshall, je suis célibataire et sans enfants. »

« Un chien autorisé. »

« Je n'en ai pas non plus. »

« Je le stipule quand même sur le contrat au cas où vous changeriez d'avis. Si près du parc, cela s'y prête. »

Marshall fit un virement du montant convenu et l'affaire fut conclue. Dans quinze jours, il aurait un appartement à Paris. Il fit savoir à la DEA qu'il allait libérer son logement de Georgetown et envoya un courriel à Bill Carter pour l'avertir qu'il s'en allait quelques mois. Bill estima que c'était une excellente idée mais fut surpris d'apprendre qu'il avait choisi Paris comme destination. Il espérait en tout cas que cela lui ferait du bien. Il était si désolé de ce qui lui était arrivé…

Tous ces gens désolés pour lui, c'était bien là le problème. C'était pour échapper à leur commisération qu'il souhaitait partir le plus loin possible. Il en avait assez que l'on s'apitoie sur son sort. Il le faisait déjà bien assez lui-même.

Il lui fallut quelques jours pour vider son appartement et mettre sur Craiglist ce dont il ne voulait plus. Tandis qu'il postait sa liste, son attention fut attirée par une annonce intitulée « adoption ». Elle avait quelque chose d'absurde qui le fit sourire. Il s'agissait d'un chien de Saint-Hubert âgé d'un an, du nom de Stanley, pour lequel son propriétaire cherchait une « bonne maison ». L'animal, un grand chien de chasse noir et feu, avait l'air complètement déprimé avec sa grosse tête triste toute plissée. Sans trop savoir ce qu'il faisait, Marshall appela le propriétaire pour lui poser quelques questions.

— Pourquoi vous séparez-vous de lui ? Il a tué quelqu'un ?

— Non, il est trop gros. J'habite en appartement, à Georgetown, et je n'ai vraiment pas de place pour lui, ni suffisamment de temps pour le promener. Ce n'est pas une vie pour lui. En plus, ma petite amie est allergique aux chiens.

Marshall faillit lui suggérer de se séparer d'elle, plutôt.

— Il est propre ?

— Parfaitement, répondit fièrement le maître. C'est un chien génial. C'est juste qu'il déprime quand je le laisse seul toute la journée. Il a besoin de compagnie.

— C'est vrai qu'il a l'air déprimé, concéda Marshall.

C'était ce qui l'avait attiré : ça, et son nom qu'il trouvait ridicule pour un chien : Stanley. C'était un prénom d'humain...

— Pourrais-je faire sa connaissance ?

En même temps qu'il prononçait ces mots, Marshall se demandait quelle folie le prenait.

— Bien sûr. Où habitez-vous ?

— À Georgetown, tout comme vous – mais pour dix jours encore seulement. Ensuite, je pars m'installer à Paris... Il parle français, votre chien ?

— Non, mais il fait le mort, répondit son interlocuteur le plus sérieusement du monde.

Ils se rendirent compte qu'ils étaient presque voisins et convinrent d'un rendez-vous le lendemain. C'était un peu bête, mais Marshall bouillait d'impatience et d'excitation. À croire qu'il avait un rendez-vous amoureux...

Ils se retrouvèrent à un coin de rue. Stanley considéra Marshall d'un œil soupçonneux. Il s'assit, le fixa encore. Jamais Marshall n'avait vu une expression si triste – sauf peut-être dans le miroir. Après lui avoir tendu la patte, le chien se laissa tomber sur le dos et fit le mort pour avoir une friandise. Marshall éclata de rire.

Ils allèrent faire un petit tour. Stanley marchait bien en laisse, était sage et paraissait même un peu inquiet quand ils croisaient d'autres chiens. À vrai dire, il eut l'air terrifié quand un minuscule yorkshire aboya après lui.

— Bon... il n'est pas très courageux, admit son propriétaire. Mais il est à jour de ses vaccins ; il est pucé au cas où il se perdrait et tatoué sur le ventre. Il a même des papiers.

L'homme regardait attentivement Marshall. Il lui sourit soudain.

— Vous savez, monsieur, je ne demande pas d'argent. Tout ce que je veux, c'est lui trouver une bonne maison. Que faites-vous, dans la vie ?

Il avait sûrement remarqué son bras gauche inerte. Marshall fut tenté de répondre qu'il était lanceur droitier pour les Yankees. Il n'aimait pas expliquer ce qui lui était arrivé ; cela le mettait mal à l'aise.

— Je suis à la retraite, répondit-il simplement.

— Vous en avez, de la chance, fit l'homme avec envie.

Il devait l'imaginer riche à millions... De son côté, alors qu'il devait avoir le même âge que Marshall, il semblait extrêmement angoissé et stressé.

— Pas vraiment, ce n'est pas spécialement mon choix. Je travaillais à la DEA, l'agence de lutte antidrogue. Mais c'est fini, alors je vais passer six mois ou un an en France.

Le maître de Stanley ne posa plus de questions et se mit à regarder ses pieds, apparemment gêné.

— Je ne sais pas si j'ai le droit d'emmener un chien en France, reprit Marshall. Sans doute que oui, avec un certificat vétérinaire.

— Oui, c'est ça. Et je crois qu'il faut qu'il soit pucé aussi, ce qui est déjà le cas. Les Français aiment les chiens. Ma mère y a vécu un an. Elle avait un bouledogue français qu'elle emmenait partout, même au restaurant. Enfin, Stanley est un peu plus encombrant...

L'animal était presque aussi grand qu'un dogue allemand, en effet, mais Marshall se voyait bien avec un gros chien. Surtout, il adorait l'expression de Stanley. Il avait l'air si gentil et il lui tiendrait compagnie pendant ses longues soirées de solitude.

— Je le prends, dit-il brusquement.

Qu'est-ce qui lui arrivait ? En moins d'une semaine, il avait loué un appartement à Paris et adopté un énorme chien de Saint-Hubert. C'était à se demander s'il ne perdait pas la tête.

— Vous êtes sûr ?

Le propriétaire avait l'air un peu abasourdi.

— Oui. Oui, je suis sûr, énonça Marshall d'une voix claire tout en continuant à se demander ce qu'il faisait.

Sa blessure et la fin de sa carrière avaient-elles déclenché chez lui une espèce de psychose ? Il avait l'impression de perdre les pédales. Cependant, il poursuivit :

— Vous croyez qu'il va bien supporter le voyage en soute ?

Cela l'inquiétait. Il ne voulait pas faire souffrir l'animal.

— Pour tout vous dire, Stanley n'a jamais pris l'avion. Mais vous pouvez lui faire prescrire un calmant par le vétérinaire. Je vais vous donner les coordonnées du mien. Vous pourriez aussi le faire voyager en cabine avec vous en disant que c'est un chien d'assistance.

— Je ne crois pas pouvoir me faire passer pour un aveugle, répondit Marshall très sérieusement.

Fou, peut-être, mais pas aveugle.

— Il y a des chiens d'assistance pour toutes sortes de handicaps. Pour les épileptiques, par exemple : ils les préviennent avant les crises. Pour les gens qui souffrent de dépression, aussi, et pour beaucoup d'autres choses, conclut-il en regardant le bras inerte de Marshall.

Vraiment ? Marshall était dubitatif. Y avait-il une chance que ça passe ? Et encore fallait-il que Stanley soit sage en avion. Il avait l'air calme, en tout cas. Il s'était assis sur le trottoir et regardait les passants.

— Très bien, je vais me renseigner. Merci, monsieur.

Ils échangèrent leurs coordonnées. Le propriétaire de Stanley proposa de le lui amener le lendemain avec tous les papiers. Il voulait passer une dernière soirée avec son chien pour lui dire au revoir... C'était triste, songea Marshall. Mais l'animal avait l'air démoralisé, de toute façon.

Fidèle à sa promesse, le propriétaire de Stanley sonna chez Marshall le lendemain après-midi. Il avait apporté le pedigree du chien, le numéro de sa puce électronique et ses certificats de vaccination. Il était même passé chez le vétérinaire pour faire établir un certificat de bonne santé et acheter les calmants au cas où il en faudrait pour le voyage. Difficile de faire plus serviable...

En bon chien de chasse, Stanley fit le tour de l'appartement, flairant chaque recoin. Il parut satisfait de son inspection et remua la queue.

— C'est vraiment un bon chien, vous verrez, assura son futur ex-maître.

L'homme était au bord des larmes. Il remercia Marshall, lui souhaita bonne chance et s'éclipsa sans plus de cérémonie. Marshall s'assit et regarda son nouvel ami.

— Mon vieux Stanley, j'espère que tu vas aimer Paris, dit-il sérieusement.

En fait, il avait toujours eu envie d'un chien, mais son métier le lui avait interdit jusque-là. Et voilà que, d'un coup, il devenait l'heureux propriétaire de Stanley et le locataire d'un appartement à Paris. C'était l'aventure ! Il se sentait prêt.

La semaine suivante, il alla faire ses adieux à la famille présidentielle. Les enfants adorèrent Stanley.

Amelia déclara qu'elle n'avait jamais vu un chien aussi drôle, avec une tête aussi triste.

— Prenez bien soin de ma petite homonyme, dit Marshall à Melissa, qui tenait le bébé endormi dans ses bras.

— Et vous, Marshall, donnez-nous de vos nouvelles, lui enjoignit le président.

— C'est promis, monsieur.

Il était triste de quitter cette belle famille. Les enfants Armstrong avaient fait entrer de la chaleur humaine et de la joie dans sa vie. Bientôt, il allait se retrouver seul avec son chien à Paris, où il ne connaissait pas âme qui vive.

Le vol se passa mieux qu'il ne l'avait espéré. Il avait pris un billet en classe affaires et annonça le plus naturellement du monde à la jeune femme du guichet d'Air France que Stanley était un chien d'assistance.

— À quelles fins ? demanda-t-elle en remplissant le formulaire.

— Il me coupe ma viande, répondit Marshall, pince-sans-rire.

Et il indiqua son bras.

Elle hocha la tête et inscrivit sur le formulaire « chien d'assistance ». L'avait-elle seulement écouté ? Quoi qu'il en soit, une demi-heure plus tard, Marshall avait embarqué et Stanley s'endormait, couché à ses pieds. Son voisin parut surpris, mais pas contrarié.

Il atterrit à Paris le lendemain à midi, avec deux grosses valises et son chien. Le chauffeur de taxi les déposa au 22, avenue Bugeaud, tout près du Saint James, un petit hôtel de luxe. La concierge lui donna une enveloppe qui contenait les clés et l'accompagna au cinquième étage. L'appartement était aussi confortable, bien tenu et clair que sur les photos. Même en cette journée de février plutôt grise, il était étonnamment lumineux. Quand Marshall posa ses bagages dans la chambre, il constata qu'il neigeait dehors. Cela faisait tout juste deux ans qu'il avait quitté Bogotá, désespéré d'abandonner Paloma et leur bébé – dont il allait apprendre la mort quelques jours plus tard. Aujourd'hui, avec un bras valide en moins et un chien en plus, dans une ville où il ne connaissait rien ni personne, il lui sembla soudain qu'une nouvelle vie commençait. Il pouvait enterrer ses fantômes et se remettre à exister.

Ariana

6

La vie avait toujours souri à Robert Gregory. Fortune familiale, brillantes études dans les meilleures écoles du secondaire puis à Princeton, où il avait intégré le club de son choix – l'Ivy –, et enfin à la Harvard Business School ; une femme qu'il adorait et une fille qui était devenue le centre de son univers dès sa naissance ; carrière éblouissante : il avait eu tout ce qu'il pouvait souhaiter.

Jusqu'à ce jour terrible, l'année dernière, où une tragédie l'avait terrassé – la mort de son épouse, Laura, emportée par une tumeur au cerveau. Ils avaient consulté les meilleurs médecins. Hélas, ni l'argent de Robert ni son amour n'avaient pu la sauver. Effondré, il cherchait sans arrêt du réconfort auprès de sa fille Ariana. Désormais, elle était le centre unique de son amour et de son attention. Elle aussi aimait son père, bien sûr, et elle s'efforçait de combler le vide laissé par l'absence de sa mère.

Sur le plan professionnel, il ne restait à Robert qu'un de ses rêves de jeune homme à réaliser : être nommé ambassadeur, en Grande-Bretagne ou en France. Son père y avait aspiré lui aussi, sans y parvenir.

Pendant la campagne présidentielle de Phillip Armstrong – un homme qui avait vraiment toute son estime et son soutien –, cette ambition l'avait repris de plus belle. À cette fin autant que par respect pour cet homme qu'il espérait voir gagner, Robert avait largement contribué au financement de sa campagne. Ainsi, une fois son candidat élu, il serait nommé ambassadeur en France ou en Grande-Bretagne, cela ne faisait pas de doute. Il l'assura même à Ariana à plusieurs reprises. Seul cet espoir le distrayait du deuil de son épouse adorée.

« Mais enfin, papa, pourquoi tiens-tu tant à devenir ambassadeur ? Ce doit être assommant ! Tu n'as vraiment pas besoin de ça. »

Le moins que l'on puisse dire, c'est que l'idée n'emballait pas sa fille. Elle redoutait pour lui ce stress supplémentaire, après quarante ans d'une carrière qui l'avait énormément accaparé et le décès de sa femme qui l'avait bouleversé. Il avait d'ailleurs eu quelques années plus tôt une alerte cardiaque, qui s'était soldée par une angioplastie. Même si l'intervention avait été une réussite, Ariana ne souhaitait pas que son père se fatigue. Elle n'avait plus que lui au monde, c'était son seul parent vivant. Enfin, la jeune fille de vingt-deux ans n'avait pas plus envie de déménager à Paris ou à Londres que de le laisser y partir seul.

Bien qu'il l'y ait beaucoup poussée, elle n'avait pas voulu faire ses études à Princeton comme lui. Elle était allée à l'université de Barnard, à Columbia, et avait obtenu son diplôme six mois auparavant. Depuis, elle avait trouvé le poste de ses rêves : elle était assistante de la rédactrice en chef d'un prestigieux magazine de mode en ligne. Assister aux défilés, découvrir les tendances avant tout le monde, rencontrer les grands couturiers : tout cela la passionnait. Son ambition suprême était de devenir un jour la rédactrice en chef de *Vogue*. Ariana aimait la mode d'aussi loin qu'elle se souvienne... Sa mère lui avait transmis son sens inné du style ; elle avait la grâce et l'élégance de Laura – qu'elle exprimait avec toute la fougue de sa jeunesse.

Elle avait aussi sa blondeur et sa beauté, ses longues jambes, ses yeux bleus. De vingt ans la cadette de Robert, Laura Gregory était morte bien trop jeune. Dès leur première rencontre, il l'avait aimée d'un amour inconditionnel, comme il aimait leur fille. Sa fille qui, hélas, ne voyait pas ses ambitions diplomatiques d'un très bon œil. Elle n'avait pas envie de quitter New York. Elle était attachée à ses amis et à son job. Pour son diplôme, son père lui avait offert un appartement. Elle venait de s'installer à Tribeca et s'amusait comme une folle. Elle recevait presque tous les soirs. Elle n'avait pas de petit ami régulier, mais les prétendants et les invitations ne manquaient pas. Bref, elle menait la vie rêvée de toutes les filles de vingt-deux ans, et de beaucoup d'autres...

Il faut dire que son père faisait tout pour lui rendre la vie facile et heureuse. Ainsi, il avait tenu à ce qu'elle choisisse un appartement dans un bon quartier, dans un bel immeuble, avec un portier et une surveillance vingt-quatre heures sur vingt-quatre. Le soir, quand elle sortait, Robert tenait à ce qu'elle rentre en voiture avec chauffeur plutôt qu'en taxi. Toute sa vie, il lui avait offert tout ce qu'elle pouvait souhaiter. Ariana se montrait d'ailleurs très attentionnée avec lui, d'autant plus depuis que sa mère n'était plus là.

Elle dînait avec lui une ou deux fois par semaine et l'appelait tous les jours pour combler de son mieux ce grand vide dans sa vie.

Robert rencontra Phillip Armstrong à plusieurs reprises au cours de la campagne, à l'occasion de réceptions données pour récolter des fonds. À chaque fois, il lui rappela combien il aimerait être nommé ambassadeur en Grande-Bretagne ou en France. Armstrong ne lui promit jamais rien, mais assura qu'il y réfléchirait. Il avait bénéficié du soutien d'autres importants donateurs et devait avant tout choisir le meilleur candidat pour le poste. Il était intègre et honnête, et Robert ne l'en respectait que davantage.

Ariana ne s'inquiéta pas lorsque Armstrong remporta les élections. Son père fut invité à l'investiture et lui demanda de l'accompagner au bal, le soir. Elle passa une soirée extraordinaire et fut même présentée au président et à sa charmante femme qui fut avec elle d'une grande gentillesse. Au retour, son père jubilait. Il tenait sa nomination, c'était sûr ! Ariana ne voulait pas jouer les rabat-joie, mais elle n'en était pas aussi certaine que lui. Son père n'était pas de première jeunesse ni en parfaite santé ; veuf, il n'aurait pas à ses côtés de maîtresse de maison ; enfin, il n'avait pas l'expérience des diplomates de carrière, même si elle savait que bon nombre de ces postes étaient accordés aux importants contributeurs de la campagne. Néanmoins, elle n'avait pas le cœur de gâcher sa joie enfantine.

Deux mois après l'investiture, il ne s'était toujours rien passé. Ariana se croyait tirée d'affaire. Elle avait moins que jamais envie de partir, fût-ce pour aller vivre à Londres ou à Paris : en mars, elle avait rencontré un garçon qui lui plaisait vraiment. Âgé de vingt-six ans, il étudiait le droit à l'université de New York. Ils étaient vraiment bien ensemble.

Elle fut cependant désolée pour son père quand fut annoncée la nomination des ambassadeurs en Grande-Bretagne et en France. Le premier était un ami de son père, ce qui lui rendait la pilule encore plus difficile à avaler. Le second venait de Los Angeles ; il n'avait jamais entendu parler de lui. La bonne nouvelle, c'était qu'Ariana n'avait plus rien à craindre de ce côté-là : elle était assurée de rester à New York. Et puis, un soir de mai, son père l'invita à dîner chez lui. En arrivant, elle lui trouva l'air grave. Avait-il un nouveau problème de santé ? Elle s'inquiétait sans arrêt pour lui depuis la mort de sa mère. Elle l'adorait – c'était réciproque – et avait vécu la pire angoisse de sa vie quand il avait subi cette angioplastie. Depuis, par bonheur, il n'y avait pas eu d'autre alerte.

Son père lui fit signe de prendre place à la table de la salle à manger. Son appartement de la Cinquième Avenue donnait sur Central Park, ce qui ne l'empêchait pas de le trouver sinistre depuis qu'il était veuf. Ariana lui rendait visite le plus souvent possible et l'invitait aussi, mais il n'aimait pas trop venir à SoHo ou à Tribeca. Il préférait la recevoir, comme ce soir.

— J'ai eu le président Armstrong au téléphone, aujourd'hui, annonça-t-il pour la plus grande surprise d'Ariana.

— Vraiment ?

— Oui. C'est lui qui m'a appelé.

— Mais pourquoi, papa ?

La femme de chambre leur servit le potage.

— Pour me proposer une ambassade, répondit-il d'un ton plutôt comme morne.

— Ah bon ? Où cela ?

Il ne pouvait s'agir de Londres ou Paris, puisque les postes étaient pourvus. Ou alors ? Rome ? Madrid ? Elle croyait pourtant ces destinations réservées à des ambassadeurs de carrière.

Son père marqua un temps d'hésitation avant de répondre, l'air sombre :

— L'Argentine. Buenos Aires. Je sais, c'est une ville que tout le monde adore, mais y vivre trois ou quatre ans, ce n'est pas la même chose que d'y passer quinze jours de vacances. J'y ai réfléchi toute la journée : je ne crois pas que ce soit une bonne idée. Le pays va très mal depuis des années. Il est en faillite. Les Argentins sont des gens merveilleux, mais je ne peux pas résoudre leurs problèmes pour eux. Je crains que la pression ne soit trop forte pour moi. Qui plus est, certains pays voisins sont dangereux ; il y a des révolutionnaires qui enlèvent des gens pour extorquer des rançons, il y a les cartels de la drogue... C'est trop compliqué, il me semble.

— Je suis entièrement de ton avis, papa, fit Ariana poliment, soulagée qu'il ne l'envisage même pas. Donc tu as refusé ?

— J'ai essayé, mais le président m'a demandé de réfléchir. Il m'assure que, une fois sur place, nous adorerons. Tout le monde est sous le charme de ce pays. Apparemment, la raison pour laquelle ma nomination a tant tardé, c'est qu'ils ont eu un mal fou à rappeler le précédent ambassadeur. Il est tellement heureux là-bas qu'il ne voulait pas rentrer.

— Il avait peut-être une petite amie sur place, fit valoir Ariana non sans ironie.

Elle feignait de prendre la chose à la légère, mais elle n'avait aucune envie de passer quatre ans en Argentine – ni même trois.

— Mais tu vas refuser, hein, papa ? demanda-t-elle pour se rassurer.

— Je ne sais pas... Peu importe peut-être le pays. L'expérience vaut sûrement le coup, pour nous deux. Être nommé ambassadeur, c'est un très grand honneur. Toi aussi, tu pourrais bien te plaire en Argentine. Il paraît que les Argentins sont des gens merveilleux et très accueillants. Buenos Aires ressemble à Paris et la vie sociale y est très animée. Armstrong m'a dit que l'ambassade aurait bien besoin d'un œil féminin pour être redécorée : ce serait sympa, pour toi.

— Je n'ai aucune envie de partir, surtout en Argentine ! s'écria-t-elle, prise de panique. Je ne parle pas espagnol et je ne connaîtrai personne.

Que pouvait-elle lui dire pour le faire renoncer ? Il fallait qu'elle se montre plus convaincante que le président...

— Tu n'as aucune raison de t'inquiéter à ce sujet, ma chérie, reprit-il. Être ambassadeur, c'est d'abord rencontrer du monde. Du beau monde. Et tu as bien assez de notions d'espagnol pour te débrouiller.

— Non, pas du tout. Je n'en ai fait que deux ans. Je suis capable de demander le chemin de la poste et de la gare, point final.

Il se cala au fond de sa chaise et la regarda.

— Sérieusement, Ari, qu'est-ce que tu en penses ? C'est peut-être une bonne idée, après tout.

Ils n'avaient touché à leur potage ni l'un ni l'autre. Elle se sentait incapable d'avaler quoi que ce soit.

— Tu sais, je crois que ça vaudrait le coup d'essayer, continua-t-il. On n'a qu'une vie. Si on refuse cette occasion, on risque de le regretter.

Lui, peut-être, mais pas elle. Or il était clair qu'il comptait sur elle pour l'accompagner.

— Et si tu tombes malade, papa ?

Son inquiétude était légitime, vu les problèmes de santé qu'il avait déjà rencontrés. Comment ferait-elle, seule à l'étranger avec lui, s'il avait un autre accident cardiaque ?

— Je suis en pleine forme. Mon dernier check-up remonte à un mois à peine : tout va très bien. Ça te paraît sans doute idiot, ma chérie, mais… ce serait un tel bonheur pour moi d'avoir été ambassadeur avant de mourir.

— Tu n'es pas en train de mourir, papa, et tu n'as pas intérêt. Tu disais que tu n'étais tenté que par l'Angleterre et la France.

Elle s'affolait carrément, maintenant. Ses arguments ne faisaient pas mouche, au contraire. Plus la conversation avançait, plus il semblait se convaincre lui-même. Elle était en train de perdre la partie. Sauf qu'elle n'avait aucune envie d'endosser le rôle de sa mère et de suivre son père en Argentine. Elle voulait mener son existence à elle.

— Imagine comme ce pourrait être bien, Ari. Tout le monde adore l'Argentine. Tu ne feras pas exception.

Accablée par l'insistance de son père, elle le regarda, les larmes aux yeux.

— Trois ou quatre ans, c'est horriblement long ! lâcha-t-elle. Et si nous ne nous y plaisons pas ? Nous serons bloqués là-bas une éternité. À notre retour, j'aurai vingt-six ans. Tu te rends compte du temps que j'aurai perdu pour ma carrière ?

Vingt-six ans ! Autant dire quatre-vingt-dix !

— C'est une expérience qu'il ne te sera donné qu'une fois de vivre, ma chérie.

À cet instant, Ariana en voulut terriblement à Phillip Armstrong. Mais que pouvait-elle dire de plus ? Comment exprimer plus fortement sa réticence et son inquiétude ?

Ils mangèrent leur potage en silence, chacun ruminant ses pensées. Puis son père reprit :

— Je voulais juste te prévenir que j'y réfléchissais pour que tu ne sois pas surprise.

Que laissait-il entendre par là ? Franchement, la situation devenait inquiétante pour elle.

— Papa, lâcha-t-elle fermement, je ne veux pas y aller.

Elle ne pouvait être plus claire.

— Je ne serais pas rassuré de te laisser ici toute seule, objecta-t-il. Et puis, j'aurai besoin de toi là-bas, Ariana. Seul, sans ta mère, je n'y arriverai pas.

Il paraissait presque suppliant, au point qu'elle éprouva de la culpabilité. Pourtant, c'était un très gros sacrifice qu'il lui demandait. Il était injuste d'insister ainsi... Car le fait est qu'elle se sentait responsable de lui. Elle avait promis à sa mère de prendre soin de lui. Mais au point de partir vivre en Argentine ? Elle ne s'attendait certes pas à cela. Le pire, c'était qu'une fois que son père avait pris une décision, il ne revenait pas dessus. Or il avait l'air à deux doigts de trancher en faveur de ce poste.

À la fin du dîner, Ariana était au bord des larmes. Elle ne s'attarda pas et fila retrouver des amis en ville, à la Waverly Tavern. Son amoureux était du nombre. Il ne la connaissait pas depuis longtemps, mais il se rendit tout de suite compte que cela n'allait pas.

— Qu'est-ce qui t'arrive, Ariana ? s'enquit-il en lui passant un bras autour des épaules et en l'embrassant.

— Mon père vient de m'annoncer qu'on lui avait proposé un poste d'ambassadeur en Argentine.

— Mais c'est génial ! s'exclama-t-il avec enthousiasme. Tu pourras aller le voir là-bas et apprendre à danser le tango.

Elle ne précisa pas que son père lui avait demandé de l'accompagner. Qu'elle n'irait pas « le voir », mais qu'elle partirait vivre là-bas. C'était prématuré. Elle ne voulait pas gâcher leur histoire tant que son père n'avait pas pris une décision définitive.

Il l'appela le lendemain. C'était fait. Il venait de s'entretenir avec le président et d'accepter le poste. Ils devaient être à Buenos Aires dans quatre semaines. Ariana éclata en sanglots. Son père eut beau lui assurer que cela allait être très excitant, qu'elle allait adorer cette vie et son rôle officieux d'ambassadrice, elle savait qu'il avait tort.

— Je n'ai aucune envie d'être ambassadrice, déclara-t-elle farouchement. J'ai vingt-deux ans et une vie et un emploi ici. Je ne partirai pas avec toi, papa. Peu importe ce que tu en dis : ce n'est pas pour moi.

Un silence accueillit cette déclaration. Puis :

— Mais, Ariana, je n'ai que toi au monde. Je ne te laisserai pas seule ici. Je me ferais trop de souci pour toi.

— J'y serai bien plus en sécurité qu'en Argentine, où les gens se font enlever. C'est toi-même qui l'as dit.

Elle protestait pour la forme. Elle savait que sa décision était prise et qu'il en avait fait part au président.

— Nous aurons des gardes du corps en permanence, ma chérie. D'ailleurs, cela fait des années qu'aucun étranger n'a été kidnappé. Nous n'avons rien à craindre.

Elle raccrocha et alla le voir le soir même pour en reparler avec lui, mais sans aboutir à rien. Elle rentra chez elle furieuse. Mais il avait soixante-dix ans. Il avait déjà connu de graves problèmes de santé. Il était veuf depuis un an à peine. Et c'était son père. Elle ne se voyait pas le laisser partir seul...

Après avoir réfléchi à tout cela une bonne partie de la nuit, elle conclut qu'elle n'avait pas le choix. C'était un sacrifice qu'il fallait qu'elle fasse. Pour lui. Et, sait-on jamais, peut-être allait-elle se plaire là-bas et être heureuse, plus tard, d'avoir vécu cette expérience. Face à la détermination de son père, sa voix ne pesait pas lourd, de toute façon.

Au journal, sa rédactrice en chef fut adorable quand elle lui apprit la nouvelle : elle lui promit de lui retrouver un poste d'assistante à son retour et lui suggéra de tenir un blog pendant son séjour à Buenos Aires. Ce fut plus dur, en revanche, d'annoncer son départ à son petit ami, Ian. Surtout qu'il le prit beaucoup moins mal qu'elle ne l'avait escompté. En fait, elle n'était pour lui qu'une passade, comprit-elle. Il la serra fort dans ses bras et lui fit jurer de garder le contact. Peut-être irait-il la voir là-bas un de ces jours...

Son père insista pour qu'elle fasse autant de shopping qu'elle voulait. Ils allaient beaucoup recevoir et beaucoup sortir : elle aurait besoin d'une garde-robe fournie. Mais c'était une faible consolation, comparé à la vie à laquelle elle renonçait. Pendant les quatre semaines qui précédèrent le départ, elle eut le cafard non stop. Pour couronner le tout, ils allaient arriver en plein hiver, au mois de juin. Ils avaient fait expédier la plupart de leurs affaires, mais se retrouvèrent tout de même à voyager avec huit valises. Ariana ne desserra pas les dents de tout le vol. Elle était incapable de se représenter leur nouvelle vie. Elle avait dit très clairement à son père qu'elle était contre ce projet. Il avait promis de tout faire pour se faire pardonner et semblait lui être très reconnaissant d'avoir finalement accepté de le suivre.

Ils s'installèrent à l'hôtel Four Seasons de Buenos Aires. L'ambassade, en effet, avait besoin d'être « rafraîchie ». Ils allèrent la visiter le lendemain de leur arrivée ; elle était sise sur Posadas, dans le quartier de Recoleta. C'était un bâtiment magnifique, avec de très belles fresques, des moulures, des cheminées, de somptueux rideaux. Ce qui manquait cruellement, c'était le mobilier, pour garnir les grandes pièces vides. Eugenia, l'une des secrétaires de son père, donna à Ariana une liste de magasins d'antiquités où elle pourrait trouver ce qu'il fallait et lui proposa de venir avec elle si elle le souhaitait. Ariana se rendit compte que la jeune femme s'était déjà donné beaucoup de mal pour préparer leur arrivée et fut touchée de son accueil ainsi que de celui de tout le personnel. Ils se montraient tous extrêmement serviables.

Cet après-midi-là, Eugenia la retrouva à l'hôtel pour commencer à travailler avec elle. Elle lui transmit d'abord une pile d'invitations des maîtresses de maison de la bonne société de Buenos Aires et des ambassades. Tout le monde voulait les recevoir à dîner, à déjeuner, ou même donner un bal en leur honneur. Ces dames se disputaient le privilège de les recevoir en premier.

— Oh mon Dieu, fit Ariana dans un soupir, submergée par tous ces cartons et les obligations qui l'attendaient.

Elle le savait, pourtant, qu'elle allait devoir sacrifier à ces mondanités. C'est en partie pour cela qu'elle avait dû suivre son père...

Eugenia n'avait que quelques années de plus qu'elle. Très élégante, parfaitement coiffée, avec de petits diamants aux oreilles, elle venait d'une famille aristocratique. Elle entreprit de lui expliquer qui était qui à Buenos Aires, lui indiqua les familles les plus importantes, lui décrivit les ambassadeurs et leurs épouses. La vie mondaine de la capitale semblait très riche. Nul doute qu'ils devraient beaucoup recevoir.

Le lendemain matin, les deux jeunes femmes se rendirent chez les antiquaires. Son père lui avait donné carte blanche pour acheter tout ce dont l'ambassade avait besoin. Sa fortune le lui permettait largement. Du reste, elle fut sidérée de découvrir comme les prix étaient bas comparés à New York, pour des pièces magnifiques souvent d'origine française. Nombre de vieilles familles étaient ruinées et vendaient ce qu'elles possédaient pour une bouchée de pain. Ariana se sentait presque coupable de les acquérir pour si peu. À la fin de la matinée, elle avait déjà acheté de quoi meubler plusieurs pièces, ainsi que deux tapis d'Aubusson, l'un dans des tons rose pâle et l'autre bleu clair.

Eugenia avait fait ses études supérieures aux États-Unis et parlait parfaitement anglais. Elle promit à Ariana de lui trouver très vite un professeur d'espagnol. Maintenant qu'elle était là, la jeune fille était prête à faire les efforts nécessaires pour aider son père et bien tenir son rôle. Oui, elle allait jouer le jeu, et son père serait fier d'elle. Elle allait faire de l'ambassade un lieu magnifique et les réceptions qu'ils y donneraient seraient les plus chics de Buenos Aires.

Ce soir-là, ils assistèrent à un dîner de gala à l'ambassade de France. Les femmes portaient toutes des robes du soir et le dîner fut exquis. Une armée de serveurs était aux petits soins avec les convives. Ariana n'avait jamais vu une porcelaine ni une cristallerie aussi belles. Tout le monde les accueillit avec beaucoup de chaleur, son père et elle. Après le dîner, on dansa dans les salons de l'ambassade. Ariana avait l'impression d'avoir remonté le temps et de se retrouver dans une autre époque, où régnaient le luxe, l'élégance et les gens les plus raffinés qui soient.

Les jours suivants, ils furent tout aussi bien accueillis aux ambassades de Grande-Bretagne, d'Italie, d'Allemagne et d'Espagne. Très vite, ils furent invités dans les meilleures maisons, chez les gens influents et les aristocrates. Ils sortaient tous les soirs et rencontraient le gratin de la capitale. Bien que le train de vie des Argentins ait souffert de la crise, ils recevaient toujours très généreusement, dans un cadre sublime, et restaient très élégants. Jamais Ariana et son père n'avaient vu des femmes aussi jolies, des hommes aussi distingués. Ils rencontrèrent beaucoup d'Allemands, d'Italiens et d'Irlandais ; même les personnes nées en Argentine avaient souvent un nom étranger tant les Européens étaient venus nombreux s'y établir au fil des siècles passés. La ville ne dormait jamais. La fête était partout, tout le temps.

Ainsi, les hommes les plus charmants de la capitale se disputaient-ils le privilège de danser avec Ariana et de lui apprendre le tango. Son père posait sur elle un œil fier et affectueux tout en discutant avec ses nouvelles relations. Il était tenté parfois d'accepter les cigares cubains que ces messieurs lui proposaient. Sauf que c'était une limite qu'Ariana ne voulait pas lui voir franchir. Alors elle lui prenait gentiment le cigare des mains et l'embrassait sur la joue. Ses problèmes de cœur étaient trop sérieux pour qu'il s'autorise ce plaisir, si raffiné fût-il.

Son père était tout aussi apprécié des maîtresses de maison qu'elle l'était des hommes. Des femmes ravissantes flirtaient avec lui lors des dîners. Bref, ils étaient extrêmement demandés. Au bout de deux semaines, Ariana elle-même fut forcée de reconnaître qu'elle s'amusait bien. Elle rencontrait des jeunes gens fort sympathiques, beaux et élégants, qui se battaient pour lui faire visiter leur magnifique ville, l'invitaient çà et là, et lui faisaient du charme – ceux de la gent masculine tout du moins. Jamais elle n'avait été si bien accueillie quelque part ; jamais on ne lui avait prodigué autant d'attentions.

Elle était si occupée, entre ces divertissements nombreux et son travail de décoration et d'ameublement de l'ambassade, qu'elle n'avait même pas le temps de tenir le fameux blog pour le magazine qui l'employait à New York. Elle n'avait pas une minute pour écrire.

À mesure qu'on lui livrait les meubles anciens et les objets d'antiquité qu'elle avait achetés, l'ambassade prenait forme. Ariana fit aussi vite que possible, et, six semaines après leur arrivée, ils furent en mesure de donner une grande réception pour remercier tous ceux qui les avaient reçus si chaleureusement. La soirée fut une réussite – Ariana avait même déniché un orchestre formidable – et son père se déclara très fier d'elle.

À la fin août, les Gregory se sentaient chez eux à Buenos Aires. Sa fonction d'ambassadeur plaisait infiniment à Robert : il apprenait sur le tas les ficelles de la carrière diplomatique, découvrait peu à peu ce pays, l'Argentine, qu'il lui fallait connaître parfaitement, et appréciait beaucoup les gens qu'il côtoyait. Quant à Ariana, elle était entourée de toute une bande de jeunes gens qui l'invitaient sans arrêt à dîner, à assister à des matchs de polo, à sortir dans des clubs. Elle était prise tous les soirs, avec ou sans son père.

Début septembre, elle alla jusqu'à reconnaître qu'il avait eu raison d'insister, qu'elle était très heureuse de l'avoir accompagné. Elle avait fait d'énormes progrès en espagnol et adorait leur maison et ses nouveaux amis.

— Je ne m'attendais pas du tout à cela, avoua-t-elle. Il paraît que c'est exactement comme Paris autrefois.

Peu après, elle fit un court séjour avec des amis à Punta del Este, en Uruguay. C'était la station balnéaire favorite des aristocrates et des riches Argentins. L'escapade fut une réussite, malgré les deux gardes du corps que son père lui avait imposés, au cas où... Elle se sentait un peu ridicule, car c'était vraiment une précaution inutile. Si certains de ses amis avaient des gardes du corps, ils ne faisaient jamais appel à eux à Punta del Este, mais uniquement quand ils se rendaient dans leurs maisons de campagne dans des régions plus reculées, car il y avait alors un risque de se faire attaquer sur la route.

En octobre, les Gregory furent invités à passer un week-end chez des amis – une famille qu'Ariana appréciait particulièrement, avec trois filles proches d'elle en âge et deux fils plus âgés, et très beaux. Chez eux, c'était la fête en permanence, surtout dans leur résidence secondaire, leur *finca*, à deux heures de Buenos Aires, dans une région prisée. Le samedi après le déjeuner, ils allèrent faire un petit tour en voiture avec leurs hôtes. Il y avait une superbe propriété non loin que son père avait envie de voir. À peine étaient-ils descendus de voiture qu'il lui apprit qu'il l'avait louée.

Les propriétaires étaient partis s'installer aux États-Unis pour plusieurs années. La maison était en parfait état, mais vide, même si sept domestiques vivaient déjà sur place. Encore un beau projet de décoration pour Ariana, qui imaginait déjà les belles parties de campagne qu'ils allaient pouvoir y donner. La bâtisse principale comportait une douzaine de chambres, et il y avait en outre plusieurs maisons indépendantes et des logements pour le personnel. Les amis d'Ariana étaient tout aussi fous de joie qu'elle à la perspective de l'avoir pour voisine. La semaine suivante, elle se mit au travail pour qu'ils puissent emménager le plus vite possible.

Antiquités françaises, lits à baldaquin, grandes pièces claires et tons pastel... À Noël – qui tombait pendant l'été argentin –, Ariana avait fait de cette location une merveille de confort et d'élégance. Son père avait engagé une demi-douzaine de domestiques supplémentaires et ils emmenaient le chef cuisinier de l'ambassade quand ils s'y rendaient. Ils y donnèrent leur première grande réception pour le nouvel an. Vingt invités dormaient sur place et tous leurs amis de la campagne environnante se joignirent à eux. On dansa jusqu'à six heures du matin avant de prendre le petit déjeuner sur la terrasse. À huit heures, tout le monde alla se coucher.

Comment n'auraient-ils pas succombé à cette vie de plaisirs, de luxe et d'opulence ? Père et fille avaient peine à croire qu'ils étaient déjà en Argentine depuis six mois. Le temps avait filé à toute allure. Maintenant, Ariana parlait presque parfaitement espagnol. Eugenia avait fort à faire pour tenir son agenda tant elle était occupée. Rendez-vous avec des décorateurs, réceptions à l'ambassade, shopping, sorties avec ses amis : elle n'arrêtait pas. Il y avait toujours quelque chose de nouveau à voir, à faire ou à acheter, des gens à rencontrer, des visiteurs américains à recevoir... Jamais elle n'avait mené une vie aussi remplie. À vingt-trois ans, avec sa blondeur, sa beauté, son style classique et chic, son excellente éducation et sa bonne humeur permanente, c'était la coqueluche de Buenos Aires : tout à la fois joyeuse et drôle, et maîtresse de maison accomplie.

Mi-janvier, à peine deux semaines après le réveillon, elle lança une nouvelle invitation. Ceux de ses amis qui n'étaient pas encore venus à la *finca* rêvaient de voir ce qu'elle en avait fait et d'y passer un week-end. Une douzaine de jeunes couples allaient venir. Pour sa part, elle commençait à sortir avec le frère aîné d'une amie. Son père prétexta qu'il devait rester à Buenos Aires pour son travail, mais elle devinait qu'il voulait les laisser s'amuser entre jeunes. Il tint à ce que Ariana se fasse accompagner par ses deux gardes du corps. Le trajet était dangereux ; les attaques étaient fréquentes.

En fin de compte, seul l'un d'eux fut du trajet, car l'autre avait une forte grippe. Le chef cuisinier de l'ambassade, qui allait nourrir tout ce petit monde pendant que son second restait s'occuper de son père, était également dans la voiture. À peine avaient-ils quitté la ville qu'il s'endormit. Ariana commença à établir des listes et des plans de table, qui l'occupèrent pratiquement les deux heures du voyage. Le week-end allait être génial. Elle n'avait invité que des amis proches...

Alors qu'ils étaient presque arrivés, la voiture s'arrêta net. La jeune femme leva les yeux de son bloc et découvrit un vieux camion militaire qui barrait la route. Une demi-douzaine d'hommes se dressaient entre lui et leur voiture. Il y en avait d'autres à l'arrière du camion. Elle jeta un coup d'œil au garde du corps, devant, pour voir s'il était inquiet. Les portières étaient verrouillées. Allait-il quitter la route pour contourner le camion ou laisser l'initiative à ces gens, voir ce qu'ils voulaient ? Les hommes, vêtus de tenues militaires disparates, s'approchèrent lentement. Ariana constata qu'ils étaient armés. Le garde du corps restait très calme au volant de la voiture et ne bougeait pas.

— Felipe, ça va aller ? demanda-t-elle.

Il hocha la tête en guise de réponse. Le chef cuisinier ronflait toujours à l'arrière. L'arrêt de la voiture ne l'avait pas réveillé.

— Il ne faut pas qu'on essaie de contourner le camion ? insista-t-elle.

Elle commençait à s'inquiéter, mais pas lui, apparemment.

— Inutile. Ils nous tireraient dans les pneus, répondit-il d'un ton égal.

Il fixait les hommes du regard. Deux d'entre eux s'approchèrent et lui firent signe d'ouvrir la vitre. Comme il n'obtempérait pas, l'un des types pointa son pistolet sur sa tête et tira à travers le pare-brise. Felipe s'affaissa sur le volant tandis que le sang giclait. Ariana hurla. Un homme cassa la vitre de son côté, déverrouilla la portière et la tira hors de la voiture sans qu'elle ait le temps de comprendre ce qui arrivait. Ils lui enfilèrent un sac sur la tête, la soulevèrent et la jetèrent à l'arrière du camion. Le chef s'était réveillé au coup de feu et avait assisté à toute la scène.

Complètement impuissant. Ariana se débattit autant qu'elle pouvait, en vain. En quelques instants, tout était terminé et le camion s'éloignait.

Le cuisinier resta pétrifié, sous le choc, à regarder le véhicule disparaître dans les buissons sur le côté de la route. Tout s'était passé si vite... Il n'aurait rien pu faire. Il avait compté au moins huit hommes autour de leur voiture, et davantage encore dans le camion, tous barbus et casqués, certains même cagoulés. Une masse sans visage et terrifiante, qui avait enlevé Ariana. Il resta cinq longues minutes sans bouger, agité de tremblements irrépressibles, puis il sortit de la voiture. Il se dirigea vers le volant et poussa le garde du corps côté passager. Le siège du conducteur était imbibé de sang. Il acheva le trajet jusqu'à la *finca*, tremblant toujours si violemment qu'il parvenait à peine à conduire. Arrivé devant la maison, il descendit de voiture et se mit à hurler à pleins poumons. Les domestiques accoururent. Par la portière ouverte, ils découvrirent le corps de Felipe, le sang partout. Le chef cuisinier se mit à raconter. Deux invités firent alors leur apparition. Ils hurlèrent à leur tour.

On appela la police, laquelle mit une heure à arriver. Le chef cuisinier décrivit une nouvelle fois les événements. Les policiers voulurent savoir si l'ambassadeur avait été prévenu. Non, personne ne l'avait encore appelé... L'affaire était grave. Les policiers téléphonèrent à leur chef, qui appela le responsable de la police de Buenos Aires. La fille de l'ambassadeur des États-Unis avait été enlevée ; il fallait l'annoncer à son père.

Le responsable de la police de la capitale se rendit immédiatement à l'ambassade. On le fit attendre quelques minutes dans un salon, puis Robert Gregory, qui devait craindre – car c'était la cause la plus courante de ce genre de visites – qu'un citoyen américain n'ait commis un crime en Argentine, vint le rejoindre. Il se leva et serra la main que lui tendait l'ambassadeur, cet homme important, à qui il devait annoncer une terrible nouvelle. Son cœur battait furieusement, mais il n'y alla pas par quatre chemins :

— Monsieur l'ambassadeur, dit-il sans se rasseoir, il est hélas de mon devoir de vous informer que votre fille a été enlevée sur le trajet de votre *finca*. Le conducteur a été tué. L'employé qui voyageait à l'arrière est indemne. Votre fille n'a pas été blessée ; elle était en vie quand ils l'ont emmenée. Nous allons passer le secteur au peigne fin et faire tout ce qui sera en notre pouvoir pour la retrouver. Je vous donne la parole de notre gouvernement que tout sera mis en œuvre pour vous la rendre saine et sauve.

Il sembla à Robert Gregory que la pièce tournait autour de lui. Il écoutait ce que lui disait le chef de la police, il le comprenait, mais il ne pouvait y croire. Ce n'était pas possible. Cela ne se pouvait pas. Non, ils n'avaient pas pris Ariana. Elle était partie avec un garde du corps censé la protéger. Tant de gens se rendaient de Buenos Aires à la campagne le week-end... Pourquoi elle ?

— Savez-vous qui l'a kidnappée ? demanda-t-il d'une voix étranglée en sortant une fiole de comprimés de sa poche.

C'était de la nitroglycérine. Une douleur atroce lui broyait la poitrine. Une douleur qu'il n'avait ressentie qu'une fois auparavant. Il avala un comprimé et s'assit sans quitter le policier des yeux. Il était sous le choc. Terrifié.

— Nous ne savons pas encore, répondit honnêtement son interlocuteur, mais je vais me rendre sur place sur-le-champ. Nous allons mobiliser toutes nos équipes de recherche. L'opération est déjà en cours. Souhaitez-vous m'accompagner, monsieur l'ambassadeur ?

Robert hocha la tête. Il avait l'impression de flotter dans un brouillard très épais. Oui, il fallait partir à sa recherche. La retrouver. La sauver... Il suivit comme un automate le responsable de la police et monta dans sa voiture. À bord se trouvaient déjà un chauffeur et un autre homme. Les trois fonctionnaires parlèrent à mi-voix pendant tout le trajet jusqu'à la *finca*. Robert Gregory, lui, ne disait mot.

Avertis de leur arrivée, les représentants de la police locale les attendaient à la maison de campagne de l'ambassadeur. Le chef cuisinier raconta à nouveau la scène, un peu plus calmement. Les forces de l'ordre n'avaient encore aucune idée de l'identité des auteurs de l'enlèvement tant il y avait de groupuscules de bandits dans le secteur. Selon eux, la demande de rançon n'allait pas tarder ; à ce moment-là, ils sauraient probablement mieux à qui ils avaient affaire. Pour l'instant, ils ne pouvaient qu'attendre.

— Je paierai tout ce qu'ils voudront, déclara Robert d'une voix vacillante.

Ses mains n'avaient cessé de trembler depuis qu'il avait appris la nouvelle. Il avait l'impression d'être dans un très, très mauvais film.

— Nous allons diffuser l'information via les journaux télévisés et la presse, décida le chef de la police. Une personne l'a peut-être vue quelque part. Il nous faut une photo d'elle.

Robert était affaissé dans un fauteuil, aussi pâle qu'un mort. Une amie d'Ariana s'efforçait de le réconforter, en vain. Il avait l'air d'un vieillard malade. Dans l'intervalle, d'autres invités étaient arrivés. Nombre d'amies d'Ariana pleuraient. Ce genre d'affaires se terminait souvent de façon dramatique, elles le savaient. Même une fois la rançon payée, l'otage n'était pas toujours libéré. Et quelquefois, c'était son cadavre que l'on retrouvait.

Les deux officiers de police restèrent plus d'une heure avec Robert Gregory, à lui assurer que le gouvernement argentin mettrait tout en œuvre pour lui rendre sa fille.

— Je vous en supplie... je vous en supplie, bredouillait-il, le visage ruisselant de larmes. Je n'ai qu'elle au monde...

7

L'homme qui avait sorti Ariana de la voiture avait
agi avec une rapidité extrême. Elle avait tenté de se
débattre, bien sûr, mais il la tenait comme dans un
étau. Dans le camion, elle n'avait pas été mieux traitée : deux hommes pesaient sur elle de tout le poids
de leurs pieds bottés et elle ne pouvait pas faire un
geste. La tête enfermée dans un sac, elle respirait
avec peine. Les cordes qui la ligotaient lui entaillaient
les poignets et les chevilles. Elle ne portait qu'une
robe d'été légère, qui devait maintenant être maculée
de poussière et tachée par les semelles des godillots
posés sur elle. Elle tendit l'oreille pour essayer de
saisir ce que ses ravisseurs disaient. Mais sa cagoule
– qui devait être faite d'un morceau de couverture –
étouffait leurs mots et ils s'exprimaient en outre dans
une espèce de dialecte difficile à comprendre. Elle
n'avait en tout cas aucune idée de l'endroit où ils
l'emmenaient ni de qui ils étaient. Un certain Jorge
revenait souvent dans la conversation et, quand ils
parlaient d'elle, ils disaient La Rica – « la riche ». Ils

n'imaginaient pas, sans doute, avoir kidnappé la fille de l'ambassadeur des États-Unis. Cela changerait-il quelque chose quand ils l'apprendraient ? Serait-ce pire ? En tout cas, il était probable qu'ils l'aient enlevée pour demander une rançon, pas comme prisonnière politique.

Ariana s'efforça de ne pas céder à la panique. Tout ce qu'elle souhaitait, c'était sortir de là vivante. Il fallait qu'elle reste vigilante. Qu'elle essaie de saisir ce qu'ils disaient… Mais le camion roulait sur un chemin cahoteux et, à chaque soubresaut, sa tête cognait sur le sol. Plusieurs fois, elle manqua de s'évanouir. L'un des hommes lui donna des coups de pied ; la douleur fut si vive qu'elle laissa échapper un cri. Il devait lui avoir cassé une côte…

Elle songea à son père. Que faisait-il, en ce moment ? Était-il déjà au courant ? Les recherches étaient-elles lancées ? Elle pria pour que, soudain, le camion s'arrête, bloqué par un véhicule de la police, mais cela n'arriva pas… À mesure que le temps s'écoulait, elle avait de plus en plus peur et devait lutter de toutes ses forces pour conserver son calme. Céder à la panique ne l'aiderait en rien…

Elle savait que l'attaque avait eu lieu vers quatorze heures. En revanche, depuis, elle avait perdu la notion du temps. Son cœur cognait dans sa poitrine. Il lui sembla que des heures s'étaient écoulées quand le camion s'arrêta enfin. Elle entendit des éclats de voix masculines, des bruits de course. On la souleva et on la laissa retomber brutalement à terre. Elle en eut le souffle coupé, mais ne se plaignit pas. Elle gisait sur le sol, incapable de faire un geste à cause des cordes, des élancements dans sa tête. Un homme la poussa violemment du bout de sa botte. Elle entendit à nouveau prononcer le nom de Jorge. Elle se rendit compte qu'elle avait perdu ses chaussures.

Des coups de feu retentirent non loin d'elle. Allaient-ils lui ficher une balle dans le crâne, comme à Felipe ? Malgré la douleur et la peur qui lui brouillaient l'esprit, elle songea que c'était peu probable, qu'elle valait plus cher vivante que morte. La bouche asséchée par la poussière de sa cagoule, elle avait atrocement soif. Soudain, le silence se fit autour d'elle. Puis un homme lança des commandements.

Il ne s'exprimait pas dans le dialecte des autres, mais dans un espagnol qu'elle comprenait, celui des gens qu'elle fréquentait. Il ordonna qu'on la mette dans la boîte. La boîte ? Quelle boîte ? À nouveau, on la souleva, on la porta sur une courte distance et on la jeta dans un espace confiné. Il fallut la pousser pour l'y faire tenir. Puis elle entendit que l'on faisait retomber un lourd couvercle au-dessus d'elle...

Elle étouffait. Il faisait chaud. Elle ne pouvait pas bouger d'un millimètre. Allait-elle mourir dans cette boîte ? Au bout d'un moment, dans la chaleur, le désespoir, la douleur, elle fut prise d'un besoin irrépressible de dormir. Comme pour échapper à la terreur et à la souffrance. Elle flotta ainsi longuement entre la conscience et le sommeil, dans le noir, respirant à peine.

Soudain, elle entendit des voix masculines. On souleva le couvercle. L'air frais la réveilla, hélas. Elle aurait tant voulu dormir.

Les hommes se remirent à crier, puis celui qui parlait espagnol lança des ordres. Elle sentit la lame d'un couteau glisser sur sa peau. Les cordes qui lui liaient les poignets et les chevilles furent coupées. Elle ne pouvait cependant pas plus bouger. Tout son corps était ankylosé et atrocement douloureux. Le chef ordonna qu'on la sorte de la boîte et qu'on la mette debout. Elle retomba aussitôt à terre, les jambes trop raides et trop faibles à la fois pour la soutenir. Elle resta figée au sol, terrifiée. Le chef ordonna qu'on la porte à l'intérieur. Un pas lourd sur le gravier s'approcha d'elle et l'homme la souleva. Elle resta inerte, telle une poupée cassée. Il la laissa tomber quelques secondes plus tard sur une chaise et les pas s'éloignèrent.

Son cœur cognait dans sa poitrine. Allaient-ils la tuer, maintenant ? Quelqu'un se tenait tout près d'elle, elle le sentait. Elle percevait un souffle, mais impossible de savoir si une arme était pointée sur sa tête. C'est alors que, lentement, très lentement, on lui enleva la cagoule. Elle ferma les yeux. Elle n'osait pas regarder.

— N'ayez pas peur, dit le chef tout près d'elle.

Comment lui faire confiance ? Elle garda les paupières baissées.

— Je ne vais pas vous faire de mal. Je vous veux vivante, poursuivit-il d'une voix qui lui parut relativement cultivée.

Il lui parlait espagnol. Savait-il qui elle était ? S'en souciait-il seulement ? S'il comptait demander une rançon, n'importe qui ferait l'affaire, mais la fille d'un ambassadeur avait peut-être encore plus de valeur.

— Vous êtes sacrément jolie, vous savez, lâcha-t-il. N'ayez pas peur, mademoiselle. Vous pouvez ouvrir les yeux. Je ne vais pas vous faire de mal.

Elle avait peine à le croire, vu la façon dont elle avait été traitée jusqu'ici.

Cependant, elle obéit. Elle ouvrit lentement les yeux et les leva vers lui. Elle découvrit un homme au teint très bronzé, au visage long, étroit et ciselé, avec des yeux bleu électrique et des cheveux d'un noir de jais, le menton creusé d'un sillon vertical. Il ne s'était pas rasé depuis plusieurs jours. Il portait une veste militaire kaki, un treillis, des rangers et un pistolet à la ceinture. Indépendamment de cela, il dégageait une impression de force et d'autorité. Leurs regards se croisèrent. Elle n'avait toujours pas prononcé un mot. Il lui effleura le visage. Elle avait mal à la pommette depuis que sa tête avait heurté le sol du camion. Les cordes lui avaient fait de vilaines plaies aux poignets et aux chevilles.

— Je suis désolé qu'ils vous aient maltraitée, dit-il doucement. Ce sont des sauvages. Ils ne font pas la différence entre une jeune femme du monde et leurs porcs.

Elle continuait de le fixer du regard, sans sourire.

— Vous pouvez marcher ? lui demanda-t-il.

Elle ne répondit pas. Elle ne savait pas si elle en était capable. Elle ressentait un fourmillement douloureux dans les jambes et elle avait mal partout. Il faisait nuit. Une légère brise s'était levée qui rafraîchissait l'air. Étaient-ils dans une région montagneuse ? Tout ce qu'elle voyait pour le moment, c'était l'intérieur d'une tente.

Il l'aida à se lever. Que voulait-il ? Allait-il la violer, la tuer, la torturer ?

Il la fit sortir de la tente. Elle marchait à côté de lui d'un pas raide. Inutile d'essayer de fuir : elle n'irait pas loin dans cet état, et elle risquait de recevoir un coup de fusil. Il l'accompagna jusqu'à une petite cabane qu'il lui montra du doigt. Des cabinets extérieurs, comprit-elle. Il attendit à la porte, puis la reconduisit à sa tente. Il lui servit un verre d'eau. Elle ne le remercia pas. Elle était trop secouée pour parler.

— Vous avez faim ?

Elle fit non de la tête et but d'un trait. Elle avait la bouche complètement desséchée. L'eau lui parut merveilleuse...

— Comment vous appelez-vous ?

Comme elle ne répondait toujours pas, il insista.

— Ariana, murmura-t-elle finalement d'une voix cassée et faible.

Autant coopérer. Elle n'avait pas intérêt à le mettre en colère...

— Un bien joli prénom pour une bien jolie fille. Votre famille va vouloir vous récupérer au plus vite. Dès qu'elle nous aura payés, nous vous ramènerons chez vous. Je suis désolé de vous faire subir cela, mais nous avons besoin d'argent. Croyez-moi, c'est pour une bonne cause.

Une cause pour laquelle ils tuaient des gens et enlevaient des femmes ? Même s'il se comportait correctement avec elle pour le moment, elle n'avait aucune confiance en lui ni en ce qu'il disait.

— Je ne permettrai plus à mes hommes de vous faire du mal, promit-il.

Il passa encore le bout du doigt très doucement sur sa pommette endolorie. Puis il lui parla. Il lui dit que les choses devaient changer, que, parfois, le seul moyen d'attirer l'attention des gens était de faire des choses qui ne leur plaisaient pas. Il disait mener une guerre sainte pour le bien du peuple. Cela ressemblait aux élucubrations d'un illuminé, sauf que tout n'était pas faux. Il parlait de la pauvreté, de la façon dont le pays était conduit à sa ruine... Ariana savait que ce qu'il disait était en partie vrai.

— Les gens de votre milieu — les riches si vous voulez — doivent changer, déclara-t-il en la fixant droit dans les yeux.

Elle en conclut qu'il ne savait pas qu'elle était la fille de l'ambassadeur des États-Unis. Il poursuivit encore un moment puis fit signe à deux de ses hommes et leur demanda de l'emmener.

— Doucement, cette fois, précisa-t-il.

Quand ils voulurent lui mettre la cagoule, il la leur prit des mains et sourit à Ariana, comme pour lui rappeler qu'il veillerait à ce qu'on ne lui fasse pas de mal.

— Pas de cordes, ajouta-t-il. Refermez juste le couvercle.

Ils l'emmenèrent et la firent entrer de force dans la boîte — elle devait replier complètement les jambes pour qu'ils puissent refermer. Sans cagoule, elle se rendit compte que le couvercle était percé de trous et qu'il y avait un petit tuyau d'aération supplémentaire dans un coin. Elle resta ainsi dans l'obscurité, prenant sur elle pour ne pas céder à la panique et priant pour que son père ne tarde pas à la secourir. Et elle finit par s'endormir.

Le lendemain matin, elle fut réveillée par le bruit du couvercle qu'on rouvrait. Les hommes la tirèrent rudement de la boîte et la menèrent à la tente de leur chef. Assis à une petite table, celui-ci notait des choses dans un gros carnet. La lumière était si vive dehors qu'Ariana clignait encore des yeux.

— Un jour, le monde lira mes paroles et comprendra notre combat. Il comprendra que nous avions raison.

Il la regarda et lui tendit une pile de vêtements. Une chemise kaki, un tee-shirt d'homme, un pantalon de coton grossier et des rangers qui avaient l'air presque à sa taille. Elle se rendit dans les cabinets pour se changer et se rendit compte que sa robe était complètement déchirée et qu'elle avait le corps couvert de bleus. Elle devinait que ses longs cheveux blonds n'étaient qu'un paquet de nœuds. Elle sentait la sueur et la peur, mais ces hommes ne valaient pas mieux, à l'exception de leur chef rasé de près.

— Nous vous emmènerons à la rivière tout à l'heure, lui dit-il lorsqu'elle revint dans la tente. Vous pourrez vous laver.

Un homme lui apporta une assiette contenant une viande quelconque et du riz. Le chef lui servit du café. Elle n'avait toujours pas dit un mot, si ce n'est son prénom.

— Quand allez-vous me renvoyer chez moi ? s'enquit-elle après avoir mangé.

Elle aurait aimé pouvoir refuser l'assiette, mais elle était affamée. Il parut surpris d'entendre le son de sa voix.

— Dès qu'ils auront payé, je vous l'ai dit... D'où êtes-vous ?

Il s'était rendu compte à son accent qu'elle n'était pas argentine.

— Vous êtes américaine ?

Il avait l'air ravi. Elle hocha la tête en guise de réponse.

— Mais c'est très bien, ça ! Notre message va être entendu du monde entier.

— On ne fait pas passer un message en tuant des gens et en utilisant la violence, osa-t-elle rétorquer.

Il sourit.

— Parfois, recourir à la violence est le seul moyen de se faire entendre. Il faut commencer par attirer l'attention. Que faites-vous en Argentine ?

— Je vis ici.

Elle craignait d'aggraver sa situation en en disant davantage. Manifestement, si des messages annonçant l'enlèvement de la fille de l'ambassadeur des États-Unis avaient été diffusés à la radio, il ne les avait pas entendus.

— Vous êtes une riche Américaine, jeta-t-il avec colère.

Il marqua une pause et reprit, plus calme :

— Vous, les riches, vous ne pensez jamais à la façon dont vous vivez, à tous ces pauvres hères qui crèvent de faim pendant que vous vous gavez, à tous ceux qui meurent tous les jours ?

— Si c'est moi qui meurs aujourd'hui, ils ne seront pas plus avancés. Tuer des gens ne résout pas les choses.

— C'est une guerre sainte, je vous dis, un combat pour tous les miséreux que les riches de votre espèce utilisent avant de s'en débarrasser.

Elle s'abstint de répondre à cette attaque radicale. Un peu plus tard, il l'emmena dans la forêt, à la rivière, et resta à la regarder pendant qu'elle se baignait en lui tournant le dos. Elle en sortit propre et rafraîchie. Puis il la reconduisit à ses hommes, qui la remirent dans la boîte. Elle resta là toute la journée, à étouffer de chaleur.

Elle faillit s'évanouir quand, le soir, il vint la faire sortir. C'était toujours ses hommes qui la malmenaient et lui qui la secourait, qui lui donnait à manger ou à boire, songea-t-elle. Elle le suivit d'un pas chancelant jusqu'à sa tente, étourdie par la chaleur et l'immobilité forcée. Le journal de bord était encore sur la table. Il lui donna un verre d'eau fraîche, qu'elle vida d'un trait.

— Quand vous me ferez confiance, je ne vous enfermerai plus dans la boîte.

— Je... je voudrais rentrer chez moi, fit-elle tristement en le regardant.

Il avait l'air d'un homme avec lequel on pouvait discuter. Contrairement à ses gardes-chiourme, ce n'était pas un rustre. Il lui apprit d'ailleurs peu après qu'il avait fait ses études en Espagne, chez les jésuites, avant de revenir en Argentine pour libérer son peuple et changer le monde. Il se voyait comme le défenseur des faibles et des opprimés, le sauveur des pauvres. S'il kidnappait des riches, c'était uniquement pour servir sa cause, bien sûr. Il se prenait pour une sorte de Robin des Bois, en somme.

Dans la soirée, il ordonna qu'on la remette dans la boîte, non sans lui répéter combien il était désolé d'avoir à faire cela. C'était la deuxième nuit qu'elle passait au camp. Tandis que les hommes refermaient le couvercle, elle eut une pensée pour son père. Comment allait-il ? Il devait être au désespoir... Elle avait beau essayer d'être courageuse, elle se mit à pleurer.

Robert Gregory était rentré à Buenos Aires. Aucune demande de rançon n'était parvenue à la police. La photo d'Ariana était diffusée sur toutes les chaînes de télévision. L'enlèvement de la fille de l'ambassadeur des États-Unis faisait la une dans le monde entier.

Le président Armstrong l'appela dès qu'il apprit la nouvelle. Il était profondément affecté et promit l'aide de la CIA. Six agents étaient d'ailleurs déjà en route. Ils arrivèrent dans la soirée et demandèrent à le voir immédiatement. Le chef cuisinier de l'ambassade fut à nouveau interrogé. Il décrivit les hommes qui les avaient attaqués, leur camion, tout ce qu'ils avaient fait. Mais cela ne leur apprit rien de nouveau.

— Plusieurs hypothèses sont possibles, expliqua Sam Adams, le chef du détachement de la CIA, à Robert. Un cartel de la drogue peut avoir piloté l'opération depuis la Colombie en représailles de la récente action des États-Unis à leur encontre ; toutefois, je crois qu'ils ont d'autres chats à fouetter qu'enlever la fille d'un ambassadeur. Pour dire les choses franchement, ce sont des hommes d'affaires et ils sont plus malins que ça. D'autant que vous n'avez jamais été impliqué dans la lutte contre eux. Ils n'ont aucune raison de vous en vouloir personnellement. Deuxième hypothèse, ce serait le fait d'un groupuscule de bandits de la région, mais ils se seraient sans doute manifestés à l'heure qu'il est. En outre, l'opération semble un peu trop bien huilée pour eux. Enfin, troisième hypothèse, il pourrait s'agir d'un révolutionnaire, un certain Jorge, un type qui croit qu'il va changer le monde. Il se prend pour le Che Guevara des temps modernes. Il a pas mal de kidnappings à son actif et déplace son camp sur les contreforts de la cordillère des Andes. La fille d'un ambassadeur, c'est une aubaine, pour lui. Le moyen assuré de faire entendre sa voix et de transmettre son message au monde. Maintenant qu'il tient Ariana captive, il ne va peut-être pas la relâcher de sitôt – alors que dans les cas de rapts crapuleux, la demande de rançon arrive plus vite.

— Savez-vous où est établi son camp ? s'enquit Robert d'une voix faible.

— Nous l'avons pisté plusieurs fois, mais il se déplace trop vite. Avec son petit groupe de fidèles, ils ne restent jamais longtemps nulle part. Nous nous renseignons actuellement afin de savoir si quelqu'un sait quelque chose. Mais les gens du coin ont peur de lui. Comme il ne fait pas dans le trafic de drogue, nous ne nous acharnons pas sur lui. Il faudrait trop d'hommes pour le surveiller. Les révolutionnaires, ce n'est pas notre problème. Ce qui nous intéresse, ce sont les narcotrafiquants. Lui, ce serait plutôt un saint homme qui prêche contre la « corruption » et les « péchés » des riches.

— Un saint homme ? Avec ces enlèvements et ces meurtres à son actif ? lança Robert dans un accès de colère.

Depuis deux jours, il oscillait constamment entre rage et terreur.

— Non, disons qu'il se *prend* pour un saint homme, repartit Sam Adams.

Pour le moment, les forces spéciales mobilisées pour rechercher Ariana n'étaient parvenues à aucun résultat. La résolution de l'affaire prendrait du temps. Ils travaillaient en étroite collaboration avec la police et le gouvernement argentins. Ils faisaient leur maximum, mais la situation de la *finca* aux abords de la zone montagneuse couverte de jungle et de forêts ne leur facilitait pas la tâche. Tout ce qu'espérait Sam, c'était que ces types gardent la jeune femme en vie, qu'ils ne la tuent pas pour l'exemple, au motif qu'elle serait corrompue par le capitalisme.

Les recherches se poursuivirent pendant des jours sans le moindre signe, la moindre demande de rançon, la moindre piste concrète.

Jorge s'absenta du camp toute une journée – une mauvaise affaire pour Ariana, qui resta enfermée dans sa boîte pendant des heures. Quand il rentra le soir et la fit sortir, il savait qui elle était. Il s'était rendu en ville. Là, il avait vu la photo de l'Américaine dans tous les journaux, à la télévision. Elle avait encore plus de valeur qu'il n'avait imaginé.

— Ainsi, vous êtes la fille de l'ambassadeur des États-Unis, fit-il avec un grand sourire. Votre gouvernement sera prêt à tout pour vous récupérer. Conseillez-moi, Ariana. Fixez le prix. Combien faut-il que je demande ?

— Pfft, le gouvernement américain ne paiera pas. Je n'ai d'importance qu'aux yeux de mon père, lâcha-t-elle d'un ton égal avant de reposer son verre vide.

Jorge était toujours le seul à la nourrir et à lui donner à boire.

— Et ses moyens ne sont pas illimités, ajouta-t-elle.

— Il doit bien tenir à vous…, fit valoir Jorge, narquois. Combien croyez-vous qu'il vous aime ? C'est un homme d'affaires ?

Elle hocha la tête.

— À votre avis, Ariana, combien de personnes sont mortes à son service ?

— Personne n'est jamais mort à cause de mon père ! protesta-t-elle. C'est un homme honnête.

— Hum... Mon frère dit la même chose de lui-même. C'est un type haut placé au gouvernement. Mais il est riche, et les riches ne sont pas honnêtes. Toutefois, j'ai confiance : bientôt, il portera notre message. Il sait que j'ai raison. Un jour, il reprendra en main notre pays et notre gouvernement moribond et rendra le pouvoir au peuple. Enfin, les faibles et les malades seront protégés, les pauvres seront nourris.

Jorge semblait croire sincèrement à ce qu'il disait. La jeune femme aurait peut-être été sensible à son message si elle n'avait été sa prisonnière.

— Ariana, combien valez-vous, pour votre père ? Dix millions ? Vingt millions ? Cinq, seulement ?

— Je l'ignore.

Elle savait pourtant que son père donnerait tout ce qu'il avait, toute sa fortune s'il le fallait...

— Votre photo est dans toute la presse, on parle de vous sur toutes les chaînes de télé. Vous devez valoir très cher...

Soudain, elle prit conscience que, habillée comme tous les hommes ici d'une tenue militaire, elle avait l'air d'être des leurs. Si le camp était attaqué, elle risquait d'être tuée. Qui devait-elle le plus craindre : les policiers ou Jorge ? Elle avait l'impression d'être prise entre deux mondes. D'autant que Jorge endossait les rôles de ravisseur et de sauveur à la fois, puisque tout ce qui lui arrivait de bien ces derniers jours venait de lui. C'était toujours lui qui ordonnait qu'on lui apporte à manger, qui lui donnait à boire... Mais elle ne s'y trompait pas. Il l'avait enlevée, et maintenant il s'apprêtait à fixer son prix, comme si elle avait été un objet, fût-il de luxe.

Deux membres du gouvernement argentin rendirent visite à Robert Gregory à l'ambassade ce soir-là. L'un d'eux, assez jeune, était discret et parlait doucement. L'autre avait des airs de politicien éloquent et mielleux. Il sentait l'eau de Cologne à plein nez, était vêtu d'un costume cher et s'efforçait de convaincre Robert qu'il avait déjà tout entrepris pour aider à retrouver sa fille. Il puait la corruption davantage encore que le parfum. Le plus jeune avait eu des penchants communistes dans sa jeunesse avant de trouver sa voie. Il occupait aujourd'hui une position de pouvoir au sein du gouvernement. Selon Sam Adams, il aspirait à diriger le pays. C'était un homme du peuple qui avait réussi. Il exprima beaucoup de compassion pour l'ambassadeur et offrit toute son aide. Aucun des deux n'inspira confiance à Robert, qui s'en ouvrit à Sam après leur départ.

— Julio Marcos brasse du vent ; il est aussi inefficace qu'il en a l'air, confirma l'homme de la CIA. Luis Muñoz, en revanche, pourrait se révéler dangereux un jour. Il a énormément de relations, il est intelligent et ambitieux, et certains pensent qu'il ira loin. Je crois surtout que ces deux politiciens ont cherché à vous impressionner en vous montrant combien ils étaient formidables – mais ils ne nous apporteront pas la moindre aide...

Robert le savait. Il se fiait bien davantage au travail de la CIA et à ses informateurs qu'au gouvernement argentin, connu pour son incompétence dans ce genre d'affaires. Toutes les ambassades, toute la communauté diplomatique lui avaient aussi offert leur soutien sincère. Néanmoins, Robert comptait avant tout sur la CIA, extrêmement présente depuis la disparition d'Ariana.

Le cauchemar se poursuivait néanmoins. Les ravisseurs ne s'étaient pas manifestés et il commençait à craindre que sa fille adorée ne soit morte. C'était hélas une hypothèse que l'on ne pouvait écarter. Les enquêteurs passaient la zone où elle avait été enlevée au peigne fin. Mais personne n'avait vu Ariana ou des hommes correspondant à la description du chef cuisinier. Pour la CIA, c'était Jorge l'auteur du rapt. Néanmoins, pour l'instant, les agents cachés dans la forêt sur les contreforts des montagnes n'avaient pas trouvé la moindre trace de lui.

Enfin, deux longues semaines après l'enlèvement, une chaîne de télévision de Buenos Aires reçut un appel d'un numéro masqué qui demandait une rançon de vingt millions de dollars en petites coupures non marquées. Le lieu de dépôt serait indiqué dans un deuxième temps, mais, au moins, le montant était fixé. La CIA et la police argentine parvinrent à définir la provenance de l'appel : il avait été émis depuis une cabine téléphonique d'un bâtiment de l'administration. Autant dire par n'importe qui. Mais maintenant que Robert savait combien on lui réclamait, il allait pouvoir commencer à agir pour libérer sa fille en débloquant la somme nécessaire. Et il lui était permis d'espérer qu'elle soit encore en vie.

Deux jours avant la demande de rançon, Jorge avait déplacé le camp plus loin dans la forêt. Cette fois, Ariana était assise à côté de lui dans le camion. Elle n'était pas cagoulée ni ligotée. Il continuait de se poser en protecteur et la gardait en permanence auprès de lui. De toute façon, la jeune femme n'aurait pas pu s'enfuir : elle se serait perdue dans la forêt et n'en serait jamais sortie vivante. Sa seule chance de salut était de rester auprès de Jorge.

— Vous savez que j'ai raison, n'est-ce pas, Ariana ? lui répéta-t-il ce soir-là en lui tendant son dîner – du riz et des haricots.

Il mangeait la même chose qu'elle. Quand il eut fini, il sortit un cigare d'une boîte en aluminium cabossée posée sur la table. Elle contenait également son journal de bord. Il lui apprit que c'était un coffre d'aviateur qu'il avait trouvé après le crash d'un petit avion qui transportait de la drogue en provenance de l'Équateur.

— Nous avons pris la drogue et enterré le pilote et les restes de l'appareil. Depuis, je tiens beaucoup à cette petite boîte. L'argent rapporté par la vente de la drogue nous a permis de lancer notre mouvement et de vivre pendant un bon bout de temps.

— Maintenant, vous vous financez en enlevant des femmes et en demandant des rançons…, répliqua-t-elle froidement.

Il rit.

— Quand vous faites cette tête-là, Ariana, vous me faites penser à ma mère. C'était une femme bien, et courageuse, comme vous. Mon père était riche et la battait tous les soirs. Elle, c'était une fille pauvre qui venait d'un village de montagne. Il affirmait que sa fortune lui donnait tous les droits sur elle. Il était tombé amoureux d'elle quand elle avait quinze ans… Un soir – il était ivre comme d'habitude –, il l'a battue une fois de plus. Alors je me suis levé et je l'ai frappé – j'avais quatorze ans. Je l'ai frappé pour cette fois et pour tous les coups qu'il lui avait déjà donnés. Il est tombé en arrière sur la tête. Il ne s'est pas relevé… Je n'ai jamais regretté mon geste. Il méritait de mourir – comme tous les salauds de son espèce. Après sa mort, ma mère a eu une bonne vie. Elle est décédée quelques années plus tard, mais elle a tout de même fini par avoir l'existence qu'elle méritait. À l'époque, mon frère était policier. Dans son rapport, il a écrit qu'un cambrioleur était entré dans la maison et avait poussé mon père.

Ariana songea que cette histoire familiale expliquait probablement en grande partie le besoin de Jorge de se venger des riches…

— C'est à ce moment-là que ma mère m'a envoyé faire mes études en Espagne. Mais elle est tombée malade, et je suis rentré. Elle était trop jeune pour mourir, conclut-il tristement.

— Qui a hérité de l'argent de votre père ? s'enquit Ariana, curieuse d'en apprendre davantage.

— Mon frère, répondit-il simplement. Il s'en est servi pour devenir un homme important. Maintenant, il nous aide quand il peut. Discrètement, pour ne pas se mettre en danger. Nous avons besoin de lui là où il est. Il sait que j'ai raison. Le moment venu, il sortira de l'ombre. Notre jour viendra.

Jorge ralluma son cigare et lui en offrit une bouffée qu'elle refusa. Elle aurait aimé savoir qui était son frère, mais n'osait pas lui poser la question. Si elle en savait trop, il pourrait bien la tuer avant le paiement de la rançon.

— Maintenant, reprit-il, avec l'argent que va nous verser votre père, nous allons pouvoir financer notre mouvement pendant un long moment. Jusqu'à ce que nous soyons prêts à nous montrer au grand jour. Mon frère affirme qu'il n'y en a pas pour longtemps, tant le gouvernement actuel est faible. Il est près de tomber tout seul, en fait. Dans tout le pays, des gens n'attendent que de s'unir à nous. Cela fait dix ans que je construis les fondations de l'avenir pendant que vous autres vous menez la grande vie. J'ai accepté de sacrifier tout ce que j'avais pour mes convictions. Combien connaissez-vous de gens capables de cela ?

— Pas beaucoup, fut-elle forcée d'admettre.

— Mais vous en connaissez, même un seul ?

— Peut-être pas.

Il la regardait fixement, à la lueur vacillante de la bougie. Il y avait chez cet homme quelque chose de fascinant. Même si ses actes étaient condamnables, elle le pensait sincère dans ses motivations et son dévouement à sa cause.

— Un jour, vous vous rendrez compte que j'ai raison, dit-il d'un air convaincu. Peut-être que vous n'aurez même plus envie de rentrer chez vous, que vous resterez ici, avec nous, à attendre le grand jour.

Sûrement pas ! songea Ariana, horrifiée. Elle voulait revoir son père au plus vite ; elle se faisait énormément de souci pour lui... Elle, au moins, ne risquait rien pour le moment. Personne ne l'avait maltraitée depuis que Jorge l'avait prise sous son aile. La nuit, elle dormait sur un lit de camp dans un coin de sa tente. Le camp était si profondément enfoncé dans la forêt que Jorge savait qu'elle n'essaierait pas de s'échapper. Elle n'était pas si bête...

Ce soir-là, une fois couchée, elle l'observa longtemps tenir son journal de bord, assis à la table, son cigare à la main. À la lueur de la bougie, il avait un beau visage christique. Au fond, songea-t-elle en glissant dans le sommeil, c'était peut-être bien un saint homme.

Robert Gregory organisa le transfert des fonds avec l'aide de la CIA. Toutefois, deux semaines s'étaient écoulées depuis qu'ils avaient reçu la demande de rançon, et ils n'avaient toujours aucune instruction pour le versement de la somme. Robert se faisait un sang d'encre pour sa fille. Un diplomate de carrière dirigeait l'ambassade depuis l'enlèvement d'Ariana ; lui n'en avait plus le temps ni la force. Il prenait de la nitroglycérine tous les jours. Le médecin était très inquiet pour son cœur.

Jorge, pendant ce temps, emmenait Ariana se baigner dans la rivière tous les jours. L'eau était fraîche. Elle lui tournait le dos, mais il ne la quittait pas des yeux. Un jour, il la rejoignit et la prit dans ses bras. Ils étaient nus l'un et l'autre, et elle le laissa faire. Il la retourna lentement face à lui en l'enveloppant d'un regard admiratif. Elle était fascinée par ses yeux bleus et son visage aux traits acérés. Il l'embrassa. Elle sentit son désir se dresser contre elle. Soudain, elle n'eut plus qu'une envie : qu'il l'étreigne ainsi et la protège pour toujours. Il y avait dans la simplicité primitive de l'existence qu'elle menait avec lui quelque chose de profondément apaisant. La vie ne lui avait jamais paru aussi naturelle, aussi pure. Ils firent l'amour dans l'eau avec une passion et une tendresse infinies. Il lui dit qu'il l'aimait et elle le crut. Elle en était venue à admettre que sa philosophie était juste, même si ses méthodes ne l'étaient pas. C'était un guerrier solitaire qui nageait à contre-courant. Elle lui répondit qu'elle aussi l'aimait. Il lui promit qu'il ne laisserait jamais rien lui arriver, et, là encore, elle le crut.

Ils refirent l'amour ce soir-là. Quand elle se fut endormie, il alla s'installer à sa table pour remplir son journal de bord. Il lui écrivit ensuite une lettre d'amour dans laquelle il lui disait tout ce qu'il éprouvait pour elle et tout ce qu'il espérait partager un jour avec elle dans un monde différent, un monde meilleur... Il lui dit qu'elle était devenue sa muse, son inspiration, que leurs vies étaient désormais unies.

Au matin, en lisant la lettre, Ariana pleura d'émotion. La réalité, pour elle, pour l'instant, avait le visage de Jorge, tandis que celui de son père s'estompait peu à peu. Le monde des nantis ne représentait-il pas le mal ? Le bien n'était-il pas ce que lui disait Jorge ?

L'après-midi, ils retournèrent ensemble dans la forêt. Se baignèrent et firent l'amour dans l'eau, comme la veille. Elle n'avait plus qu'une envie : être dans ses bras. Il incarnait l'amour et la tendresse. Le monde qu'elle avait connu avant lui était oublié. Ne restait plus que cette jungle. Peu lui importait que son père paie la rançon. Quand elle le lui dit, le soir, il rit, et ils s'aimèrent encore sous sa tente, à la lumière de la chandelle.

— Peu importe pour toi, peut-être, Ariana, mais pas pour moi. Des milliers de gens dépendent de nous, dans toute l'Argentine. Je suis responsable d'eux, et l'argent de ton père va nous aider à les nourrir. C'est une cause sacrée. Il ne reste qu'à trouver un moyen de faire transférer l'argent sans risque.

Toutes les nuits, Jorge lui écrivait une lettre, qu'elle trouvait le matin en se réveillant et lisait avidement. Personne ne lui avait jamais témoigné un amour

144

aussi fort. Ils prenaient tous leurs repas en tête à tête, à l'écart des autres. Ils partageaient cette vie simple depuis six semaines maintenant ; pourtant, il leur semblait à tous les deux qu'elle durait depuis toujours.

Les instructions concernant le paiement de la rançon parvinrent directement à l'ambassade. L'argent devait être réparti en d'innombrables petites sommes, à déposer dans toute l'Argentine. Une manière de faire extrêmement ingénieuse, qui supposait l'existence d'un vaste réseau de relations. La CIA elle-même ne trouva pas de solution pour contrer ce système.

— Ils doivent avoir des milliers de personnes prêtes à récupérer les paquets et à les leur transmettre. Il leur faudra des mois pour percevoir la totalité de la rançon. De toute évidence, ils ne sont pas pressés.

Jorge avait monté un plan extrêmement habile. Cela ne plaisait pas du tout à Sam Adams. Ce type était décidément très intelligent.

— Qu'adviendra-t-il d'Ariana, dans l'intervalle ? demanda Robert, plus inquiet que jamais. Si ça se trouve, elle est déjà morte...

— Je vous l'ai déjà dit, Robert, je ne le pense pas. Ce n'est pas sa façon de procéder habituelle. Il est bien plus probable qu'il la garde en vie pour s'en servir comme d'une monnaie d'échange.

Sam ne lui dit pas qu'ils avaient sauvé un otage qui avait été enfermé huit mois dans une caisse avec un tuyau d'aération. Un traitement horrible... auquel l'homme avait survécu. Sam espérait que la jeunesse et la beauté d'Ariana avaient joué en sa faveur et lui avaient épargné cela. Pour l'instant, il voulait croire qu'elle allait bien. Il proposa un système de versements accélérés, qui permettrait de transférer la somme entière en deux mois. Robert approuva. Les quatre premières semaines, les consignes de dépôt furent observées à la lettre.

Pendant ce temps, dans le camp de Jorge, chaque jour qui passait voyait Ariana s'attacher un peu plus au jeune révolutionnaire. Cela faisait maintenant trois mois qu'elle avait été enlevée... Son amour pour lui redoubla quand elle commença à se douter qu'elle était enceinte. Quand elle en fut à peu près certaine, une nuit qu'elle reposait entre ses bras, elle le lui dit à l'oreille, dans un doux murmure. Jorge fut fou de joie... C'était le cadeau suprême qu'ils s'offraient l'un à l'autre. Selon Ariana, le bébé avait été conçu très vite, peut-être même la première fois qu'ils avaient fait l'amour, puisque, depuis, elle n'avait pas eu ses règles. Au début, elle avait cru que c'était à cause du traumatisme de l'enlèvement. Mais, maintenant, ses seins s'alourdissaient, sa taille s'arrondissait. Jorge ne l'en trouvait que plus belle.
Il se mit à la couvrir d'attentions, à la regarder avec adoration. Il ne la quittait plus.

Le lendemain de cette nuit où Ariana annonça à Jorge sa grossesse, les ambassadeurs britannique et israélien à Buenos Aires vinrent s'entretenir avec Robert et les hommes de la CIA à l'ambassade des États-Unis. Le Britannique proposa un survol de reconnaissance intensif de la zone où Jorge se cachait probablement, avec des unités infrarouge. De son côté, l'ambassadeur d'Israël offrit les services de commandos pour aller récupérer Ariana si le camp était localisé.

Robert reprit espoir.

— Pouvons-nous essayer ? demanda-t-il en regardant Sam.

Ce dernier afficha un certain scepticisme quant aux chances de réussite de l'opération mais admit que cela valait la peine de tenter le coup.

— Nous n'avons rien à perdre en ce qui concerne la première partie de l'opération, concéda-t-il.

En revanche, un raid pouvait être extrêmement dangereux : s'ils échouaient, il n'était pas impossible que Jorge tue Ariana... Il s'agirait donc de voir en temps voulu si le risque devait être pris. En attendant, un corps expéditionnaire fut constitué, et la salle de bal de l'ambassade devint le poste de commandement de tout le projet. Entre les Britanniques, les Israéliens et la CIA, une quarantaine d'hommes travaillaient nuit et jour.

Les deux premiers vols de reconnaissance rentrèrent bredouilles. Le troisième, parti plus au sud, aperçut des lumières vacillantes dans la forêt. Elles étaient à peine visibles sur le film, mais le chef du détachement de l'intelligence israélienne affirma qu'il s'agissait d'un camp, assez petit. Sam fit valoir que Jorge s'entourait généralement d'un nombre restreint d'hommes qu'il dispersait assez largement. L'ambassadeur de Grande-Bretagne, un ancien des services secrets, était certain de déceler une tente sur l'image – mais il était le seul. Quoi qu'il en soit, les lueurs leur permirent d'établir une position précise. C'était assez loin dans la forêt et tous convinrent que l'accès serait difficile. Les Israéliens se sentaient toutefois capables d'y parvenir.

Voilà ce qu'ils proposaient : une fois arrivés suffisamment près du site qu'ils avaient localisé, s'ils avaient vu juste, ils déclencheraient un cercle de feu autour du camp. C'était un moyen brutal de faire sortir tout le monde en créant suffisamment de désordre et d'affolement pour pouvoir récupérer Ariana si elle s'y trouvait. Leur objectif était de la tirer de là par tous les moyens, en ne laissant aucun survivant derrière eux. Jorge n'avait pour eux aucune valeur ; il ne détenait aucune information susceptible de les intéresser. Et le pays ne se porterait que mieux sans ce révolutionnaire de troisième ordre aux convictions religieuses tordues. Les conseillers argentins du corps expéditionnaire approuvèrent cette vision des choses et donnèrent leur feu vert à l'opération. La décision fut prise dans le plus grand secret. La CIA se déclara prête à endosser l'entière responsabilité de la mort de Jorge. La seule personne qu'il fallait sortir vivante du camp, c'était Ariana. Le plan serait mis à exécution trois jours plus tard.

L'opération fut tenue secrète, y compris au sein du gouvernement argentin. Moins il y aurait de monde au courant, moins il y aurait de risques que le projet fuite ou qu'un éventuel sympathisant avertisse Jorge.

Le lendemain, une dernière mission de reconnaissance permit de confirmer la présence de lumières dans la forêt et, cette fois, de voir deux tentes. Les Israéliens étaient prêts à passer à l'action, avec le soutien des Britanniques et de la CIA. Ils avaient repéré une clairière non loin du camp au-dessus de laquelle il était possible de faire planer un hélicoptère à basse altitude pour évacuer le commando et Ariana après l'attaque. L'opération serait extrêmement délicate. Toutes les parties concernées, y compris le père d'Ariana, avaient conscience des risques et des conséquences d'un ratage. Mais personne n'avait envie d'attendre un mois de plus – le temps que la rançon soit payée en intégralité – pour récupérer Ariana. Trop de choses pouvaient lui arriver dans l'intervalle. Il était plus que temps de la tirer de là.

Il fut décidé d'agir de nuit, toujours au moyen d'appareils à infrarouge. L'ensemble du corps expéditionnaire établit un campement à bonne distance de la forêt. C'est là que l'hélicoptère se poserait après le sauvetage d'Ariana, s'il avait lieu. Les hommes du commando étaient vêtus de la même manière que ceux de Jorge afin de ne pas se faire remarquer dans le secteur.

Les Israéliens se mirent en route à l'heure convenue. Ils étaient douze, parfaitement équipés pour leur mission. Il leur fallut une heure de marche pour gagner le camp. Ils avançaient à pas de loup, écoutant les bruits de la forêt. Dans le noir complet, ils n'y voyaient que grâce aux appareils à infrarouge. Sur place, ils découvrirent les trois tentes qui composaient le camp de Jorge. Ils transmirent l'information par SMS au corps expéditionnaire puis reculèrent pour préparer le cercle de feu. Ils communiquaient entre eux par signes.

À cette heure, tout le camp était endormi. On ne percevait que la lueur vacillante d'une bougie dans une tente.

Jorge avait fini d'écrire son journal de bord et rédigeait sa lettre d'amour quotidienne à Ariana. Il la posa à côté d'elle, l'embrassa, souffla la chandelle et se glissa dans le lit. Il prit la jeune femme dans ses bras. Elle dormait profondément. Comme il le lui avait si souvent écrit, il était persuadé qu'elle lui avait été envoyée par des forces mystérieuses pour lui permettre d'accomplir sa mission, tel un ange, pour le bien de son peuple.

Une demi-heure plus tard, le cercle de feu était allumé. Les membres du commando étaient équipés de combinaisons en amiante qui leur permettraient de traverser les flammes pour aller chercher Ariana. Ils avaient parfaitement repéré le chemin par lequel ils repartiraient. La seule chose qu'ils ignoraient, c'était dans quelle tente elle se trouvait. La plus grande était vraisemblablement celle de Jorge, mais cela n'indiquait pas où était détenue la jeune femme ni dans quelles conditions. Était-elle menottée ? ligotée ? Ils étaient prêts à toutes les situations. La première tente s'enflamma. Une demi-douzaine d'hommes en jaillirent Tous sauf un étaient nus. Les vêtements de ce dernier avaient pris feu. Les flammes les entouraient ; ils ne pouvaient fuir. Ils étaient pris au piège. Ils se mirent à crier pour donner l'alerte mais la deuxième tente flambait déjà. Les membres du commando virent alors un homme et une femme sortir de la troisième tente. Il y eut un rapide échange entre eux puis l'homme donna une espèce de boîte à la femme avant de courir au secours du reste du groupe.

Ariana se précipita dans sa tente pour récupérer les lettres d'amour de Jorge qu'elle gardait précieusement nouées dans un bout de tissu sous son oreiller. Elle les fourra dans la boîte en métal et ressortit aussi vite. Elle entendait les hurlements des hommes pris dans les flammes et vit Jorge courir de l'un à l'autre, aidant ceux qu'il pouvait.

Un Israélien fit signe à un de ses collègues et pointa le doigt vers la femme. C'était la seule du camp, ils en étaient certains. Il ne pouvait donc s'agir que d'Ariana. Sans un bruit, trois hommes se jetèrent à travers le cercle de feu, fondirent sur elle, l'enveloppèrent d'une couverture en amiante et l'emmenèrent. Elle se débattait et appelait Jorge tout en agrippant sa boîte de métal.

Elle ne pouvait pas savoir qui ils étaient... Le visage protégé par un masque, ils ne pouvaient lui parler pour la rassurer ou s'identifier. Comme elle continuait de leur résister, ils désignèrent un point éloigné de la forêt. Elle ne cessait de hurler le prénom de Jorge. Ce dernier ne l'entendait pas ; il luttait contre le feu avec ses hommes. Elle vit alors un arbre en flammes s'abattre sur lui. Son corps s'enflamma telle une torche. Il cria son nom. Elle lutta de toutes ses forces, mais ne put se libérer. L'image du corps broyé de l'homme qu'elle aimait, du père de son enfant à naître, se fixa à jamais dans sa mémoire.

Elle ne comprenait pas ce qui arrivait. Qui étaient ces hommes qui l'emmenaient ? Elle avait beau se débattre, elle ne parvenait pas à se libérer de l'étau dans lequel la tenait celui qui la portait. Combien étaient-ils ? Ils arrivèrent dans une clairière. Elle hurla de plus belle. Un hélicoptère apparu de nulle part descendit et resta en vol stationnaire le temps qu'ils la jettent à l'intérieur et montent à sa suite. Moins d'une minute plus tard, l'appareil reprenait de l'altitude et s'éloignait tandis que l'incendie se propageait dans la forêt.

La mission avait réussi. Ils avaient libéré Ariana. Personne ne les avait vus arriver ni repartir et les hommes du camp devaient tous être morts à l'heure qu'il était. Les membres du commando ôtèrent leur masque et leur chef prit la parole.

— Nous sommes là pour vous aider, mademoiselle Gregory. Nous faisons partie d'un corps expédition naire monté par les gouvernements britannique et israélien, la CIA et votre père.

La jeune femme se mit à hurler. Elle semblait avoir perdu la raison, avec ses cheveux en désordre et son regard étincelant. Elle se dégagea de la couverture en amiante et en émergea nue. Un homme lui tendit une veste.

— Non... non... Remmenez-moi... vous ne comprenez pas ! criait-elle en martelant de coups de poing le torse de l'Israélien. Remmenez-moi... !

— Vous n'avez plus rien à craindre, Ariana, assura le chef avec douceur non sans se demander ce qu'elle avait subi au cours de ces trois mois.

C'était comme s'ils l'avaient rendue folle.

— Vous avez tué Jorge ! C'était un saint homme !

Alors, ils comprirent. Ils remarquèrent alors qu'elle serrait convulsivement une boîte de métal contre son cœur, tel un trésor, et qu'elle avait les mains légèrement brûlées.

Vingt minutes plus tard, ils se posaient au camp de base. Dès qu'Ariana descendit de l'hélicoptère, un agent britannique joignit Sam par radio à l'ambassade, où il attendait les nouvelles avec Robert Gregory. Au comble de l'angoisse, ce dernier avait pris de la nitroglycérine toute la nuit. Était-elle en vie ? Tout cela était trop pour lui.

— Nous l'avons, dit simplement le Britannique. J'ignore encore dans quel état elle est ; s'il n'est pas nécessaire de la conduire à l'hôpital, nous vous la ramenons. Elle devrait être avec vous d'ici quelques heures.

Sam se tourna vers Robert et lui tapota la main, les larmes aux yeux.

— Ils l'ont, annonça-t-il. Votre fille va rentrer.

Robert se mit à pleurer et étreignit l'homme de la CIA en sanglotant.

— Oh, mon Dieu... Je la croyais morte.

— Le cauchemar est fini, Robert. Elle sera là dans quelques heures. Ils l'examinent.

Ariana fixait sur les hommes qui l'avaient sauvée un regard vide, brisé. L'un d'eux finit par réussir à lui faire poser la boîte de métal et l'aida à s'habiller. Elle avait vraiment l'air d'une folle, avec sa tignasse emmêlée. Ils lui donnèrent un verre d'eau, qu'elle but d'un air hagard. Il allait lui falloir bien longtemps pour revenir à une vie normale, devinèrent-ils. Ils avaient déjà vu ces symptômes chez d'anciens otages restés longtemps aux mains de leurs ravisseurs et que ces derniers avaient retournés au point qu'ils ne savaient plus à quoi ils croyaient ni qui ils étaient. Jorge avait dû se montrer particulièrement habile avec elle.

Le corps expéditionnaire prit la décision de la conduire à l'hôpital plutôt qu'à l'ambassade. Elle n'était pas en état de rentrer chez elle. Désorientée, égarée, traumatisée, elle était en proie à une crise d'hystérie que rien de ce qu'ils pouvaient dire ou faire ne calmait. L'un des hommes de la CIA présents sur place rappela Sam pour le prévenir du changement de plan.

— Elle est blessée ? demanda ce dernier après s'être éloigné de Robert.

— Physiquement, elle a l'air d'aller bien, si ce n'est quelques légères brûlures aux mains, répondit l'agent. En revanche, nous avons affaire à un syndrome de Stockholm assez grave. Elle veut retourner au camp. Elle s'est battue comme une tigresse pour nous échapper.

153

— Merde. Son père ne s'attend pas à ça. Espérons qu'il sera possible de la calmer rapidement pour qu'il puisse la voir.

Il s'inquiétait pour Robert Gregory, qui avait déjà été très éprouvé.

— Elle veut retrouver Jorge. Elle le prend pour un saint homme– et il va faire figure de martyr, maintenant. Il est mort. Un arbre en feu est tombé sur lui... Elle dit qu'elle est enceinte de lui.

— Oh mon Dieu... Quand son père va apprendre ça... Préviens-moi lorsque vous serez à l'hôpital. Je viendrai avec lui la voir quelques minutes.

Mais lorsqu'il alla retrouver l'ambassadeur dans l'autre pièce, celui-ci était livide, les deux mains sur la poitrine.

— Robert ! Ça ne va pas ?

— Je crois que je suis en train de faire une crise cardiaque, articula ce dernier avec une grimace de douleur.

L'ambulance arriva cinq minutes plus tard. Les secouristes confirmèrent le diagnostic. Sur le trajet jusqu'à l'hôpital, ils durent procéder à une défibrillation. Robert souffrait atrocement. Il fut conduit en unité de soins intensifs cardiologiques. Le médecin qui vint parler à Sam lui expliqua qu'ils auraient voulu pratiquer une angiographie mais qu'il n'était pas en état de la supporter. Ils faisaient tout leur possible mais l'ambassadeur était entre la vie et la mort ; les prochaines heures allaient être critiques.

Le corps expéditionnaire ramena Ariana à Buenos Aires en hélicoptère. Sam les retrouva quelque part dans l'hôpital. Le responsable du groupe avait l'air sombre.

— Elle dit que son père incarne le mal ; elle ne veut pas le voir.

— C'est aussi bien, répondit Sam laconiquement. Il a fait une crise cardiaque il y a deux heures et il se trouve en soins intensifs. Elle n'aurait pas pu le voir de toute façon.

Une équipe médicale examina Ariana. Elle n'arrêtait pas de pleurer. Ils lui prirent sa boîte de force, en lui promettant de la garder en lieu sûr. Elle hurla, puis se plaignit de douleurs terribles et les médecins se rendirent compte qu'elle saignait. L'échographie confirma qu'elle faisait une fausse couche. Cela ne fit qu'ajouter à sa détresse. Elle se mit à répéter le nom de Jorge en boucle, d'une voix à peine audible. Ils lui administrèrent un calmant et lui firent un curetage. Il était certainement préférable qu'elle ait perdu le fœtus au moment de son admission, tous s'accordaient à le penser.

L'hôpital donna la boîte en métal à Sam pour qu'il la fasse rapporter à l'ambassade, où Ariana la retrouverait. Il l'ouvrit et découvrit les lettres d'amour de Jorge – mais non le journal de bord caché dessous. Il feuilleta rapidement les lettres. Il n'y avait pas d'inconvénient à ce qu'elle les récupère ; elles étaient inoffensives. Il espérait seulement que la jeune femme surmonterait un jour la douleur liée à cette terrible période de sa vie.

Le lendemain, au réveil, Ariana était plus calme, mais paraissait profondément abattue. Elle se souvenait qu'elle avait perdu le bébé. Les médecins lui apprirent qu'elle n'en était qu'à six semaines de grossesse. Hormis cela, physiquement, elle allait bien. Ses brûlures aux mains avaient été soignées ; elles étaient superficielles. Moralement, en revanche, Ariana était en très mauvais état. Sam et un psychiatre s'efforcèrent de lui expliquer qu'il arrivait parfois aux victimes d'un enlèvement de s'identifier à leurs ravisseurs et d'oublier qui ils étaient, tout ce à quoi ils croyaient avant leur détention. Jorge avait fini par lui apparaître comme son protecteur et le seul être en qui elle puisse avoir confiance.

— Mais s'il avait raison ? objecta-t-elle après les avoir écoutés. Pensez à tous les pauvres dans le monde... Tout ce qu'il voulait, c'était que nous les aidions.

— On n'aide pas les pauvres en kidnappant des femmes innocentes et en les retenant prisonnières dans la forêt pour obtenir une rançon de vingt millions de dollars, répondit Sam en la regardant dans les yeux.

Oui... c'était ce qu'elle avait dit à Jorge au début, mais il était parvenu peu à peu à la convaincre qu'il n'y avait pas d'autre solution.

— Il voulait utiliser l'argent pour nourrir les miséreux et libérer les opprimés, répliqua-t-elle doucement.

Pour elle, il avait cessé d'être son oppresseur quand il était devenu l'homme qu'elle aimait.

— Une très noble cause, certainement, convint Sam. N'empêche qu'il a fait abattre votre garde du corps ! Jorge et ses hommes ont le sang de plusieurs personnes sur les mains. C'étaient des révolutionnaires, Ariana. Ils voulaient renverser le gouvernement et tuer les gens comme votre père, qui est pourtant un homme bon. Il vous aime, Ariana, et il n'a jamais fait de mal à personne. Jorge, lui, en a fait à beaucoup de gens.

Y compris à elle, dont il avait complètement déformé la pensée.

— Jorge a tué son père parce qu'il faisait du mal à sa mère, lâcha-t-elle d'une voix blanche. Pour la protéger.

— Encore une manière bien radicale d'agir..., souligna Sam.

Il eut l'impression qu'une petite lueur se rallumait en elle. À quoi pensait-elle ? Il l'observa un certain temps sans rien dire. Elle était ailleurs, il ne savait où...

— Il va vous falloir du temps pour réfléchir à tout cela, Ariana, lui dit-il. Mais s'il y a une chose dont je suis certain, c'est que votre père vous aime. Depuis trois mois, il était malade d'inquiétude pour vous.

— Où est-il ?

Elle eut soudain l'air préoccupée, effrayée, comme si elle venait de se rappeler qui était son père.

Sam hésita à lui dire la vérité, mais il fallait bien qu'elle soit informée, même dans son état.

— Il a fait une crise cardiaque hier soir. Il est en haut, en soins intensifs cardiologiques. Il va mieux, ce matin, et il se repose. Il a traversé une période extrêmement dure, tout comme vous.

Les coupables, dans cette histoire, c'étaient les ravisseurs. Certainement pas Robert Gregory ni sa fille.

— Puis-je le voir ? demanda-t-elle.

Sam hocha la tête.

Quelques instants plus tard, on la montait en fauteuil roulant au chevet de son père. Celui-ci avait une mine épouvantable... Les médecins envisageaient de faire une angiographie dans la matinée et espéraient qu'il pourrait la supporter.

À la vue d'Ariana, Robert se mit à sourire et à pleurer en même temps. Quand elle s'approcha, il lui caressa doucement les cheveux.

— Dieu merci, tu es saine et sauve.

— Je t'aime, papa, dit-elle d'une voix de petite fille.

— Moi aussi, je t'aime, ma chérie. Je me suis tellement inquiété pour toi... Je suis désolé de ce qui est arrivé. Je regrette tant que nous soyons venus ici ; tu avais raison. J'ai déjà envoyé ma lettre de démission. Dès que je sortirai d'ici, nous rentrerons à New York, chez nous.

Elle hocha la tête. Elle aussi avait les larmes aux yeux. Chez elle... elle ne savait plus vraiment où c'était. Dans la forêt avec Jorge ? à Buenos Aires ? à New York ? Elle se sentait comme Dorothy dans *Le Magicien d'Oz*. Jorge était mort, elle n'en avait que trop douloureusement conscience. Par chance, elle avait encore son journal de bord et ses lettres dans la boîte de métal. Elle croyait à l'amour véritable qu'il avait eu pour elle. Mais elle se rappelait aussi combien elle aimait son père.

— Essaie de te reposer, lui enjoignit-elle avec douceur. Ne t'inquiète de rien : je suis rentrée.

Physiquement, du moins. Car son esprit était égaré, elle le savait.

— Merci mon Dieu, fit son père en fermant les yeux.

On lui avait administré un sédatif. Quelques minutes plus tard, il s'endormit, heureux et reconnaissant que sa fille soit saine et sauve. Son retour était le plus beau cadeau de sa vie.

Dans l'après-midi, les médecins tentèrent une angioplastie. Deux artères étaient bouchées. Sur la table d'opération, il commença à faiblir. Ses fonctions vitales s'effondrèrent brusquement. Deux défibrillations le ranimèrent, mais les médecins ne pouvaient rien faire. Il n'était pas en état de supporter l'intervention. Quand on le ramena dans sa chambre où Ariana l'attendait, il semblait à bout de forces. Elle l'embrassa doucement sur la joue et resta à son chevet à lui tenir la main. Il cessa de respirer un peu plus tard, tandis qu'elle le regardait. Elle appuya sur la sonnette d'alarme...

Les médecins tentèrent de le réanimer pendant vingt minutes. Ariana assista à la scène en pleurant. Elle se rappelait maintenant que son père était bon, qu'il n'avait rien fait de mal. Elle savait combien elle l'aimait, et combien il l'aimait lui aussi. Hélas, il n'y avait plus rien à faire. Son cœur était trop abîmé, et lui trop faible.

Ariana resta un long moment avec la dépouille de son père. En moins de vingt-quatre heures, elle avait perdu les deux hommes qu'elle aimait, et son bébé. Jorge avait été broyé par un arbre en feu et son père avait succombé aux mois de chagrin et d'inquiétude qu'il avait traversés pour elle. Elle avait l'impression de l'avoir tué. Elle l'embrassa une dernière fois avant de sortir de la chambre. Sam l'attendait dehors et la conduisit à l'ambassade. Les services diplomatiques allaient se charger des formalités de rapatriement du corps. Eugenia l'aida à préparer le déménagement de toutes ses affaires.

Ce soir-là, le président Armstrong appela Ariana pour lui faire part de ses condoléances en même temps que de son soulagement de la savoir libre et en vie.

— Votre père aura au moins eu le réconfort de vous savoir saine et sauve, de vous avoir revue, conclut-il, très ému. C'était tout ce qui comptait pour lui.

Il promit d'assister aux obsèques de Robert, qui auraient lieu à New York. Deux jours plus tard, elle prenait l'avion pour rentrer chez elle. Le cercueil de son père était dans la soute.

Ariana était toujours sous le choc. Le service de presse de l'ambassade avait dit qu'elle était trop bouleversée pour s'exprimer. Elle avait appelé quelques amis à Buenos Aires pour leur faire ses adieux mais n'avait eu ni le temps ni le cœur de les revoir. Elle avait remercié les ambassadeurs britannique et israélien pour leur participation à son sauvetage, et deux émissaires du gouvernement argentin étaient venus lui exprimer leur soulagement qu'elle soit libre et leurs condoléances pour son père. Leur visite fut courte et formelle. À l'aéroport, elle embrassa chaleureusement Eugenia. La boîte qui contenait les lettres et le journal de Jorge se trouvait dans son bagage à main. Un garde du corps faisait le voyage avec elle.

— Prends bien soin de toi, Ariana, lui dit Eugenia en l'étreignant.

Elle hocha la tête, en pleurs. Rien ne l'attendait chez elle. Son père qui l'avait aimée et protégée toute sa vie n'était plus là. L'homme qui l'avait enlevée, disait l'aimer et avait bouleversé son esprit et sa vie était mort lui aussi. Elle avait conscience d'avoir besoin d'aide pour mettre tout cela au clair, mais vers qui se tourner ? Elle n'avait personne, rien de solide à quoi se raccrocher. Elle ne pouvait plus compter que sur elle-même. Elle avait passé dix mois en Argentine, et elle revenait complètement désorientée. Qui étaient les bons, qui étaient les méchants ? Et elle, qui était-elle ? À cause d'elle, Jorge et son père étaient morts, l'un pendant son sauvetage, l'autre d'inquiétude. Le choc de l'attaque du camp avait également tué son bébé. Elle était responsable de la mort de trois êtres. Se le pardonnerait-elle un jour ? Pour l'instant, elle se sentait coupable de tout. Elle aurait voulu oublier ce qui était arrivé, mais c'était impossible...

En même temps, elle tenait plus que tout aux quelques souvenirs qui lui restaient, les secrets de Jorge et ses lettres d'amour serrées dans la boîte qu'elle gardait précieusement. Elle le revoyait en train de les rédiger, à la chandelle, son cigare à la main, son beau visage penché sur le papier, ses yeux bleus perçants qui avaient le pouvoir de la convaincre que tout ce qu'il disait était vrai. Et si ce n'était pas le cas ? Et s'il lui avait menti ? Et s'il ne l'aimait pas réellement ? Quoi qu'il en soit, il lui faudrait une vie entière pour expier la mort des trois êtres qu'elle était convaincue d'avoir tués. Elle ne se le pardonnerait jamais. Tout ce qu'elle pouvait espérer, c'était que Dieu lui pardonne.

8

À New York, les trois secrétaires de Robert Gregory aidèrent Ariana à tout organiser. Elles réservèrent dans un premier temps une « suite » chez Frank Campbell, le funérarium de Madison Avenue, afin que tous ceux qui le souhaitaient puissent venir rendre un dernier hommage à l'ambassadeur.

Ariana, cependant, tentait en vain de mettre de l'ordre dans ses idées. Elle était complètement perdue. Tout ce qu'elle savait, c'était que son père était mort et qu'elle se retrouvait seule. Comment c'était arrivé, pourquoi ils étaient partis à Buenos Aires et sa vie là-bas – tout cela se fondait dans le brouillard et ne formait plus qu'une masse indistincte de gens, de fêtes et de lieux qui ne signifiaient plus rien pour elle. La seule voix dans sa tête était celle de Jorge. La boîte en métal était bien cachée dans son placard. Elle n'avait pas le courage de l'ouvrir, mais elle la gardait en lieu sûr pour pouvoir le faire un jour. Elle était redevenue tout ce qui faisait horreur à Jorge : une petite fille riche et gâtée... Elle avait l'impression de le trahir. Surtout, elle s'en voulait des dégâts qu'elle avait causés, des vies détruites à cause d'elle. Sam et Eugenia affirmaient que ce n'était pas sa faute, que c'était Jorge le coupable, que tout cela était arrivé à cause de lui, et qu'en plus il lui avait fait subir un lavage de cerveau. Mais ce n'était pas vrai...

Pourtant, elle ne se reconnaissait pas, elle ne reconnaissait rien. Sa tête était devenue comme le placard de la chambre d'hôtel de quelqu'un d'autre. Sauf qu'elle devait vivre avec, maintenant, avec ces pensées qui ne lui appartenaient pas, qui ne correspondaient en rien à ce qu'elle était avant. Elle avait l'impression d'être un fantôme sans avenir ni passé.

Les obsèques de son père furent extrêmement douloureuses. Il fut inhumé dans le mausolée familial, auprès de sa mère, par une journée d'avril froide et venteuse. Tous les gens qu'il avait côtoyés dans le monde professionnel assistèrent à la cérémonie, ainsi que tous ses amis, bien sûr, et tous les amis d'Ariana. Comme promis, le président Armstrong vint également lui présenter ses condoléances, ce qui posa un gros problème de sécurité et un embouteillage quand le Secret Service arrêta la circulation pour l'escorter à l'intérieur de l'église. Il l'embrassa sur la joue, l'étreignit et lui redit combien il était navré de tout ce qui était arrivé. Il avait l'air de se sentir aussi coupable qu'elle. Ariana fut soulagée qu'il ne vienne pas à la réception ensuite. Et puis, quand tout le monde fut reparti, elle se retrouva seule. Perdue.

Le lendemain, Sam Adams passa voir comment elle allait. Tout le temps de sa visite, elle resta prostrée dans le salon, sans rien à dire. De temps à autre, elle fixait sur lui un regard vide. Elle avait encore devant elle un chemin long et difficile, c'était évident – et guère surprenant. La CIA lui avait indiqué plusieurs thérapeutes, à New York, spécialisés dans le soutien aux victimes d'enlèvement.

— Qu'allez-vous faire, maintenant, Ariana ? s'enquit-il avec une profonde sollicitude.

Ils avaient mis près de trois mois à la libérer. Il ne se rendait que trop bien compte qu'une partie d'elle n'était pas revenue – morte, sans doute – et qu'elle ne serait plus jamais tout à fait la même. Surtout sans l'appui de son père pour se reconstruire. Jorge avait détruit une partie de son histoire, de son être. Pire, ce vide qu'il avait laissé en elle était comblé par la culpabilité. C'était terriblement dur à vivre, au point que Sam en vint à craindre qu'elle se supprime.

— Je ne sais pas, répondit-elle en fixant un point dans l'espace.

Elle n'avait pas gardé son appartement de Tribeca quand ils étaient partis à Buenos Aires, dix mois plus tôt, et celui de son père lui faisait l'effet d'un tombeau. La gouvernante était aux petits soins pour elle, comme quand elle était petite, et pleurait à chaque fois qu'elle la voyait. Elle se rendait bien compte que la jeune femme n'était plus elle-même.

— Il faut que vous voyiez un thérapeute, Ariana. C'est votre seule chance de surmonter les terribles épreuves que vous venez de traverser, lui conseilla-t-il avec douceur.

— Je voudrais m'occuper d'œuvres caritatives, répondit-elle vaguement.

Sauf qu'elle n'était pas en état d'aider quiconque pour le moment, c'était évident. Il fallait qu'elle commence par remettre de l'ordre dans ses idées.

— Vous aurez tout le temps de vous consacrer à cela plus tard, Ariana. Pour le moment, il faut vous occuper de vous, vous reposer dans un endroit calme, retrouver une paix intérieure...

Ce conseil fit surgir dans la mémoire de la jeune femme un lieu de paix dans lequel elle s'était rendue, une fois, avec son père. Il lui avait d'ailleurs dit que, s'il avait un jour besoin de prendre du recul, c'était là qu'il irait. Voilà le refuge où elle pourrait se terrer, où personne ne verrait combien elle était coupable, où personne ne la jugerait. Car elle avait du sang sur les mains, tout le monde s'en rendait compte ici, c'était certain. C'est pour cela qu'elle se lavait constamment les mains depuis son retour et qu'elles étaient toutes rouges.

Sam lui promit de garder le contact et de revenir la voir bientôt. Il espérait que les pièces mélangées du puzzle de son esprit retrouveraient leur place un jour. Elle le remercia de sa visite et posa sur lui un regard absent et sombre. Il repartit empli d'une profonde tristesse.

Après le départ de Sam, Ariana resta un long moment les yeux perdus dans le vide, à penser à son père et à Jorge. Elle songea à la boîte rangée dans son placard, celle qui contenait les lettres d'amour de Jorge, mais elle n'avait pas la force de les lire. La vision du camp en flammes emplissait son esprit. Elle ne se rappelait rien d'autre de cette nuit-là, rien de la façon dont elle avait été emmenée. Le traumatisme avait effacé de sa mémoire tout ce qui avait suivi la chute de l'arbre en feu sur Jorge. Sam et ses amis lui conseillaient de se reposer. Pour eux, tout était fini maintenant qu'elle était rentrée. Pour elle, au contraire, l'horreur ne faisait que commencer. Elle avait une vie entière à vivre sans les deux hommes qu'elle aimait.

Plus tard, elle alla se promener. Autour d'elle, tout était identique. Les mêmes maisons, les mêmes portiers, les mêmes boutiques de Madison Avenue. À Central Park, cette fin avril avait des airs de plein hiver. Le parc était aussi sinistre que son humeur à elle. Elle ne cessait de songer au couvent des carmélites, près des Berkshires, qui lui était revenu en mémoire quelques heures auparavant. Elle avait soudain terriblement envie de s'y rendre. Elle avait oublié le nom du couvent, mais elle se souvenait de la ville voisine.

Le lendemain, après une nuit d'insomnie, elle se leva tôt, appela le garage pour faire préparer la voiture de son père, écrivit un mot à la gouvernante pour la prévenir qu'elle s'absentait pour le week-end et fourra dans un sac quelques vêtements tout simples. Au dernier moment, elle courut dans sa chambre prendre la boîte en fer de l'aviateur et la glissa dans son bagage. Elle avait peur qu'elle ne disparaisse en son absence. C'était le seul lien qui lui restait avec ce qui lui était arrivé, la seule preuve que tout cela était bien réel, qu'elle n'était pas folle.

Elle quitta la ville et roula vers le nord pendant trois heures. Le voyage fut difficile. Elle s'attendait à chaque instant à voir un camion militaire lui barrer la route. Les images de son enlèvement ne la quittaient pas. À plusieurs reprises, elle eut l'impression de suffoquer d'angoisse et dut se ranger sur le bord de la route pour reprendre son souffle. Elle revit Felipe affaissé sur le volant, une balle dans la tête. Lui aussi était mort à cause d'elle et de ses péchés, songea-t-elle. Selon Jorge, son tort le plus grave était d'être riche, car les riches étaient la cause de tous les malheurs du monde. Les pauvres mouraient par leur faute, comme

Felipe. C'était parfaitement logique. Cela confirmait ce qu'il avait dit. Tout comme il était parfaitement justifié qu'il ait réclamé une rançon de vingt millions de dollars pour aider les pauvres. Les pauvres étaient les saints et les riches les pécheurs. La haine de soi qu'elle éprouvait redoubla. Jorge lui avait promis de la sauver, mais maintenant, Jorge était mort.

Elle arriva dans la petite ville somnolente des Berkshires dont elle avait entré le nom dans le GPS. Là, elle s'arrêta dans une station-service pour demander où se trouvait le couvent des carmélites. Quand elle était plus jeune, son père et elle y avaient fait étape au retour d'un week-end chez des amis, sans sa mère restée à New York. Il était allé à la chapelle pour allumer un cierge, selon son habitude. Ariana gardait un merveilleux souvenir de ces moments. Son père avait toujours tenu les carmélites pour des femmes remarquables. Leur accueil avait été si chaleureux. Elles étaient incroyablement bavardes et bien informées, pour un ordre cloîtré et silencieux. La joie et la drôlerie de la vieille sœur qui leur avait fait visiter les lieux étaient restées gravées dans l'esprit d'Ariana. C'était exactement ce qu'il lui fallait aujourd'hui.

Elle se gara sur le parking vers deux heures de l'après-midi et entendit des chants s'élever de la chapelle. Elle poussa un soupir de soulagement en renversant la tête en arrière contre le dossier. Pour la première fois depuis son retour aux États-Unis, elle avait l'impression d'être arrivée chez elle. À l'entrée, un panneau indiquait qu'il s'agissait du couvent Sainte-Gertrude. Bien sûr ! C'était cela, le nom ! Il lui suffit de regarder autour d'elle et d'entendre les chants pour sentir qu'elle était enfin à sa place.

Elle entra dans le petit parloir. Une sœur vêtue du lourd habit de laine traditionnel et chaussée de sandales ouvertes leva la tête et lui sourit chaleureusement.

— Puis-je vous aider, mademoiselle ? s'enquit-elle en posant sur Ariana son regard sage.

Bien qu'elle eût le visage lisse et sans âge de beaucoup de religieuses protégées du stress du monde, Ariana lui donna la quarantaine.

— Oui, fit-elle doucement en s'asseyant de l'autre côté du bureau. Oui, je crois. Je suis venue ici avec mon père... il y a environ quatre ou cinq ans.

La sœur attendit paisiblement la suite.

— Que puis-je faire pour vous, mademoiselle ?

Elle devinait que la ravissante inconnue assise en face d'elle n'était pas là pour une visite guidée des lieux. Jamais elle n'avait vu un regard aussi triste que le sien.

— Je suis responsable de la mort de plusieurs hommes et d'un bébé, déclara solennellement Ariana.

La religieuse ne broncha pas. Elle en avait entendu d'autres. Et elle était certaine qu'elle ne les avait pas tués de ses mains. Les gens qui venaient ici – que ce soit pour y rester quelques minutes ou quelques jours, mais aussi pour rejoindre leur ordre – avaient toujours des histoires incroyables à raconter.

— Je ne peux pas vous confesser, mademoiselle, répondit-elle doucement, mais nous avons un merveilleux prêtre qui viendra dire la messe ce soir. Vous pourrez lui parler si vous le souhaitez.

Ariana secoua la tête. Elle ne pouvait pas attendre le soir. Elle devait se décharger tout de suite de ce poids et expliquer à cette femme pourquoi elle était venue. En regardant la carmélite, elle sut qu'elle avait frappé à la bonne porte. C'était ici, dans ce couvent à l'écart des remous et des troubles du monde, qu'il fallait qu'elle vienne chercher le pardon de ses péchés, si elle pouvait le trouver un jour.

— Je... je viens de rentrer d'Argentine, dit-elle en cherchant ses mots. Mon père est mort à cause de moi... à cause du souci qu'il s'est fait pour moi... J'ai été kidnappée en janvier... sur la route de notre maison de campagne... Ils ont tué notre chauffeur à cause de moi... et Jorge m'a sauvée, c'était un saint, mais ils l'ont tué à cause de moi... Il voulait nourrir les pauvres ; c'est pour ça qu'il avait besoin de la rançon. Mais ils les ont tous tués, tous ses hommes. Et mon père est mort le lendemain, et j'ai perdu le bébé...

Peu à peu, son débit s'était accéléré et tout sortait en un flot de paroles désordonnées. La sœur l'écoutait sans rien dire. Dans ses yeux, Ariana ne lisait que de la compassion.

— Vous avez été enlevée en Argentine ? répéta-t-elle doucement quand elle eut fini, s'efforçant de retrouver le fil de l'histoire.

Ariana hocha la tête.

— Vos ravisseurs exigeaient une rançon ?

Elle fit encore signe que oui.

— Depuis combien de temps êtes-vous rentrée ?

— Une semaine environ, répondit-elle, les yeux brûlants de larmes. Nous venons d'enterrer mon père...

Elle s'interdisait de songer au mausolée glacial dans lequel elle l'avait laissé. Au moins, se disait-elle pour tenter de se réconforter, il était avec sa mère, qu'il adorait et qui lui manquait tant depuis son décès.

— Et votre mère, était-elle également en Argentine ?

— Non, elle est morte il y a deux ans, juste un an avant que nous partions à Buenos Aires.

— Nous avons lu votre histoire dans la presse, il me semble. Nous lisons beaucoup les journaux pour nous tenir au courant de ce qui se passe dans le monde. Il a été bien moins question de votre libération que de votre enlèvement, mais nous avons beaucoup prié pour vous, en janvier.

— C'est un commando israélien qui m'a libérée. C'est à ce moment-là qu'ils ont tué Jorge et ses hommes. Ils m'ont fait sortir du camp ; tout flambait. J'ai perdu le bébé cette même nuit, et mon père le lendemain.

Ariana éclata en sanglots. La sœur se leva et contourna le bureau pour venir la prendre dans ses bras.

— Vous n'avez tué personne, mademoiselle, assura-t-elle. Ils sont morts à cause des erreurs qu'ils ont commises, pas par votre faute. Même votre père. C'est extrêmement triste ; cependant, vous n'y êtes pour rien. Souhaitez-vous passer quelques jours ici ? Nous serions très heureuses de vous avoir parmi nous.

Elle avait l'air sincère. Ariana hocha la tête.

— Je crois que c'est pour cela que je suis venue. Lors de notre première visite, mon père m'avait dit que c'était ici qu'il irait s'il souhaitait se retirer du monde. Je ne sais plus où je vis, qui je suis ni ce que je dois faire. Je voudrais aider les pauvres, comme disait Jorge, mais je ne sais pas comment.

— Il existe bien des façons de le faire. Quoi qu'il en soit, vous n'avez pas de péché à expier. Ce sont les autres qui ont péché contre vous – ces hommes qui vous ont enlevée et vous ont tenue éloignée des vôtres.

La carmélite sentait que la plus grande confusion régnait dans l'esprit d'Ariana. C'était la providence qui la leur envoyait, peut-être à la suite de leurs prières. Elle était pressée de s'entretenir avec la mère supérieure.

— Comment vous appelez-vous, mon enfant ?

— Ariana Gregory.

— Je vais vous donner une chambre. Restez avec nous aussi longtemps que vous le souhaiterez.

Ariana hocha la tête. Elle se sentait effectivement telle une enfant qui aurait retrouvé sa mère, la seule personne capable de la sauver de tout le mal qui lui était arrivé, de lui dire que c'était un mauvais rêve, que tout allait bien.

— Quand vous serez installée, nous nous promènerons dans le jardin, proposa la carmélite avec un grand sourire. Votre présence va être une grande joie pour nous. Nous sommes en train de préparer les plates-bandes pour planter les légumes d'été le mois prochain. Aimez-vous le jardinage, Ariana ?

— Je n'en ai jamais fait, avoua-t-elle, contrite.

Elle était de ceux qui voient apparaître les légumes comme par magie sur la table, sans vraiment se préoccuper de la façon dont ils avaient poussé, ni même été cuisinés.

— Eh bien, je vous apprendrai. Il n'y a rien d'excitant comme de voir sortir les carottes de la terre, et les tomates grossir... Notre basilic est absolument merveilleux ; sœur Luisa fait un délicieux pesto. Sa famille est italienne.

Tandis qu'elle bavardait avec animation, elles montèrent un escalier de pierre puis empruntèrent un couloir qui desservait de multiples chambres. C'était la partie réservée aux visiteurs qui venaient en retraite pour se reposer et prier. De dimensions modestes, la chambre était très simple, presque une cellule monacale. On était loin du luxe auquel Ariana était habituée, mais elle allait y trouver le meilleur des refuges contre les souvenirs terrifiants et perturbants qui la poursuivaient.

— Avez-vous des bagages ? lui demanda la sœur.

Elle hocha la tête. Elle avait laissé dans sa voiture son petit sac de voyage avec la boîte en métal. Il lui semblait que Jorge lui avait confié une mission sacrée ; elle ne pouvait pas lui faire défaut. Cette boîte était pour elle comme le saint Graal : elle ne s'en séparait pas.

— Installez-vous, Ariana. Rangez vos affaires et mettez des chaussures confortables. Je vais prévenir notre mère supérieure que vous êtes là.

Tandis qu'Ariana allait chercher son sac, sœur Mary se rendit à la cuisine. La mère supérieure y pelait des pommes de terre. Toutes les tâches étaient partagées également et c'était son tour d'être de corvée d'épluchage. Mère Elizabeth répétait avec humour que c'était une occasion de prière idéale. Quand elle vit entrer sœur Mary, son visage s'éclaira. Il y avait toujours dans ses yeux beaucoup de joie et de lumière, beaucoup d'émerveillement.

— Nous avons de la visite, annonça gravement sœur Mary.

Elle était encore bouleversée par tout ce qu'elle venait d'entendre, même si elle s'était bien gardée de le laisser paraître.

— Il s'agit de la fille de notre ambassadeur en Argentine, la jeune femme qui a été enlevée là-bas il y a quelques mois. Elle a été délivrée tout récemment, mais son père est mort et elle est venue ici. La malheureuse est complètement perdue. Je l'ai invitée à séjourner chez nous.

— Sait-elle peler les pommes de terre ? s'enquit la mère supérieure en souriant.

Sœur Mary sourit à son tour.

— On ne dirait pas...

— Bon, nous lui apprendrons. Je suis heureuse qu'elle soit ici. Cela va lui faire du bien, et à nous aussi.

Mère Elizabeth était une femme âgée et ratatinée, avec tout juste une pointe d'accent irlandais. Elle avait émigré aux États-Unis à seize ans et était entrée au couvent l'année suivante. Elle n'en était jamais repartie. Aujourd'hui, elle avait largement passé les soixante-dix ans et, bien qu'ayant vécu cloîtrée toute sa vie, elle en savait très long sur le monde et la façon dont il marchait.

— Elle sera bien ici, pour se remettre d'aplomb. A-t-elle une mère ?

Sœur Mary secoua la tête.

— J'ai l'impression qu'elle n'a personne.

— Eh bien elle nous a, nous, pour le moment. Emmenez-la au jardin. Je viendrai la voir quand j'aurai fini.

La grande marmite à côté d'elle contenait déjà une montagne de pommes de terre épluchées. Dans la chapelle, le chœur se tut. Toutes les sœurs allaient bientôt se rendre au jardin pour y travailler jusqu'à la fin de la journée. Ce serait l'occasion pour Ariana de faire leur connaissance.

Dans sa chambre, la jeune femme défit son sac et glissa la boîte en métal sous son lit. Elle chaussa ses tennis et descendit retrouver sœur Mary. Elles sortirent par la porte de derrière et débouchèrent dans un immense jardin clos de murs. Le jardin d'Éden…, songea Ariana. Sœur Mary lui apprit qu'elles y faisaient pousser des plantes toute l'année. Des plates-bandes fort bien entretenues accueilleraient sous peu tomates, maïs, concombres, courges, laitues et autres pois. Une demi-douzaine de religieuses y travaillaient en silence. Elles levèrent la tête à leur approche et sourirent. Sœur Mary fit les présentations. D'ordinaire, le jardinage était pour les carmélites un temps de contemplation et de prière, mais, en présence d'une visiteuse, elles se mirent à parler avec entrain.

— Quelle bonne nouvelle ! s'écria l'une des plus jeunes.

Elle devait avoir à peu près l'âge d'Ariana et n'était pas vêtue tout à fait comme les autres. C'était une postulante : elle était au couvent depuis près d'un an, et, lorsque l'année serait entièrement écoulée, elle deviendrait novice. Ses compagnes avaient plutôt la trentaine ou la quarantaine. Et l'une devait avoir soixante ans ou plus. Elle avait un physique plus lourd et un visage très enjoué.

— D'autant que je vais avoir besoin d'un bon coup de main pour planter les tomates, annonça la plus jeune.

Les autres se mirent à rire.

— Sœur Paul essaie d'apprendre le jardinage, expliqua sœur Mary.

— Disons plutôt que les plantes apprennent à me supporter ! corrigea l'intéressée.

La mère supérieure sortit sur ces entrefaites et vint vers Ariana en souriant.

— Sœur Paul est un défi pour nous. Nous devons sans cesse prier pour ramener ses légumes la vie.

Cette remarque déclencha l'hilarité générale, y compris celle d'Ariana. Les religieuses lui donnaient l'impression de former une communauté heureuse et paisible, composée de femmes qui se satisfaisaient de choses simples et aimaient les partager ensemble.

Les carmélites bavardèrent encore un petit moment avant de se remettre au travail. Ariana se porta volontaire pour aider sœur Paul à amender la terre. Ce travail l'épuisa. Le soir, pour la première fois de la journée, Ariana lava ses mains pleines de terre, alors que, les jours précédents, la culpabilité l'avait poussée à les récurer toutes les dix minutes. À la cuisine, sœur Marianne, une vieille religieuse au visage sérieux, lui demanda de l'aider à écosser les pois. C'était encore une première pour Ariana...

— Attention, elle fait peur, lui chuchota sœur Paul en la laissant.

Mais sœur Marianne n'avait de sévère que l'apparence. Elle était extrêmement gentille et encourageante. Ariana avait l'impression de remporter une petite victoire à chaque fois qu'elle faisait glisser un pois de la cosse dans le saladier. Elle aida ensuite à mettre le couvert. Dix-huit religieuses vivaient ici.

Ce soir-là, la conversation fut animée du fait de sa présence. Elle était au centre de l'attention. Toutefois, par délicatesse, aucune carmélite ne lui demanda ce qui l'amenait au couvent. Elles étaient heureuses de l'avoir parmi elles, voilà tout.

Après le dîner, le prêtre vint entendre les confessions et dire la messe. Il parla un petit moment avec Ariana et lui proposa de la confesser. Dans la pénombre du confessionnal, elle lui dit qu'elle était responsable de la mort de beaucoup d'hommes. Elle estimait avoir tué plus de dix personnes, dont son père, son amant, mais aussi leur enfant à naître.

Le prêtre lui donna un *Je vous salue Marie* à dire en pénitence.

— C'est tout ? demanda-t-elle, stupéfaite.

Cela lui semblait bien trop indulgent. À la différence de ses parents, elle n'était pas très pratiquante depuis quelques années. Cependant, elle s'était remise à aller à la messe plus régulièrement en Argentine, parce que ses amis y allaient et qu'elle aimait partager cela avec eux. C'était un élément essentiel de la culture, de la tradition et de la vie sociale là-bas.

— C'est tout, confirma le jeune prêtre en sortant du confessionnal.

Il devait avoir une dizaine d'années à peine de plus qu'elle mais paraissait déjà d'une grande sagesse.

— Un seul *Je vous salue Marie*. Pour *vous*, et pour la souffrance que vous vous infligez en ce moment. Je veux que vous vous pardonniez, Ariana. Vous n'avez pas tué ces gens. Leur mort n'est pas la conséquence de vos actes, mais des leurs. Certes, votre père n'a rien fait pour mourir... Cependant, il n'était pas jeune et, aussi triste que ce soit pour vous, son heure était sans doute venue. Tout ce qui vous est arrivé n'est pas votre faute, même la perte de ce bébé. Dieu sait qu'il ne devait pas être, car il avait été conçu lors de votre captivité, *à cause* de votre captivité. Vous devez prier pour vous et vous pardonner. Vous n'avez rien fait de mal, dit-il d'une voix forte et claire.

— Vous en êtes certain, mon père ? murmura-t-elle, convaincue qu'il se trompait et qu'il était trop clément.

— Absolument. Sûr et certain. Maintenant, mon enfant, faites bon usage de votre temps ici pour essayer de vous absoudre. Les sœurs de Sainte-Gertrude sont merveilleuses. Et votre présence parmi elles fait leur bonheur.

— Je me demande si je ne vais pas rester ici, avoua-t-elle de but en blanc. C'est peut-être le moyen pour moi de consacrer ma vie aux pauvres.

Il ne fut pas très surpris par cette déclaration spontanée. C'était dans la suite logique de son histoire, de son enlèvement et de sa séquestration, des mois passés sous l'emprise d'un homme plus que perturbé, qui l'avait complètement déstabilisée avec ses idées insensées. Elle cherchait un moyen de faire pénitence, d'expier les péchés qu'elle croyait être les siens.

— Prendre le voile, vous voulez dire ?

— Oui. C'est peut-être ce qui m'a conduite ici.

— Croyez-vous avoir la vocation ?

— Je l'ignore. Peut-être.

— Vous seule pourrez le savoir, fit-il valoir d'un ton égal. Si vous avez vraiment la vocation, elle finira par émerger. Cependant, je crois que Dieu veut que vous viviez votre vie comme elle semblait tracée pour vous, que vous vous mariiez, que vous ayez des enfants, que vous restiez dans le monde dans lequel vous avez grandi. Il ne faut pas que vous y renonciez pour racheter des crimes que vous n'avez pas commis. Vous avez beaucoup à donner au monde, Ariana. Le moment venu, c'est ce que vous ferez. En attendant, restez ici avec les sœurs et efforcez-vous de trouver la paix.

Même pour lui qui avait été élevé dans une banlieue difficile de Boston, ce qu'elle avait traversé était inconcevable. Ce que Jorge lui avait infligé le plongeait dans une grande colère.

En regagnant sa chambre, Ariana réfléchit à ce qu'il lui avait dit. Mais après s'être activée dans le jardin et à la cuisine et avoir tant parlé avec les sœurs et le prêtre, elle ne tarda pas à sombrer dans le sommeil. Pour la première fois depuis son enlèvement, elle dormit comme un bébé.

La jeune femme passa l'été à Sainte-Gertrude dans une atmosphère de paix qui lui fit énormément de bien. Elle avait prévu de partir en septembre. Pourtant, le moment venu, elle ne se sentit pas prête à sortir de ce cocon. Elle s'interrogeait toujours sur sa vocation, mais mère Elizabeth lui dit la même chose que le jeune prêtre. Elle aurait été très heureuse de garder Ariana au sein de sa communauté ; cependant, elle sentait que sa place était dans le monde, à faire le bien là où elle se trouverait, et non dans un cloître. Elle avait beaucoup prié pour elle et espérait qu'elle pourrait bientôt aller de l'avant. En attendant, la jeune femme préférait se cacher du monde. Elle resta à Sainte-Gertrude jusqu'à Thanksgiving. Puis jusqu'à Noël. Et reporta son départ à après le nouvel an.

Elle avait envoyé un mot à Sam Adams pour lui dire où elle se trouvait. En décembre, comme il devait aller en Nouvelle-Angleterre pour son travail, il lui rendit visite. Il la trouva en forme, heureuse de sa vie au couvent, mais la souffrance se lisait encore dans ses yeux.

— Combien de temps comptez-vous rester ici, Ariana ? s'enquit-il prudemment.

Il avait commencé à se demander si elle allait ressortir un jour quand il avait reçu d'elle une carte de vœux toujours écrite de Sainte-Gertrude.

— Je ne sais pas encore, répondit-elle, hésitante. Je pensais partir en janvier, mais je n'ai nulle part où aller, lâcha-t-elle tristement.

La boîte en métal était toujours sous son lit. Elle s'était mise à relire les lettres d'amour de Jorge. Elle avait même essayé une ou deux fois de lire son journal de bord, mais cela ne l'intéressait pas : c'était trop chaotique et dogmatique pour elle. Contrairement à ses lettres d'amour... Elle avait vingt-quatre ans et son ravisseur était le seul homme qui l'eût jamais aimée. Elle n'avait rien à quoi comparer cette histoire pour pouvoir dire s'il s'agissait d'un amour véritable. Tout le monde lui affirmait que non... Mais elle n'en était pas si sûre. Elle croyait au contraire qu'il l'avait profondément aimée, malgré les actes qui étaient à l'origine de leur relation. Elle le redit à Sam.

— J'ai quelque chose à vous proposer, répondit-il.

Il lui en avait déjà parlé plusieurs mois auparavant mais elle avait refusé. Il espérait qu'elle était prête, maintenant, bien qu'elle fût encore sous l'influence de Jorge et amoureuse de lui au point de continuer à le défendre. Il lui fallait une aide plus professionnelle que celle que pouvaient lui apporter les religieuses, estimait-il.

— Il y a, à Paris, l'un des meilleurs « déprogrammeurs » au monde. Il en existe quelques autres aux États-Unis mais celui-ci est tellement bon que la CIA fait discrètement appel à ses services depuis des années, avec des résultats extraordinaires.

— Parce que vous croyez que j'ai besoin d'un « déprogrammeur » ? lâcha-t-elle, visiblement choquée. Je me sens beaucoup mieux, Sam, et je suis heureuse, ici.

Elle pensait encore à Jorge, mais il n'emplissait plus chaque parcelle de son corps et de son esprit.

Sam lut la confusion dans son regard. Elle ne se rendait pas compte de l'ampleur des manipulations de Jorge et de l'emprise qu'il exerçait sur elle.

— Vous vivez comme une nonne, fit-il valoir avec douceur. Vous, une jeune femme de vingt-quatre ans, vous cherchez à expier des péchés que d'autres ont commis. Ne préféreriez-vous pas être libre ?

Elle hocha la tête. Il avait raison... Il lui semblait que, tant qu'elle vivait au couvent, elle payait pour ses actes – actes qui, avec le temps, devenaient de moins en moins clairs. Elle se sentait toujours coupable, mais elle ne savait plus vraiment de quoi.

— Que fait-il, ce déprogrammeur ? demanda-t-elle, inquiète.

— Eh bien, il vous coupe la tête, la remplit de sciure et de jus de pomme, met le feu aux ongles de vos orteils...

Elle écarquilla un instant les yeux avant d'éclater de rire.

— Franchement, je ne sais pas trop, reprit Sam plus sérieusement. J'imagine qu'il parle beaucoup, qu'il connaît mieux que personne au monde les cultes, les questions politiques et ce qui arrive quand on est prisonnier de gens brillants mais tordus. Les hommes et les femmes que je lui ai adressés sont revenus entiers et jurent qu'il leur a sauvé la vie – tout au moins qu'il a sauvé leur qualité de vie. Car survivre ne suffit pas.

Vivre comme une carmélite, en effet, ne correspondait pas à l'idée qu'elle se faisait de l'existence. Mère Elizabeth le savait et s'efforçait doucement de la faire sortir de sa bulle. Sauf qu'Ariana ne voulait pas se retrouver seule dans l'appartement vide de son père. Elle ne voulait pas non plus reprendre son poste au magazine de mode en ligne. Elle ne se sentait plus en phase avec ce monde frivole. Sa vie, son esprit avaient trop changé pour qu'elle puisse reprendre le cours de son ancienne existence. Pour l'instant, de toute façon, elle avait le plus grand mal à se concentrer sur autre chose que les tâches les plus élémentaires. Elle ne se sentait pas prête à retravailler. Bien sûr, elle voulait retrouver une activité professionnelle à terme, mais elle ignorait laquelle. Il faudrait que ce soit quelque chose que Jorge aurait approuvé.

Sam était perspicace. Il comprenait qu'une grande partie d'elle était restée dans la jungle. Tout ce qu'il pouvait espérer, c'était que, avec l'aide du déprogrammeur parisien, elle parviendrait à la retrouver.

— Souhaitez-vous que je vous aide à entrer en relation avec lui ? proposa-t-il. Je pourrais l'appeler, pour voir. Il travaille pour nous à titre privé, ainsi que pour l'armée française ; il a beaucoup à faire depuis la guerre d'Irak. Néanmoins, je suis certain qu'il trouvera du temps pour vous recevoir. Notre service des mutations pourrait vous aider à trouver un logement provisoire sur place.

Il voulait tout faire pour l'encourager à franchir ce pas. Il était convaincu que c'était pour son bien.

— Je peux me débrouiller seule, dit-elle, pensive, avant d'ajouter d'un air inquiet : Ça me fait peur, Sam. Et s'il aggravait les choses en faisant tout remonter à la surface ?

Il y avait certains détails qu'elle aimait mieux ne pas se rappeler, comme l'enlèvement lui-même et les premiers jours de sa captivité.

— Ce n'est jamais arrivé, Ariana. Aucun de nos agents n'a jamais estimé que son état avait empiré.

Certes, ils ne lui avaient jamais envoyé de civil, uniquement des employés de la CIA qui avaient été retenus en otage de longues périodes ; toutefois, la dynamique restait la même.

— Je l'ai rencontré, vous savez. C'est quelqu'un de bien. Il a été prisonnier politique en Libye pendant onze ans, torturé tous les jours, et il est parvenu à survivre à cela. C'est un type équilibré et normal. Il a une femme et quatre enfants. Aujourd'hui, il aide les autres à reprendre possession de leur vie. C'est le meilleur dans sa partie.

— Mais j'ai déjà repris possession de ma vie ! s'exclama-t-elle tout en jetant des coups d'œil autour d'elle dans le parloir de Sainte-Gertrude.

— Non, pas vraiment, répondit-il calmement. Je ne sais pas la vie de qui vous menez, Ariana, mais ce n'est pas la vôtre. Vous êtes bien trop jeune pour renoncer à votre vie et vous contenter de « l'acceptable », vous cacher – à vous-même autant qu'aux autres – pour le restant de vos jours. Vous méritez mieux. Vous méritez ce qu'il y a de mieux. Vous avez suffisamment souffert. Pourquoi ne pas laisser cet homme essayer de vous aider ?

— Je vais y réfléchir.

Elle ne paraissait pas convaincue, et Sam repartit avec l'impression d'avoir échoué dans sa mission. Pourtant, la jeune femme parla de sa proposition à mère Elizabeth le soir même.

— Quelle merveilleuse idée ! s'exclama la supérieure avec son sourire habituel et son regard sage.

On aurait dit qu'Ariana venait d'évoquer une sortie shopping à New York ou un déjeuner avec une amie.

— Vous croyez que j'en ai besoin, ma mère ?

— C'est possible... Non, c'est probable. C'est le moment de tout entreprendre pour guérir de ce que vous avez traversé, pendant que c'est encore frais, avant que cela ne se cimente avec le temps. J'adorerais vous garder avec nous pour toujours, mais je crois que vous êtes faite pour une autre vie. Il faut vous libérer du passé et accomplir votre destinée. Vous serez toujours la bienvenue ici, plus tard, si vous faites ce choix. Mais il faut que vous commenciez par découvrir le monde.

Mère Elizabeth s'interrompit un instant, songeuse. Puis :

— Vous êtes libre depuis huit mois, Ariana. Il vous fallait ce temps de calme pour que les cicatrices se referment. Elles sont encore douloureuses et le resteront sans doute toujours, mais le déprogrammeur vous aidera sûrement à les rendre moins lourdes à porter. Cela ne peut pas nuire, en tout cas. Et ce n'est pas une prison. Si cela ne vous convient pas, vous n'aurez qu'à arrêter.

Ariana n'avait pas pensé à cela.

— Vous devriez essayer, je vous assure, insista mère Elizabeth. Si c'est assez bien pour les agents de la CIA qui doivent redevenir totalement opérationnels, il y a des chances pour que ce soit assez bien pour vous, non ? Il faut savoir se jeter à l'eau, Ariana. Vous avez fait face très courageusement à tout ce qui vous est arrivé. Vous avez trouvé ici un répit qui vous a fait du bien. Il faut maintenant finir le travail. Vous ne pouvez pas traîner cette boîte en fer et tout ce qu'elle contient avec vous jusqu'à la fin de vos jours. Elle est bien trop lourde, non ?

Ariana secoua la tête, sidérée. Elle ne savait pas que mère Elizabeth savait... Elle ne dit rien, mais la supérieure avait visé juste.

La jeune femme y réfléchit encore deux jours puis appela Sam à Washington. Il fut surpris de l'entendre ; elle ne lui avait jamais téléphoné depuis sa libération.

— D'accord, dit-elle, très tendue. Je vais essayer.

— Essayer quoi ?

Absorbé par des affaires compliquées, il avait un peu la tête ailleurs.

— Le déprogrammeur, à Paris. Comment s'appelle-t-il ? demanda-t-elle d'une voix tremblante.

— Yael Le Floch. C'est un Breton.

C'était aussi un ancien commando des forces spéciales françaises – autant dire un dur à cuire –, ce qu'il ne lui dit pas pour ne pas l'effrayer. Quoi qu'il en soit, il ne lui avait pas menti : pour lui, c'était le meilleur dans sa spécialité.

— Je suis ravi, ajouta-t-il. Je lui envoie tout de suite un e-mail.

La réponse lui parvint en moins d'une heure. Pourtant, il était tard, en France.

Yael Le Floch disait pouvoir recevoir Ariana dans deux semaines. Il s'efforçait de ne traiter qu'un patient à la fois. Il était entouré d'une petite équipe qu'il avait formée, mais il faisait son possible pour se charger lui-même de ceux que lui envoyait la CIA.

— Cela dure combien de temps ? voulut savoir Ariana quand Sam l'appela pour lui transmettre ces nouvelles.

La jeune femme paraissait bien nerveuse...

— Le temps qu'il faut, répondit-il honnêtement. Cela dépend de vous. Plus vous vous livrerez facilement, plus cela ira vite. D'après mon expérience des personnes que je lui ai adressées, c'est difficile à prévoir. Cela peut aller de six semaines à un an, voire davantage. Mais je dirais qu'il faut compter en moyenne quelques mois. L'avantage, c'est qu'il n'est pas trop désagréable de vivre à Paris. Notre autre déprogrammeur est dans le Mississippi. Quelque chose me dit que vous serez plus heureuse à Paris...

— Vous n'avez pas tort, concéda-t-elle en riant. Bon... d'accord, Sam.

Elle soupira profondément. On eût dit qu'elle allait sauter à l'élastique d'une falaise et priait pour que l'équipement tienne bon.

— Vous pouvez m'inscrire.

Jamais une décision ne lui avait demandé autant de courage. Elle était très fière d'elle. Dès qu'elle eut raccroché, elle courut le dire à mère Elizabeth.

— Bravo ! s'exclama la supérieure avec autant d'enthousiasme que si le prix Nobel venait de lui être décerné. Je suis convaincue que vous faites le bon choix. Envoyez-nous une carte postale de Paris. J'y suis allée une fois, quand j'étais petite.

— Vous allez tant me manquer, ma mère, fit Ariana en l'étreignant.

Elle avait l'impression de quitter son foyer. Car c'était ici, chez elle, maintenant. L'appartement new-yorkais de son père n'était plus qu'une coquille vide. Il avait perdu son âme à la mort de Robert.

Le soir, à table, la mère supérieure annonça aux sœurs qu'Ariana partait suivre une formation spéciale à Paris. Elles poussèrent des Oh ! et des Ah ! Quelle chance elle avait ! Ariana n'en était pas si sûre. Elle avait surtout très peur, mais maintenant que mère Elizabeth l'avait annoncé officiellement, elle ne pouvait plus reculer.

Le lendemain, elle prit contact avec Sheila, l'une des secrétaires de son père qui était restée pour gérer l'appartement et le reste de la succession, et lui demanda de l'aider à trouver un logement à Paris. Quelque chose de pas trop grand, dans un quartier agréable – peu importait où. Il lui suffisait d'une chambre, un salon et une petite cuisine. De toute façon, elle n'avait rien d'un cordon-bleu, mangeait peu et n'aurait pas à recevoir puisqu'elle ne connaissait personne là-bas. C'était un peu comme une rentrée des classes dans une nouvelle école. Sam lui précisa que le cabinet de Yael se trouvait dans le VIIIe arrondissement, un quartier assez neutre, à la fois résidentiel et de bureaux.

Sheila la rappela rapidement. Elle avait reçu une liste d'un agent immobilier qui lui proposait des biens vides et meublés. Ariana opta pour un meublé étant donné qu'elle ne comptait pas rester longtemps. À vrai dire, elle visait les six semaines de la fourchette basse de Sam. Il y avait donc, poursuivit Sheila, une petite maison dans le VIIe ; un appartement sur l'île Saint-Louis qui, au dire même de l'agent, était charmant mais malcommode ; un logement d'étudiant dans le Marais et deux appartements dans le XVIe – un deux-pièces et un studio au rez-de-chaussée. D'après Sheila, le second n'était pas idéal du point de vue de la sécurité. Ariana en convint. Depuis ce qui lui était arrivé, la sécurité était pour elle un critère essentiel. De toute façon, elle le trouvait trop petit. À l'inverse, la maison dans le VIIe était trop grande, quoique sûrement très chic. Et puis elle était sise sur la Rive gauche, un peu loin de chez Yael.

— Le deux-pièces du XVIe me semble être la meilleure option, conclut Sheila. Il est au dernier étage, bien ensoleillé, semble-t-il, et près d'un parc.

— Très bien... Commençons par celui-là, décida Ariana avec l'impression de se jeter dans le vide.

Une heure plus tard, le contrat était établi. Ariana pouvait rester un an, avec une option pour une deuxième année si elle le souhaitait et la possibilité de partir n'importe quand moyennant un préavis d'un mois. Le propriétaire était parti vivre aux Pays-Bas mais avait conservé l'appartement comme bien d'investissement. Elle trouverait tout sur place : ustensiles de cuisine, linge de maison... Elle n'avait qu'à apporter ses valises et s'installer.

Ariana admira la compétence de Sheila. La secrétaire s'était montrée aussi efficace pour elle que pour son père.

— Ah, ajouta cette dernière, vous avez aussi le droit de fumer et d'avoir un chien.

Ariana rit.

— Très peu pour moi, merci.

— On ne sait jamais... Vous allez peut-être devenir très française, à vivre à Paris...

Ariana s'imagina avec un caniche à la tonte sophistiquée, une Gauloise au bec. L'image la fit rire.

— Merci mille fois pour tout, Sheila.

— Je vous en prie, Ariana. Le loyer sera viré aujourd'hui. Je vous ouvre un compte à Paris. Au fait, qu'allez-vous faire, là-bas ?

— Je vais suivre une formation...

Sheila fut ravie de l'apprendre. Tous ces mois passés dans un couvent de carmélites, c'était un peu déprimant pour une fille de son âge. Paris, cela lui semblait bien plus sain. Son père aurait été ravi. Il avait toujours adoré la capitale française, où il avait souvent séjourné avec Ariana et sa mère.

— Ah, j'oubliais : aurez-vous besoin d'une voiture ?

— Non, ce ne sera pas la peine, merci. Je prendrai le métro et le taxi. Je ne pense pas rester très long-temps. Pas plus de deux ou trois mois.

— Eh bien, *bon voyage*, dit Sheila en français avec un fort accent américain. Amusez-vous bien. Et appelez-moi si vous avez besoin de quoi que ce soit.

Ariana avait réservé un billet d'avion pour le 31 janvier. Elle verrait Yael dès le lendemain de son arrivée. Elle ne voulait pas perdre de temps, et souhaitait en finir au plus vite. Elle appréhendait la première séance. Tout cela était bien mystérieux et effrayant. Pratiquait-il l'hypnose ? Voulait-il lui faire revivre certains événements ? Elle n'avait aucune envie de parler avec lui de sa relation avec Jorge. Ces souvenirs étaient trop tendres, trop intimes. Elle voulait les garder pour elle. Yael serait-il d'accord ?

Les sœurs pleurèrent quand elle quitta Sainte-Gertrude, et elle aussi. Sœur Paul lui avait composé un long poème et tricoté une écharpe rose pleine de mailles sautées. Ariana se l'enroula autour du cou en riant à travers ses larmes.

— Je n'ai jamais vraiment appris à tricoter, avoua sœur Paul, toute penaude.

Ariana lui promit de mettre son écharpe tous les jours.

Mère Elizabeth lui avait peint un petit tableau pour son appartement parisien : un bouquet de fleurs aux couleurs vives et gaies, comme elle... Elle lui donna aussi une photo de toutes les sœurs afin qu'elle se souvienne de l'amour qu'elles lui portaient.

— Rapportez-moi un béret, Ariana ! lança sœur Marianne.

La religieuse au visage sévère s'était beaucoup atta-chée à la jeune femme, même si elle n'avait jamais vu personne massacrer une pomme de terre à ce point en la pelant.

— Je l'accrocherai au mur de la cuisine, cela lui donnera une petite note chic. Dieu vous bénisse, mon enfant, conclut-elle en la serrant dans ses bras. Prenez bien soin de vous. Nous prierons pour vous tous les jours.

Les joues ruisselantes, Ariana monta dans la voiture que lui avait fait envoyer Sheila – celle de son père était repartie à New York depuis des mois. Le chauffeur la conduisit directement à l'aéroport JFK de New York, où elle avait trouvé un meilleur vol que depuis Boston. Elle ne repassa pas à l'appartement de son père. Cela lui aurait fait trop de peine.

Son avion décollait le soir et arriverait à Paris de bonne heure le lendemain matin. Elle aurait la journée pour s'installer avant sa première séance avec Yael le lendemain. Avant d'embarquer, elle téléphona une dernière fois au couvent. Mère Elizabeth lui rappela combien elles l'aimaient toutes et qu'elles prieraient pour elle. Cela lui fit du bien de l'entendre. Elle ne savait pas ce qui l'attendait à Paris, mais mère Elizabeth continuait de penser qu'elle avait raison de s'y rendre et d'entreprendre ce travail, or Ariana se fiait entièrement à son jugement. Elle retrouvait auprès d'elle le soutien que lui prodiguaient autrefois ses parents et dont elle avait plus que jamais besoin depuis ce qui lui était arrivé. L'anniversaire de la date de son enlèvement avait été une épreuve difficile à surmonter. Elle avait voulu attendre qu'il soit passé pour s'envoler vers Paris. Et voilà, le moment était arrivé.

L'avion décolla au-dessus des lumières de New York, survola Long Island et se dirigea vers le nord et vers le Massachusetts. Ariana songea à ses sœurs chéries. Elle n'avait pas complètement renoncé à l'idée de prendre le voile un jour. Le couvent Sainte-Gertrude était un lieu si paisible... La jeune femme se trouvait bien audacieuse de partir s'installer seule à Paris. Bah, ce ne serait pas long. D'ici deux ou trois mois, elle serait de retour, se promit-elle en se laissant aller contre le dossier de son siège... Elle serait de retour en avril, en mai au plus tard, juste à temps pour le printemps dans les Berkshires, à Sainte-Gertrude.

En attendant, elle se rendait à Paris où l'attendaient le café au lait, les croissants et un mystérieux déprogrammeur du nom de Yael.

9

L'avion se posa à Charles-de-Gaulle juste après huit heures du matin. Ariana récupéra ses deux grosses valises. Elle avait demandé à Sheila de lui envoyer quelques affaires de New York ; elle n'aurait pas besoin de grand-chose, de toute façon. Elle avait pris beaucoup de pulls bien chauds, ainsi qu'un bon manteau, mais pas de vêtements d'été. Elle en aurait fini avec Paris, à ce moment-là. Elle envisageait de chercher du travail à New York. Elle voulait s'occuper d'enfants – d'orphelins, peut-être – ou de sans-abri. Des pauvres, en tout cas.

Elle prit un taxi et donna au chauffeur l'adresse de l'appartement, avenue Foch. Elle avait étudié le français à l'université et parlait suffisamment pour se débrouiller. La voiture s'arrêta devant un immeuble cossu, dont la porte cochère était gigantesque. Elle composa le code, pénétra dans le bâtiment et tomba sur la gardienne. Celle-ci, qui devait lui remettre les clés, paraissait contrariée. La cigarette au coin des lèvres, elle faisait très française. Ariana se présenta.

La gardienne fit à peine attention à elle et s'éloigna en grommelant. *Bienvenue en France*[1], songea Ariana en souriant intérieurement. À peine arrivée, elle avait déjà l'impression de vivre une aventure...

Le quartier semblait très convenable, et l'avenue Foch était plus luxueuse qu'elle ne s'y attendait. Son immeuble était tout près de l'Arc de triomphe et des Champs-Élysées, dans un quartier résidentiel, agréable et central : exactement ce qu'elle voulait.

Elle prit le petit ascenseur pour monter au quatrième et découvrit son appartement. Il était clair, même en cette froide journée d'hiver, et il y faisait bien chaud. Tout en regardant partout autour d'elle, elle se rappela qu'elle avait promis aux sœurs de leur envoyer plein de photos. Elle comptait bien tenir parole et allait commencer par l'appartement. La chambre était ravissante, en chintz rose avec un petit lit à baldaquin. Le salon faisait un peu vieillot, comme s'il avait été meublé aux puces, mais il ne manquait pas de charme. La minuscule cuisine serait suffisante pour ce qu'elle comptait en faire ; le réfrigérateur était tout de même ridiculement petit.

Elle posa ses bagages dans la chambre, où une armoire ancienne faisait office de placard. Dans la salle de bains, elle eut le plaisir de découvrir une énorme baignoire ancienne. Une heure plus tard, elle s'y plongeait avec un soupir de délice. Elle avait peine à y croire. Elle était à Paris. Pour la première fois, elle allait vivre seule à l'étranger. Elle se sentait très adulte, soudain. Elle se rappela alors qu'elle était seule partout. Sauf à Sainte-Gertrude... Cette impression qui ne la quittait jamais très longtemps depuis la mort de

---

1. En français dans le texte.

son père l'effrayait. S'il lui arrivait quelque chose, personne ne le saurait ni ne s'en soucierait. Sheila finirait sans doute par se rendre compte qu'il n'y avait plus aucun mouvement sur son compte et se poserait des questions, mais c'était tout. Elle n'avait pas revu ses amis de New York depuis son retour. Elle se sentait trop différente d'eux, désormais, trop déconnectée. Quant à ceux qu'elle avait connus à Buenos Aires, elle n'avait pas tissé avec eux de liens suffisants pour garder le contact. Elle était donc vraiment seule, à un point terrifiant... Mieux valait ne pas y penser.

Elle sortit du bain, enfila un jean, des tennis et un bon blouson et alla faire un tour. Elle descendit les Champs-Élysées jusqu'à la place de la Concorde puis parvint à trouver la place Vendôme. De là, elle continua jusqu'au Louvre par la rue Saint-Honoré et revint place de la Concorde en traversant le jardin des Tuileries. Elle avait pris un plan, au cas où, mais elle se souvenait encore suffisamment des séjours à Paris avec ses parents pour se repérer, en tout cas dans les beaux quartiers. Elle faillit aller boire une tasse de thé au Ritz, mais se ravisa : elle y était allée une fois avec son père et il lui manquerait trop.

Tout en marchant, elle s'amusait à observer les passants et la devanture des magasins. En rentrant chez elle, trois heures plus tard, elle était fatiguée mais heureuse. Elle ressortit dans l'après-midi pour acheter un poulet rôti, une baguette, du fromage et des fruits – de quoi faire un repas très agréable.

Le soir, comme elle se sentait seule, elle eut envie de lire les lettres de Jorge mais se retint. Elle rangea la boîte en métal tout en haut de l'armoire et se mit au lit avec un livre. À vingt-deux heures, elle dormait à poings fermés. Elle se réveilla le lendemain à sept heures et déjeuna de pain grillé et d'un fruit. À huit heures trente, elle était prête. Elle aurait bien pris le métro mais craignait de se perdre. Elle monta donc dans un taxi pour se rendre chez Yael Le Floch, rue de Naples. Il habitait une petite maison au fond d'une cour. La porte était peinte en rouge. Elle sonna. Un chien aboya.

Un instant plus tard, un homme au visage buriné et aux cheveux longs lui ouvrit. Il devait avoir la quarantaine et se tenait droit comme un I. Tout, dans sa posture et son attitude, trahissait une certaine dureté. Soudain, elle eut peur. Et s'il était méchant avec elle ? s'il la forçait à revivre des souvenirs trop douloureux ? Elle faillit tourner les talons et s'enfuir. Mais le vieux berger allemand qui l'accompagnait la regarda en remuant la queue.

— Bonjour, dit-elle timidement, je suis Ariana Gregory.

— Yael Le Floch, se présenta-t-il à son tour en la conduisant dans un petit salon confortable.

Les meubles n'étaient plus tout jeunes mais c'était le genre d'endroit où l'on se voyait bien passer de longues soirées à boire, fumer et parler entre amis. Il y avait d'ailleurs un cendrier sur la table et Yael lui dit qu'elle pouvait fumer. Il ne lui offrit rien à boire, en revanche.

Il attendit qu'elle se soit installée, puis s'assit à son tour dans un grand fauteuil confortable en face d'elle. Il laissa s'écouler une minute, la fixant de ses yeux brun foncé. Il avait les cheveux noirs et, malgré la saison, la peau bronzée. Il avait l'air de passer beaucoup de temps dehors. Probablement sur la mer, à en juger par les innombrables photographies de bateaux à voile sur les murs. Manifestement, il aimait naviguer.

Il alla droit au but.

— Pourquoi êtes-vous allée en Argentine ?

Il n'y avait aucune trace de jugement dans sa voix. C'était une simple question. Elle allait répondre que son père l'y avait obligée, qu'elle avait tout fait pour qu'il renonce à son projet, mais elle songea que ce n'était pas très élégant. En plus, elle avait adoré son séjour là-bas. Dans un premier temps...

— Mon père a été nommé ambassadeur, expliqua-t-elle, et il tenait à ce que je parte avec lui, ce que j'ai fait.

— Souhaitiez-vous y aller ?

Le regard implacable de Yael ne la quittait pas. C'était intimidant et troublant.

— Non. Je venais de terminer mes études et de décrocher le job de mes rêves. Et j'avais un petit ami avec qui j'étais bien. J'aurais préféré rester à New York.

— Le lui avez-vous dit ?

Il alluma une cigarette.

— Oui.

— Et il vous a obligée à le suivre ?

Il s'efforçait de se faire une idée de leur relation, devina-t-elle. Sauf qu'elle ne voulait pas dire de mal de son père, surtout maintenant. Elle ne l'avait jamais tenu pour responsable de ce qui était arrivé, elle n'allait pas commencer maintenant.

— Ma mère était morte l'année précédente et il n'avait pas envie de partir seul. Il avait eu des ennuis de santé et il avait besoin de mon aide. Il disait que nous allions bien nous amuser, tous les deux. Et ça a été le cas, c'est vrai. Nous sortions tous les soirs, j'ai rencontré des gens formidables que je n'aurais

195

pas connus autrement. De toute façon, cela ne devait durer que trois ans.

— C'est beaucoup de temps à sacrifier, à votre âge. Cela a dû vous sembler une éternité.

Malgré un fort accent, il parlait un anglais excellent.

— Au début, oui. Mais, assez vite, je me suis beaucoup plu là-bas. Et mon père avait raison : c'était une occasion unique.

— Oui, une occasion unique de vous faire kidnapper et séquestrer trois mois... Il est vrai que c'est tellement mieux qu'un job et un petit ami à New York, dit-il d'un ton pince-sans-rire qui la déstabilisa. Avez-vous repris le travail, Ariana ?

Elle fit non de la tête.

— Pourquoi ?

— J'ai envie de faire autre chose, après ce qui est arrivé. M'occuper des pauvres, par exemple. Je travaillais dans un magazine de mode, et tout ça me paraît bien futile et frivole, maintenant.

— Ah ? Vous n'aimez plus la mode ? demanda-t-il innocemment.

Il voulait comprendre ce qui se passait dans sa tête... Il considéra la façon dont elle était vêtue. Jean couture, pull simple mais de qualité, chaussures plates et sac Balenciaga : de toute évidence, elle n'avait pas cessé de s'intéresser à la mode.

— Il me semble plus important de s'engager pour les pauvres, c'est tout, répliqua-t-elle avec détermination.

— Qui vous a dit cela ?

Il voulait savoir qui d'autre contrôlait ses pensées.

— Jorge, répondit-elle sans réfléchir.

— Qui est-ce ? demanda-t-il doucement en se penchant en avant pour éteindre sa cigarette.

Cette fois, elle hésita un moment avant de répondre. Elle devait se douter qu'il connaissait la réponse mais qu'il voulait voir ce qu'elle dirait.

— Le chef du groupe qui m'a enlevée.

— Ah, oui. Des rebelles, je crois. C'est bien cela ?

Elle fit oui de la tête.

— Le défenseur des pauvres qui a demandé une rançon de vingt millions de dollars. Vous saviez qu'il avait des comptes en Suisse ? Il vous l'avait dit ?

C'était ce que les enquêteurs avaient découvert après la mort de Jorge. Ils n'avaient pas de preuves, mais c'était très probablement vrai.

— Non, fit-elle tristement.

Jorge exprimait ses idées avec tant d'emphase, tant de pureté... Il était si hostile aux riches...

— Croyez-vous qu'il ait donné l'argent perçu aux pauvres ?

— Je ne sais pas. Il m'a dit qu'il le faisait, et je l'ai cru.

— Que vous a-t-il dit d'autre ?

Le thérapeute enchaînait les questions à une cadence rapide.

— Qu'il m'aimait, répondit-elle honnêtement. Et c'était vrai, je crois... Ça n'avait rien à voir avec ses desseins politiques. Il y avait un lien extraordinaire entre nous.

— Et maintenant ? Il vous manque ?

Le regard et la voix de Yael étaient tels qu'on lui disait tout, même ce qu'on aurait voulu garder pour soi. Ariana se sentait hypnotisée par lui. Un peu comme avec Jorge, bizarrement. Sauf que Yael n'attendait d'elle qu'une chose : la vérité.

— Tous les jours. Je pense à lui tout le temps. Même si c'est moins douloureux qu'avant.

Yael ne parut pas étonné.

— Vous a-t-il donné quelque chose avant de mourir ? Un vêtement ? Un symbole important pour lui ? Des écrits ?

— Oui. J'ai des lettres d'amour de lui dans une boîte qui était toujours sur son bureau. Il me l'a donnée… juste avant…

Les mots ne sortaient plus. Elle avait le souffle court. Elle se força à reprendre.

— La nuit où ils ont attaqué le camp pour me délivrer… il m'a donné la boîte qui contenait son journal de bord. Il notait des choses dedans tous les soirs. J'ai été chercher ses lettres d'amour dans la tente, et c'est là que les commandos m'ont emmenée.

— Lisez-vous ses lettres tous les jours ?

— Non. Autrefois, oui. Maintenant, il m'arrive de les parcourir le soir, quand il me manque et que je suis triste. Je crois que je ne rencontrerai jamais quelqu'un comme lui.

— J'espère que non, fit Yael avec douceur.

Il ne le dit pas, mais il haïssait les hommes de son espèce qui manipulaient les autres au point de leur faire perdre de vue qui ils étaient.

— Lisez-vous également ses journaux ?

— Non. Ils sont trop idéologiques, trop abstraits, obscurs ; je n'y comprends rien.

— Où se trouve cette boîte ? L'avez-vous apportée à Paris ?

Ariana ne s'en était jamais séparée depuis qu'il la lui avait donnée.

— Elle est dans l'armoire de ma chambre, sur l'étagère la plus haute.

— Si quelqu'un vous la prenait, ou si vous la perdiez, cela vous ennuierait ?

Elle parut prise de panique à cette idée, comme si elle craignait qu'il ne lui demande de la lui donner. Elle en aurait été incapable. Il le savait, bien sûr. C'était tout le but de leur travail ensemble, qui ne faisait que commencer.

— Oui, fit-elle d'une toute petite voix. Énormément.

— Dans ce cas, nous allons en faire l'un de nos objectifs. Un jour, vous ne lirez plus ses lettres. Vous n'avez pas à racheter ses péchés en travaillant pour les pauvres et en faisant ce qu'il vous a dit de faire. Vous ne lui devez rien. Si votre père n'avait pas payé la rançon, il vous aurait tuée.

Yael lâcha cette phrase terrible d'un ton neutre.

— Il m'a protégée des autres hommes du camp, objecta-t-elle pour le défendre.

— D'après vous, qui leur donnait les ordres ? demanda-t-il simplement. C'était le chef du groupe. Il voulait juste que vous croyiez qu'il vous défendait contre les méchants. Ainsi, vous deveniez dépendante de lui, il était votre seul protecteur dans le camp. C'est en partie pour cela que vous ne voyiez pas clairement qui il était. Vous étiez amants ?

Là aussi, il connaissait la réponse. Elle confirma d'un hochement de tête avant d'ajouter :

— J'étais enceinte de lui. J'ai perdu l'enfant la nuit de l'attaque.

Elle parlait d'attaque et non de libération, car c'était encore ainsi qu'elle percevait les choses. Elle avait été tout aussi terrifiée cette nuit-là que le jour de son enlèvement par les hommes de Jorge. Plus encore, peut-être, du fait que les commandos s'étaient emparés d'elle dans des circonstances terribles – parmi les flammes de l'incendie, dans le noir –, et parce qu'elle avait vu mourir Jorge écrasé par un arbre en feu.

— Tous ces stratagèmes de votre amant avaient un seul but : mieux vous manipuler. Le fait qu'il vous protège dans le camp, bien sûr, mais aussi... j'imagine qu'il était le seul à vous nourrir et à vous donner à boire, que c'était lui qui vous libérait de vos liens ou de l'endroit où ils vous enfermaient.

Elle fit oui de la tête.

— Il vous faisait l'amour. Il vous disait qu'il vous aimait. Et il a eu la chance que vous tombiez enceinte de lui très vite. Grâce à cela, vous vous êtes encore plus attachée à lui. Je sais que vous ne me croyez pas, mais il ne vous aimait pas, Ariana. Il s'est servi de vous. Cela faisait partie de son plan, au même titre que la rançon. Il voulait l'argent de votre père, ainsi que votre esprit, et il a eu les deux. Il était intelligent. Un jour, si vous étiez restée avec lui, il se serait servi de vous dans sa révolution contre le système en place.

Yael marqua une pause pour allumer une cigarette. Il savait que ses propos étaient violents, mais il poursuivit néanmoins :

— Il vous manipule toujours, aujourd'hui, Ariana, puisque vous voulez servir les pauvres pour lui plaire au lieu d'exercer le métier qui vous plaisait avant. Vous ne devez rien à cet homme. Il vous aurait tuée sans hésiter si cela lui avait été plus utile. Il se trouve que, vivante, vous lui serviez davantage. Et il continue à vous contrôler avec ses lettres. Je veux que vous me promettiez de me le dire, à chaque fois que vous les lirez. Je ne vous ferai pas de reproches, mais j'ai besoin de savoir quand vous les lisez, pour l'avancée de notre travail ensemble.

— Je suis convaincue qu'il m'aimait, murmura la jeune femme.

— Croyez-moi, Ariana, il n'en était pas capable. C'était un homme dangereux, et il a joué un jeu dangereux avec votre esprit. Avez-vous envie d'être libérée de lui ?

Elle hésita un peu mais fit un signe d'assentiment.

— Même s'il vous faut savoir, pour y parvenir, qu'il ne vous aimait pas ?

Elle acquiesça encore, les larmes aux yeux.

— Avez-vous déjà été amoureuse d'un autre homme ?

Si c'était le cas, elle était de toute façon encore bien jeune et bien innocente.

— Non, pas vraiment. Je suis sortie avec des garçons qui me plaisaient et je commençais à vraiment m'attacher au garçon avec lequel je sortais avant notre départ de New York. J'ai eu un petit copain au lycée pendant quelques mois, et un autre à l'université. Mais c'étaient des garçons. Jorge, lui, était un homme – un homme fascinant.

— Fascinant, retors et dangereux, corrigea-t-il. Un homme qui détruisait ses semblables. Il vous aurait utilisée avant de se débarrasser de vous dès que vous ne lui auriez plus servi à rien. Sans doute vous aurait-il tuée après avoir obtenu la rançon. Il ne vous aurait jamais libérée. Vous en saviez bien trop. Vous auriez été dangereuse pour lui. Il jouait avec vous, Ariana, c'est tout. Ne lui offrez pas le reste de vos jours. Il faut vous libérer de ses manipulations si vous voulez mener une existence heureuse. Un jour, il y aura dans votre vie un homme que vous aimerez. Il ne faut pas que Jorge l'empêche d'y entrer. Un jour, vous aurez besoin de laisser tout cela derrière vous comme un très mauvais souvenir, comme un terrible accident. Vous avez survécu. Je ne veux pas que vous continuiez à boiter indéfiniment à cause de lui.

— Moi non plus, reconnut-elle. C'est pour cela que je suis ici.

— Parfait, dit-il en lui souriant et en se levant. Dans ce cas, nous savons ce qui nous reste à faire. C'est un très bon début. À demain, Ariana.

Elle se leva à son tour et se rendit compte alors qu'elle était en nage et complètement moulue. La séance avait duré trois heures.

L'après-midi, elle alla faire une grande promenade au bois de Boulogne en songeant à tout ce que lui avait dit Yael. Une partie d'elle restait persuadée que Jorge l'avait aimée. Ce qu'elle avait vécu avec lui avait été si réel, si fort ! Les propos de Yael, elle pouvait les admettre intellectuellement, mais pas les accepter au fond de son cœur.

Elle retourna ensuite au Louvre, puis elle rentra chez elle. Sam l'appela sur son portable pour savoir comment la première séance s'était passée.

— Ça a été dur, il n'y va pas par quatre chemins…, mais il a été gentil.

— Bon, me voilà rassuré, répondit-il.

Avec les années, il avait appris que Yael n'était pas toujours « gentil ». Toutefois, il faisait généralement moins de cadeaux aux hommes qu'aux femmes. Était-ce la galanterie française ? En tout cas, tant mieux s'il n'avait pas fait fuir Ariana. Elle avait vraiment besoin de son aide.

En ouvrant l'armoire de sa chambre ce soir-là, elle vit la boîte. Elle fut prise d'un intense désir de relire les lettres de Jorge, mais résista. Elle voulait pouvoir dire le lendemain à Yael qu'elle ne l'avait pas fait.

Voilà qu'elle avait envie de lui faire plaisir. Cela aussi, c'était un pas vers la guérison.

Elle se coucha sans dîner et dormit d'une traite jusqu'au lendemain matin. Elle se réveilla juste à temps pour prendre un bain, s'habiller et retourner chez Yael. Il commença la séance en lui parlant de la thérapie EMDR, une technique que l'on employait souvent pour les gens ayant subi un traumatisme extrême, et qui consistait à lui tapoter les genoux en rythme en lui demandant de fermer les yeux et de revivre la journée de son enlèvement. Malgré son appréhension, elle accepta. Elle lui raconta tout, les yeux fermés. Puis il lui demanda de rouvrir les yeux et de revivre encore les événements. Elle eut alors l'impression de voler en arrière tandis que les hommes qui l'avaient enlevée rapetissaient à mesure qu'elle s'éloignait. Il ne fut pas question de Jorge, ce jour-là. Uniquement des hommes qui l'avaient arrachée de la voiture sur le chemin de la *finca*. Elle fut stupéfaite de se rendre compte qu'elle se souvenait de chacun d'eux en détail, comme si la pellicule du film était gravée dans sa tête. Tout y était encore. Quatre heures durant, Ariana raconta... À la fin, elle avait la nausée. Mais cette sensation de voler en arrière à grande hauteur l'avait beaucoup impressionnée. De loin, les hommes lui semblaient beaucoup moins menaçants.

En rentrant chez elle cet après-midi-là, elle vomit. Elle le dit à Yael le lendemain. Cela n'inquiéta pas le thérapeute, qui continua d'appliquer la même technique pour chaque jour de sa séquestration. Jorge ne tarda pas à apparaître sur le film.

C'était un processus laborieux, long et lent. À la fin de la deuxième semaine, elle se rendit compte qu'ils avaient encore beaucoup de travail. Six mois, peut-être, ou trois. Mais certainement pas six semaines, comme elle l'avait espéré. Elle avait lu les lettres de Jorge deux fois au cours des quinze derniers jours : un besoin de se rassurer quand ce qu'elle avait revécu dans la journée lui faisait trop peur. Elle avait besoin de se rappeler qu'il l'aimait. Son amour était tellement moins inquiétant que ce qu'elle avait vécu au début, quand ils la mettaient dans la boîte et l'y laissaient cuire en plein soleil toute la journée jusqu'à ce que Jorge vienne la délivrer.

Elle commençait à comprendre ce que Yael avait voulu dire lors de la première séance. C'était toujours Jorge qui lui donnait à manger et à boire. Toujours Jorge qui l'emmenait aux toilettes, qui ordonnait qu'on la sorte de cette espèce de cercueil étouffant, c'était lui qui l'emmenait se laver et se baigner à la rivière. C'était par lui que la souffrance prenait fin. Il n'était pas difficile de voir pourquoi elle avait cru qu'il l'aimait. Se rendre compte qu'il ne s'agissait de sa part que d'une habile manipulation l'attrista profondément.

Cependant, elle restait persuadée qu'avec le temps Jorge était tombé sincèrement amoureux d'elle. Certes, il l'avait manipulée au début pour qu'elle ne s'enfuie pas, mais ensuite il l'avait aimée. Ses gestes, ses paroles, ses lettres le prouvaient.

Yael ne la contredit pas. Ils avaient déjà accompli beaucoup de travail et il était satisfait du chemin parcouru. Ariana était un bon sujet. Elle y mettait de la bonne volonté et elle était honnête avec lui, et intelligente. Ils allaient y arriver, il le savait. Il ignorait le temps que cela prendrait mais elle finirait par se libérer de Jorge. Ce jour-là, elle se demanderait même comment elle avait pu tomber amoureuse de lui et croire ce qu'il lui disait. Ce jour-là, leur travail serait terminé. En attendant, ils avaient du pain sur la planche.

10

Les trois premiers mois, jusqu'en mai, Ariana vit Yael cinq fois par semaine. Elle revécut chaque jour de sa captivité, ses impressions, ce qui s'était dit, ce qu'on lui avait fait, les hommes qui l'avaient enlevée, le meurtre du chauffeur, la raison de son sentiment de culpabilité alors qu'elle n'était pour rien dans son enlèvement, la mort de son père. C'était lui qui avait tenu à ce qu'ils partent en Argentine alors qu'elle l'avait supplié de rester à New York. Pourtant, maintenant, elle avait l'impression que son décès, comme tout le reste, était sa faute à elle. Elle commençait de percevoir comment Jorge l'avait manipulée et contrôlée, comment il avait faussé sa pensée, mais elle avait encore beaucoup de chemin à faire dans cette direction. Après le 1er Mai, le jour de la fête du Travail où tout le monde, en France, échange des brins de muguet, Yael lui proposa de ne venir que trois fois par semaine. Il voulait avancer plus lentement. Elle avait encore souvent la nausée après leurs séances, surtout quand il appliquait la technique de thérapie EMDR qui était d'une très grande intensité. Il voulait aussi qu'elle ait le temps de faire d'autres choses.

— Mais à ce rythme, je serai encore là dans dix ans, objecta-t-elle.

— N'exagérons pas, Ariana... Et quand bien même ? Serait-ce si grave que cela ? Qu'est-ce qui vous presse à ce point de rentrer ?

Il savait que rien ne l'attendait à New York. Elle n'avait plus que les religieuses de Sainte-Gertrude et l'appartement vide de son père. Pas de compagnon ni de travail, et surtout, pas d'idée sur le métier vers lequel elle souhaitait se diriger... Elle savait juste qu'elle voulait exercer une activité qui ait du sens pour elle. Pour le moment, elle avait la chance de n'avoir pas besoin de travailler pour vivre. Au passage, elle lui apprit qu'elle ne s'était pas occupée de la succession de son père et qu'elle s'en sentait coupable. Encore une conséquence du mépris de Jorge pour les riches, « Los Ricos ». Elle ne voulait pas en faire partie. Or la rançon que son père avait payée – pas en totalité, il est vrai – n'avait pas même fait un trou dans sa fortune. Il était extrêmement riche et lui avait tout légué. Mais Jorge lui avait fait honte de ce qu'elle était.

Yael fit valoir qu'il était admirable de se préoccuper des pauvres... si c'était pour de bonnes raisons. Pas s'il s'agissait de rejeter les biens de son père afin de conserver l'approbation de Jorge et de vivre selon les normes qu'il lui avait imposées. Qui sait pour quelles raisons Jorge avait exigé une rançon de vingt millions de dollars ? Pour aider les pauvres, comme il le prétendait, ou pour faire sa pelote ? La CIA avait signalé à Yael qu'il était probable que Jorge ait envoyé de l'argent en Suisse. Il le rappelait régulièrement à

Ariana pour déboulonner le révolutionnaire et démystifier sa prétendue mission sacrée.

— Et puis, je crois qu'il vous faut du temps pour voir autre chose, reprit le thérapeute. Pour profiter de Paris, vous faire des amis, rencontrer des gens, faire des choses qui vous plaisent...

Il ne fallait pas qu'elle sacrifie tous les plaisirs de la vie au rachat de ses péchés.

— Il ne faut pas vouer toute votre existence à effacer Jorge, souligna-t-il avec raison. Ni renoncer à votre vie pour servir les pauvres. Pas encore, en tout cas. Il faut vous amuser, Ariana, faire ce que vous faisiez avant. Allez au théâtre, au cinéma ; faites du shopping.

En sortant de son cabinet, elle n'était toujours pas convaincue. Elle ne se sentait pas prête à retourner dans le monde. Cela l'effrayait. Toutefois, elle se sentait mieux et n'avait pas touché à la boîte en métal ni lu les lettres de Jorge depuis trois semaines. Jamais encore elle n'avait tenu aussi longtemps. N'empêche qu'elle les gardait encore sous la main, au cas où. Yael n'y voyait rien à redire. Il savait que, le moment venu, quand ils seraient au bout du chemin, elle s'en séparerait. En attendant, il en parlait en plaisantant comme de la bouteille cachée sous le lit.

Un jour qu'elle flânait sur les quais en jetant au passage des coups d'œil aux bouquinistes et aux bateaux-mouches, son attention fut attirée par la devanture d'une animalerie. Quelque chose la poussa à entrer. Elle y découvrit la collection d'animaux la plus hétéroclite qui soit : lézards, iguanes, rats, souris, un furet et même des poules. Et puis, le long d'un mur, des chiots à l'air abattus qui attendaient un maître. Il y avait là toutes sortes de terriers, un caniche, des yorkshires et un bouledogue français dont l'expression était fort soucieuse. Le vendeur lui précisa que c'était le culot de portée et qu'il était particulièrement petit. C'était une femelle, avec une tache noire sur l'œil, la truffe rose et tout le reste du corps blanc. Elle fixa intensément Ariana et se mit à pousser de petits aboiements ridicules. Elle avait huit semaines. Ariana demanda à la tenir dans ses bras. La petite chienne était adorable : elle lui lécha la joue puis se mit à courir en rond autour de ses pieds en jappant pour jouer. Mais, non… Ariana ne voulait pas de chien. Que ferait-elle d'un chien ? Elle avait beaucoup de travail, ici, avec Yael. Elle était encore sous le coup du traumatisme qu'elle avait subi. Sauf que ce chiot n'avait rien de traumatisant, justement. C'était une créature irrésistible, faite pour être aimée.

— Merci beaucoup, dit-elle pourtant en rendant le chien au vendeur et en sortant de la boutique d'un pas résolu.

Elle rentra chez elle, fière de n'avoir pas succombé. Elle entendait encore les petits cris du chiot quand elle était partie. Elle raconta la scène à Yael le lendemain.

— Pourquoi ne l'avez-vous pas acheté ? voulut-il savoir. Vous en êtes-vous privée ou n'avez-vous vraiment pas envie d'un chien ?

— Je ne sais pas, reconnut-elle en y réfléchissant.

— Cela vous ferait de la compagnie, observa-t-il en regardant le vieux berger endormi à ses pieds. Ce serait bon pour vous.

L'animal assistait à toutes les séances et semblait le suivre partout. C'était vrai, les Français aimaient énormément les chiens.

— Il faudrait que je la sorte tous les jours… Et s'il m'arrivait quelque chose ? Si quelqu'un m'attaquait, m'enlevait pendant ces promenades ?

Enfin, elle lui disait le fond de sa pensée. Cela lui avait demandé du temps.

— Vous avez peur d'être à nouveau kidnappée, Ariana ?

Elle hocha la tête, les larmes aux yeux.

— Cela a très peu de chances de se produire, surtout en France. Il n'y a pas de bandits de grand chemin, chez nous. Je ne me souviens même pas du dernier enlèvement qui a eu lieu dans l'Hexagone ; c'est très rare, en tout cas.

Elle le savait bien, mais n'empêche qu'elle avait peur.

— Vous sentiriez-vous mieux avec un garde du corps ? s'enquit-il sérieusement.

Elle devait en avoir les moyens, et si cela pouvait la rassurer... Il était très souple pour ce genre de choses.

— Oh non ! je me sentirais idiote, avoua-t-elle. Il faut que je sois capable de sortir comme tout le monde.

— Vous n'êtes pas comme tout le monde, Ariana. Vous avez été enlevée et retenue en otage par des rebelles pendant trois mois. Fort peu de gens ont vécu cela. Il est normal que vous ayez peur.

— Oui, c'est vrai... j'ai peur.

De l'avoir dit, elle se sentait mieux. Et en sortant de chez Yael, elle pensait au petit chien. L'après-midi, elle retourna à l'animalerie sur les quais. Le petit bouledogue blanc était toujours là et lui fit fête dès qu'il la vit. Cette fois, elle ne put résister. Elle n'essaya même pas. Maintenant qu'elle en avait parlé à Yael, elle n'avait plus l'impression de faire une folie. Elle acheta tout le nécessaire, y compris une laisse rose et un collier avec des diamants fantaisie, et rentra chez elle avec le chiot.

La joie de la petite chienne était communicative. Dans l'appartement, elles jouèrent avec les jouets qu'Ariana avait choisis dans la boutique. La jeune femme rit beaucoup et passa une fin de journée merveilleuse. Le lendemain, comme elle n'avait pas de séance avec Yael, elle alla la promener au parc de Bagatelle. Elle était encore trop petite pour jouer avec les autres chiens, mais Ariana courut avec elle dans l'herbe jusqu'à ce que le chiot, épuisé, roule sur le dos, les pattes en l'air. Elle était complètement craquante. Les passants souriaient en la voyant. Ariana la baptisa : elle s'appellerait Lili.

Le lendemain, elle l'emmena chez Yael pour la lui présenter. Le vieux berger parut un peu agacé par cette visiteuse qu'il renifla avant de s'éloigner. Lili dormit aux pieds d'Ariana toute la séance. Ensuite, elle l'emmena se promener aux Tuileries. En effet, cela lui faisait une excellente compagnie. Elle avait l'impression d'avoir une nouvelle amie.

Au cours des trois mois suivants, les séances se poursuivirent au rythme de trois par semaine. Puis un jour, son thérapeute lui annonça qu'il s'absentait un mois. Il avait un bateau dans le sud de la France et comptait descendre à la voile en Italie avec sa femme, ses enfants et un autre couple.

— Ah ? Nous avons fini ?

Ils travaillaient ensemble depuis six mois.

— À votre avis, Ariana ?

Elle secoua la tête. La boîte en métal était toujours dans l'armoire. Elle avait relu les lettres quelques jours plus tôt. Elle commençait à se demander si elle surmonterait jamais cette épreuve. Néanmoins, elle n'était plus si pressée de quitter la France. Elle y était heureuse. Elle adorait son appartement. Plusieurs fois, elle avait loué une voiture pour se rendre à la campagne, ce qui était un grand pas pour elle. Au début, elle s'attendait à chaque instant à se faire attaquer ou enlever. Maintenant, elle n'y songeait même plus en roulant. Elle emmenait Lili partout. Peu à peu, elle s'enhardissait et sortait de sa zone de confort. Quoique beaucoup trop petite pour la protéger, Lili lui procurait une illusion de sécurité.

— Quand rentrez-vous à Paris ?

Qu'allait-elle faire en l'absence de Yael ? Il était le point central de sa vie ici. Même si elle s'était mise à visiter des musées et des expositions, à assister à des ventes aux enchères, à faire du shopping et, bien sûr, à promener son chien, toute sa vie s'articulait autour de ses rendez-vous avec le thérapeute.

— Dans un mois, répondit-il. Fin août. Nous reprendrons dès mon retour.

Apparemment, toute la France allait être fermée pendant un mois, même certains restaurants et certaines boutiques.

— Quand estimez-vous que nous aurons fini, Yael ? demanda-t-elle, en proie à un découragement subit.

— Lorsque la boîte ne sera plus dans votre armoire et que vous ne lirez plus les lettres.

Ni lui ni elle ne pouvaient prédire quand ce jour arriverait. Si Ariana songeait beaucoup moins souvent à Jorge, Yael sentait à certains détails que son influence restait présente. Elle essayait encore de lui plaire, d'être la femme qu'il aimait ou prétendait aimer.

Ariana songea alors que, puisque Yael partait pendant un mois, elle pouvait tout aussi bien en faire autant. Elle loua donc une voiture et se dirigea vers le sud de la France, faisant étape dans des lieux qu'elle avait envie de visiter. Bien entendu, Lili l'accompagnait et dormait sur le siège passager. Elle descendit à Aix-en-Provence et Saint-Paul-de-Vence, puis alla jusqu'à Saint-Tropez, où elle passa quelques jours avant de remonter tranquillement à Paris. En tout, elle s'était absentée trois semaines. Et elle n'avait pas manqué d'écrire des cartes postales de partout aux sœurs de Sainte-Gertrude. Depuis trois mois, elle leur envoyait aussi des photos de Lili par e-mail.

Pendant ces vacances, elle lut un livre que lui avait donné Yael sur le syndrome de Stockholm ainsi qu'une biographie de Patty Hearst. Cette femme aussi était tombée amoureuse de son ravisseur lorsqu'elle avait été enlevée. Les deux ouvrages lui permirent de mieux comprendre comment elle en était venue à aimer Jorge, de voir comment il l'avait, à dessein, rendue dépendante de lui, faisant en sorte d'être sa bouée de sauvetage.

En septembre, elle se remit au travail avec Yael. Néanmoins, ils ne firent d'avancée majeure qu'à Noël, quand elle comprit que Jorge avait utilisé sa grossesse pour la manipuler davantage encore. Ce qui comptait pour lui, c'était de la posséder et de lui mettre l'esprit sens dessus dessous. Désespérée, terrifiée, elle s'était raccrochée à lui et avait voulu croire à son amour pour elle. D'autant qu'elle était privée des seuls êtres auxquels elle tenait et en qui elle avait confiance. Sa mère, morte l'année précédente, et son père, à qui elle avait été enlevée.

— Êtes-vous prête à vous débarrasser de la boîte, maintenant ? lui demanda Yael comme un dernier défi. Ce serait un beau cadeau de Noël à vous faire à vous-même. Vous pourriez l'emballer et l'enterrer ou la jeter.

Non… cette pensée la terrifiait. Elle n'était pas encore prête à renoncer à ces lettres qui étaient le symbole de l'amour qu'un homme lui avait porté.

— Et si plus jamais personne ne m'aimait ?

— À vingt-cinq ans, avec votre beauté, votre intelligence et votre charme ? C'est très peu probable, assura-t-il en souriant.

— Après le nouvel an, alors, suggéra-t-elle prudemment.

Il ne la poussa pas. Il fallait que cela vienne d'elle.

Et en effet, ce fut elle qui remit le sujet sur le tapis en janvier, au retour de Yael qui avait passé les fêtes aux sports d'hiver. Cela faisait près d'un an qu'elle travaillait avec lui. L'anniversaire de leur première séance approchait. Elle avait eu une révélation.

— Je suis prête, fit-elle, le souffle court. Je crois que j'ai fini.

Elle ne voulait plus de Jorge dans sa vie, pas plus de ses lettres que de son journal de bord. Elle en avait assez de voir cette boîte dans son armoire, le souvenir des pires jours de son existence.

— Nous nous sommes vus, Yael, pour la première fois le 2 février, dit-elle. Je m'en débarrasserai ce même jour.

— Comment allez-vous vous y prendre ? s'enquit-il avec intérêt.

Il fallait que ce soit son scénario à elle, tout comme ce serait sa victoire, sa délivrance.

— Je crois que je vais l'enterrer. En promenant Lili, peut-être. Nous creuserons ensemble.

— Allez-vous laisser le contenu de la boîte intact ?

Elle réfléchit quelques instants et secoua la tête.

— Je préfère tout brûler et remettre les cendres dans la boîte. Un peu comme une incinération.

Elle visualisait la scène. En un sens, cela reviendrait un peu à enterrer Jorge et tout ce qu'elle avait cru partager avec lui. Yael hocha la tête, approbateur. C'était à chacun de trouver comment se libérer.

— Le 2 février, donc. Souhaitez-vous que je vous accompagne ?

— Non. Je veux le faire seule.

Le 1er février au soir, elle mit la boîte en métal dans l'évier de la cuisine et sortit précautionneusement les lettres qu'elle présenta à la flamme d'une allumette. Assise à côté d'elle, Lili la regardait avec curiosité, comme si elle sentait qu'il se produisait quelque chose d'important. Les mains d'Ariana tremblaient. Les coins d'une feuille roussirent et se recourbèrent. Sans réfléchir, elle éteignit le feu. Soudain, elle ne voyait plus que son corps qui s'embrasait sous l'arbre tombé la nuit de sa libération. Elle avait l'impression de le faire brûler à nouveau. Elle ne pouvait pas. La symbolique était trop forte et lui rappelait trop cette épouvantable nuit. Elle refit l'essai avec une autre lettre, mais souffla la flamme tout aussi vite. Le journal de bord ? Il était trop épais pour brûler convenablement. Il y avait sept carnets. Que faire ? Appeler Yael pour lui demander conseil... Non, il fallait qu'elle trouve seule la solution.

— Et toi, qu'en dis-tu ? demanda-t-elle à Lili qui inclina la tête sur le côté.

Elle regarda la chienne un petit moment. Voilà ! elle savait ce qu'elle allait faire. Elle ne brûlerait pas les lettres ni les carnets. Elle les laisserait intacts dans la boîte en fer et enterrerait le tout dans le parc le lendemain matin en promenant Lili.

Elle trouva dans le tiroir de la cuisine une grande cuiller de service qui pourrait faire office de pelle si la terre était suffisamment meuble pour lui permettre de creuser un trou assez grand pour la boîte. Après cela, ce serait fini. Enfin. Elle allait enterrer Jorge à Paris. L'effacer de son cœur et de son esprit. Il était temps. Elle était prête à passer à autre chose.

Cette nuit-là, elle songea à lui sans trouver le sommeil et attendit avec impatience le matin. Elle fut debout avant le jour. Il neigeait. Hum... Il n'allait pas être facile de se rendre au parc de Bagatelle et d'enterrer la boîte dans ces conditions. Pourvu que le temps se lève... Elle tenait à le faire aujourd'hui ; c'était symbolique. Il y avait tout juste un an qu'elle travaillait avec Yael à redevenir elle-même et un peu plus de deux ans qu'elle avait été délivrée par les Israéliens. Elle ne voulait pas attendre un jour de plus. C'était le moment.

L'après-midi, la neige fit place à la pluie, laquelle cessa de tomber vers seize heures trente. Il faisait encore jour. Elle mit sa laisse à Lili et attrapa la boîte. Jamais elle ne s'en était séparée depuis que Jorge la lui avait confiée. Elle lui avait fait honneur, rendu justice bien plus qu'il ne le méritait. Il n'était digne ni de son amour, ni de son dévouement, ni de la confusion qui s'était emparée d'elle après sa libération. Il n'était digne de rien, finalement, si ce n'est du destin qui avait été le sien. Elle le savait, maintenant. Elle n'en doutait plus.

Elle se rendit donc à Bagatelle avec Lili, la cuiller dans une poche, et la boîte sous son bras. L'objet de métal lui faisait l'impression d'être incandescent. Il lui tardait de s'en débarrasser, ainsi que de son contenu. Elle marcha un peu et trouva une clairière bordée de haies. Sous les buissons, la terre paraissait meuble. Elle lâcha la laisse de Lili et se mit à creu-

ser avec la cuiller. Après la pluie, c'était plus facile
qu'elle ne s'y attendait. Le trou fut bientôt assez
grand. Elle y déposa la boîte, pria un instant pour sa
propre tranquillité d'esprit et pour cette vie qu'elle
avait enfin retrouvée. Enfin, elle recouvrit la boîte
de terre humide jusqu'à la faire disparaître complètement. Voilà, elle en était délivrée à tout jamais. Sa
vie pouvait reprendre son cours, maintenant. Certes,
elle était transformée, mais plus forte, peut-être, et
meilleure après les épreuves qu'elle avait traversées.
Elle regarda une dernière fois le trou rebouché, tombeau de la boîte et de son contenu.

— Au revoir, dit-elle doucement avant de ramasser
la laisse de Lili.

Elles rentrèrent en courant à l'appartement. De sa
vie elle ne s'était sentie aussi libre.

Ariana et Marshall

11

Le jour de l'arrivée de Marshall à Paris, il neigeait. Il resta un moment sur la terrasse de son appartement, à regarder tomber les énormes flocons. On se serait cru dans un paysage de conte de fées. Jamais il n'avait rien vu d'aussi beau. Il défit ses valises et alla acheter de quoi dîner et une très bonne bouteille de vin rouge pour fêter son arrivée dans la capitale française. Puis la neige fit place à la pluie. Stanley le fixait d'un air triste. Il avait envie de sortir mais il pleuvait trop.

— Retiens-toi encore un peu, lui dit-il. Je te promets de t'emmener te promener dès que cela se calmera.

Le gros chien poussa un petit gémissement et se recoucha comme s'il acceptait le marché – à contrecœur. Une heure plus tard, il avait cessé de pleuvoir.

Marshall tint parole sans grand enthousiasme. Il remit son manteau, et saisit également son écharpe. Il faisait plus froid qu'à Washington. Au moins, l'air était pur et sec. Stanley et lui se mirent à marcher d'un bon pas en direction du parc que Marshall avait déjà repéré. Devant eux, il remarqua une jolie jeune femme blonde avec un petit chien blanc qui avançait d'une démarche décidée, une boîte sous le bras. Il y avait chez elle un mélange de grâce et de mystère qui l'intrigua.

Bien qu'ils fussent assez loin derrière, Stanley releva la tête et s'intéressa au petit chien blanc après lequel il aurait voulu courir. Marshall le retint. La jeune femme entra dans le parc et ne tarda pas à diparaître devant eux. Il la revit au détour d'une allée. Elle était penchée sur quelque chose à côté de la haie. Il crut d'abord qu'elle ramassait une saleté de son chien avec une petite pelle. Elle avait posé sa boîte par terre à côté d'elle. Elle lui tournait le dos et le petit bouledogue blanc la regardait. En fait, elle creusait un trou. Puis elle prit la boîte. Un rayon de soleil – le premier de la journée peut-être – se refléta dessus : elle devait être en métal. Marshall était à la fois gêné et fasciné de l'observer ainsi. Elle était belle mais, même à cette distance, il lisait une grande tristesse sur son visage. Elle déposa la boîte dans le trou, ferma les yeux et dit quelques mots. Il continua d'avancer en restant dans l'allée, sans s'approcher d'elle. Brusquement, le visage de la jeune femme s'apaisa. Elle reprit la laisse de son chien et s'éloigna. Elle semblait soulagée d'un énorme fardeau. Qu'y avait-il donc dans cette boîte ?

Marshall avait appris à observer les êtres et les situations inhabituelles. Quelque chose chez cette jeune femme et dans cette scène excitait sa curiosité. Elle se mit à courir vers la sortie du parc, un grand sourire aux lèvres. Visiblement, elle venait d'accomplir quelque chose d'important. Son instinct l'alerta. Tout cela avait-il un rapport avec un acte illicite ? Elle n'avait pas l'air d'une criminelle, mais il ne fallait pas se fier aux apparences. Certes, la boîte était trop petite pour contenir un corps, songea-t-il en riant de ses soupçons. Ou alors celui d'un animal de compagnie. Toutefois, il aurait été peu probable que cela la mette en joie. Elle avait l'air bien plus heureuse en sortant du parc qu'en arrivant.

Marshall poursuivit sa promenade dans le parc. Plus il avançait, songeur, plus il lui semblait que le comportement de la jeune femme était suspect – étrange à tout le moins. Sur le chemin du retour, Stanley tira sur sa laisse quand ils approchèrent du buisson où elle avait enterré la boîte, comme s'il sentait quelque chose, lui aussi. En bon chien de chasse, il ne manquait pas de flair.

— Doucement, mon vieux, fit Marshall.

Le sol était glissant et il avait moins d'équilibre qu'autrefois, avec son bras inerte. Il donna du mou à la longue laisse et Stanley se mit à gratter la terre fraîchement remuée. Quand son maître le rejoignit, il creusait frénétiquement. Il s'interrompit une seconde pour lui jeter un coup d'œil comme s'il attendait son aide.

— Ne me regarde pas comme ça : tu te débrouilles très bien tout seul. Je n'ai qu'un bras valide.

Stanley ne tarda pas à découvrir la boîte et se mit à aboyer. Était-ce l'odeur de la jeune femme, du petit chien blanc ou du contenu qui l'avait attiré ? Marshall se sentait un peu ridicule de récupérer ce qu'elle venait d'enterrer, mais la curiosité fut la plus forte. Il saisit la boîte.

C'était un coffret d'aviateur. Il l'ouvrit précautionneusement, d'une main, non sans une certaine appréhension. On ne savait jamais ce que les gens pouvaient enterrer. Il trouva d'abord une pile de lettres ; les bords de la première avaient été brûlés. Il fouilla dessous et découvrit des petits carnets. Rien d'inquiétant, donc : ni drogue ni restes d'un animal. Rien que des écrits. Il allait remettre le tout en place quand sa curiosité le piqua de nouveau. Pourquoi les avoir enterrés au lieu de les jeter, tout simplement ? Il épousseta le coffret de sa bonne main et tassa la terre du pied pour que la jeune femme ne se rende pas compte que la boîte avait disparu si elle revenait. Il jeta à Stanley un regard penaud.

— Je suis ridicule, je sais. Mais quand on est un ancien agent de la DEA, on ne se refait pas. Être soupçonneux, c'est une seconde nature. Je te parie que ce sont juste des lettres d'amour...

Tout de même, ce coffret d'aviateur, c'était bizarre. Cela sentait le mystère. Marshall se redressa, la boîte sous son bras valide, et se dirigea vers la sortie. Le chien le fixait d'un air réprobateur.

— Ne me regarde pas comme ça, Stanley. D'ailleurs, c'est toi qui as creusé...

Le chien renifla et détourna la tête puis essaya de courir derrière un oiseau malgré sa laisse.

Sur le chemin du retour, Marshall avait l'impression de rapporter chez lui un trésor. Il lui tardait de comprendre pourquoi la jolie blonde s'était séparée de ces lettres. La réponse serait sans doute des plus banales... Ensuite, il se débarrasserait du coffret, des lettres et des carnets. Il ne retournerait pas les enterrer, non, de crainte qu'elle ne le surprenne si elle revenait au parc. Il trouverait un autre moyen.

Il posa la boîte sur la table de la cuisine et l'essuya avec un chiffon humide. Puis il ouvrit magistralement la bouteille de Château Margaux d'une seule main, en la calant entre ses genoux, et se servit un verre. Il sourit. En plus de ce nectar, il avait un petit mystère à résoudre pour fêter son arrivée à Paris. Il porta son butin dans le salon, revint chercher son verre et s'installa dans le canapé en cuir. Il se sentait très Sherlock Holmes. Il ouvrit le coffret et sortit les lettres. Il lut celle dont les bords étaient brûlés et eut la stupeur de découvrir qu'elles étaient en espagnol – la jeune femme blonde était-elle espagnole ? Il s'agissait en tout cas d'une lettre d'amour torride adressée à une certaine Ariana par un certain Jorge. Il n'y avait pas dans ces lignes l'ombre d'une tension ou d'une dispute. C'était de la passion à l'état pur. Jorge décrivait les merveilles de ses lèvres, de ses yeux, de son corps quand il lui faisait l'amour. Marshall fut gêné de lire les mots aussi intimes d'un amant, d'autant qu'il avait vu celle à qui ils étaient probablement adressés. Il n'y avait pas de date, nota-t-il. Les bords brûlés l'intriguaient un peu. Bah, sans doute avait-elle voulu les brûler et s'était-elle ravisée.

Il but une gorgée de Château Margaux et s'installa plus confortablement pour lire la suite des lettres et des journaux. La nuit était tombée. Son appartement était douillet et chaleureux. Il était bien. Ce qu'écrivait Jorge le captivait. Cette Ariana, qu'elle fût ou non la blonde du parc, devait être une femme extraordinaire pour avoir inspiré de telles missives.

12

Il y avait une trentaine de lettres dans la boîte, bien empilées. Marshall pensait n'en lire que quelques-unes, mais, pris par l'amour, la passion, l'intensité qui s'en dégageaient, il fut incapable de s'arrêter. À minuit, il les avait terminées. Finalement, ces lettres avaient un côté *Roméo et Juliette* un peu trop prononcé à son goût. À force de répéter qu'il ne faisait qu'un avec son amante, l'auteur semblait chercher à la convaincre qu'elle ne pouvait exister sans lui et qu'elle devait renoncer à tout ce qui restait de « sa vie d'avant » pour être avec lui. Il le répétait souvent. Tout portait à croire que les trente-deux lettres avaient été rédigées sur une période assez courte. À un moment donné, Jorge se mettait à évoquer l'enfant qu'elle portait désormais. Donc, elle était tombée enceinte. Pourtant, manifestement, cela n'avait pas marché entre eux ou il n'avait pas réussi à la convaincre de le suivre dans cette « nouvelle vie » puisqu'elle avait enterré les lettres à Paris, seule. Avait-elle un mari, un autre homme dans sa vie qui ne devait pas les lire ? On pouvait trouver mille explications plus romanesques les unes que les autres à la façon dont elle s'en était débarrassée. Et Jorge n'était peut-être pas un homme si bien que cela, en dépit de ses mots d'amour. Marshall lui trouvait un côté malsain, avec ses notions de « fusion » et sa volonté de lui faire tout oublier de sa « vie d'avant ». Cela lui semblait excessif et la jeune femme blonde en avait peut-être pensé autant.

Il se plongea dans les journaux, eux aussi écrits dans un bon espagnol, d'une écriture impeccable qui ressemblait à celle des anciens élèves des jésuites, en Europe. Ses idées politiques étaient aussi extrêmes que ses idéaux romantiques. Il parlait de mettre en place un ordre nouveau, un monde nouveau, dans lequel tout ce qui avait existé jusqu'à maintenant devrait être détruit. Il annonçait que les pauvres allaient conquérir le monde, que tous les riches seraient punis et privés du pouvoir. Cette philosophie révolutionnaire classique se poursuivait sur des pages et des pages ; l'auteur donnait l'impression de s'écouter parler. À première vue, il était atteint du complexe de Dieu, voulait diriger le monde et était animé d'une haine profonde des classes supérieures et de tous ceux qui avaient de l'argent. Marshall s'interrompit dans sa lecture et regarda Stanley.

— Tu veux que je te dise ? On dirait un communiste, dit-il en souriant et en reprenant une gorgée de ce vin magnifique.

Le chien roula sur le dos et fit le mort.

Marshall se replongea dans sa lecture. Faute d'éléments pour déterminer l'ordre des carnets, il avait commencé par le premier qui lui était tombé sous la main. Au bout d'un certain temps, il fut question d'une femme qu'ils avaient prise. L'auteur disait que son père allait financer leur mouvement pour des années et semblait y voir une certaine ironie. Manifestement, il ne la voyait ni plus ni moins que comme un gagne-pain. Il racontait qu'elle était enfermée dans la boîte, qu'il l'en avait libérée cet après-midi et il se vantait de la posséder très bientôt. Marshall relut ce passage. « Prise », « enfermée dans la boîte » : qu'est-ce que cela signifiait ?

Un peu plus loin, l'auteur désignait la femme par son prénom : Ariana. Il disait combien elle était belle, qu'il l'avait regardée se baigner dans la rivière. Ainsi, c'était bien la même que celle des lettres. Sauf que la façon dont Jorge en parlait mettait Marshall mal à l'aise. D'une part, il se sentait un peu voyeur ; d'autre part, il y avait chez Jorge une violence et une volonté de pouvoir, de possession, de contrôle total. Marshall en avait froid dans le dos. Il n'avait déjà plus aucune sympathie pour cet homme quand il arriva à un paragraphe où il racontait que ses hommes avaient tué le chauffeur d'Ariana. Il ouvrit grands les yeux. Ce qu'il lisait lui rappelait quelque chose. Mais quoi ?

Il voulut finir le carnet qu'il avait commencé mais le décalage horaire eut raison de lui et il s'endormit dessus. Quand il se réveilla, le soleil entrait abondamment dans la pièce et Stanley donnait de petits coups de truffe à son bras valide. Il avait envie de sortir. Il était plus de dix heures.

— D'accord, d'accord. Une minute, Stanley, dit-il en se levant.

Il se passa de l'eau sur le visage et se regarda dans le miroir. Les vêtements avec lesquels il avait dormi n'étaient pas trop froissés. Il mit une casquette sur ses cheveux en bataille et enfila rapidement son manteau. Stanley l'attendait à la porte.

Ils descendirent prestement l'escalier et sortirent, direction le parc. Là, ils se mirent à courir dans l'allée et, dans le même tournant que la veille, Marshall avisa Ariana, avec son chien, à l'endroit où elle avait enterré la boîte. Pourvu qu'elle ne soit pas venue la récupérer, qu'elle ne se soit pas rendu compte qu'elle avait disparu... Elle ne l'avait pas repéré. Heureusement, parce qu'il devait avoir l'air sacrément coupable. Stanley tirait sur sa laisse pour se rapprocher du petit bouledogue blanc.

— Viens, dit Marshall en se remettant à marcher.

Le chien accepta de mauvaise grâce de dépasser son congénère.

La jeune femme n'avait pas l'air contrariée, nota Marshall. Elle ne devait rien avoir remarqué... Il ralentit pour la regarder. Elle portait un caban et une écharpe rouge et avait natté ses longs cheveux blonds. Comme si elle s'était sentie observée, elle se retourna et leurs regards se croisèrent, puis elle s'éloigna. Il n'avait saisi aucune expression particulière dans ses yeux. Elle semblait distraite et n'avait pas fait attention à lui.

Dix minutes plus tard, de retour chez lui, Marshall s'écroula dans le canapé pour reprendre sa lecture. Il finit le premier carnet avant midi, prit une douche, se changea, mangea un morceau et se plongea dans le deuxième. Il n'y trouva que des élucubrations politiques des plus lassantes. Le troisième, en revanche, réveilla son intérêt. Jorge y évoquait son frère Luis. Il prédisait qu'il serait président, un jour. Selon Jorge, Luis dissimulait très habilement sa véritable allégeance. Cela lui avait permis de se faire une place dans les sphères du pouvoir. Ils attendaient leur heure. Jorge lui avait promis une part de la rançon, et Luis s'en servirait pour acheter des armes en Bolivie et en Équateur ; il déposerait le restant sur un compte secret.

Marshall se mit à faire les cent pas dans le salon. L'action se passait donc en Amérique latine. Mais dans quel pays exactement ? Rien ne permettait de le deviner. Jorge évoquait des montagnes et des forêts qui auraient pu se trouver n'importe où. La curiosité de Marshall était à son comble. Contrairement à ce qu'il avait pensé en lisant les lettres, la jolie blonde n'était sans doute pas espagnole mais plutôt sud-américaine. Qui était-elle, bon sang, qui était-elle ?

Il lut tout l'après-midi… C'était de la folie. Alors qu'il venait d'arriver à Paris, il était resté enfermé chez lui toute la journée à penser à une femme qu'il ne connaissait pas et à lire le journal de bord de son amant qui était de toute évidence un révolutionnaire quelconque. Était-elle en Europe pour acheter des armes ? Mais, dans ce cas, pourquoi aurait-elle enterré la boîte avec ses lettres d'amour ? Pour qu'on ne la trouve pas si elle se faisait arrêter ? La fille du parc avait pourtant l'air bien naturelle et innocente. Toutefois, en tant qu'ancien infiltré, il savait que cela ne voulait rien dire. En tout cas, elle devait habiter dans le quartier.

Plongé dans ses pensées, Marshall se fit une omelette et but la fin de la bouteille de vin.

Ariana passa quant à elle une très bonne journée. Après la promenade de Lili au parc, elle se rendit chez Yael, où elle fit une entrée triomphale.

— Ça y est ! J'ai réussi ! s'écria-t-elle joyeusement en ôtant son manteau.

Lili flaira le vieux berger et sauta sur le canapé. Puis elle attendit que sa maîtresse prenne place pour s'installer sur ses genoux. Elle passait généralement toute la séance à dormir.

— J'ai enterré la boîte hier, juste avant la nuit. Voilà. C'est fait. Je n'en ai plus besoin.

— Comment vous sentez-vous ?

— Libre ! Pour la première fois depuis deux ans, je suis libre. Enfin libre !

Elle s'était donné beaucoup de mal pour y parvenir. Yael lui sourit, ravi. Son cas s'était révélé particulièrement difficile. Parce que c'était une jeune femme bien, parce qu'elle était profondément intègre et d'une loyauté sans faille, elle s'était raccrochée au souvenir de Jorge et à la conviction que, au fond, il était bon. Yael avait donc eu le plus grand mal à la convaincre de la vérité.

Aujourd'hui, elle était métamorphosée. La souffrance des deux dernières années s'était enfin effacée de son visage. La voir ainsi rendait Yael très heureux.

— Qu'allez-vous faire, maintenant ? lui demanda-t-il.

Elle ne s'était pas encore décidée. Elle avait l'impression que l'avenir tout entier s'ouvrait à elle.

— Je pense commencer par profiter un peu de Paris. J'ai prolongé mon bail. Et puis, je m'aventurerai plus loin, ensuite.

Elle avait envie d'aller en Italie, même si voyager seule l'inquiétait encore un peu. En tout cas, elle ne remettrait jamais les pieds en Amérique du Sud. Mais, en Europe, elle n'avait rien à craindre, elle le savait.

— À mon retour, j'essaierai peut-être de retrouver un poste au magazine de mode en ligne pour lequel je travaillais. Ou alors, pourquoi pas, je tenterai ma chance dans un grand journal de mode comme *Vogue* ou *L'Officiel*. Je ne tiens pas à retourner à New York. Rien ne m'y attend.

— Eh bien, Ariana ! Vous ne manquez pas de projets, on dirait ! C'est formidable. Vous avez fait beaucoup de chemin. Bravo.

— Avons-nous terminé ? demanda-t-elle d'une petite voix.

Elle appréhendait un peu sa réponse. Elle savait qu'il allait lui manquer quand ce serait fini.

— Oui, répondit-il tranquillement en allumant une cigarette.

Il la regarda. Elle était ravissante et c'était une femme merveilleuse sur bien des plans. Un jour, elle rendrait un homme très heureux. Il lui souhaitait que cela arrive bientôt. Il était triste de la voir seule. Au fil de leur travail, sans la moindre équivoque, il s'était attaché à elle. Il lui souhaitait le meilleur.

— Vous allez me manquer, dit-elle tristement.

Il avait été son soutien, sa planche de salut pendant un an. Elle n'aurait jamais pu se libérer de Jorge sans son aide, elle en avait conscience. Il lui avait sauvé la vie. Elle lui serait éternellement reconnaissante.

— Donnez-moi de vos nouvelles, Ariana. Je veux savoir ce que vous devenez.

— Promis, Yael.

De retour chez elle, Ariana appela Sam Adams à Washington. Il fut surpris de l'entendre : c'était la première fois depuis son installation à Paris.

— Tout va bien ? demanda-t-il, inquiet.

— Très bien. Je vous téléphone pour vous remercier. Je viens d'achever un an de travail avec Yael Le Floch.

— Oh mon Dieu. Je pensais que vous aviez fini depuis des mois. Vous êtes toujours à Paris ?

— Oui. Je l'ai vu pour la dernière fois aujourd'hui. C'est vrai, cela a pris plus longtemps que nous n'imaginions...

— En tout cas, c'est une très bonne nouvelle ! Je suis ravi pour vous. Comment vous sentez-vous ?

— Merveilleusement bien.

Elle ne lui parla pas de la boîte ; c'était entre Yael et elle. Tout ce qui comptait, c'était le résultat final. Elle était libre. Le fantôme de Jorge ne la hantait plus. Il n'avait plus de pouvoir sur elle. Il ne lui restait plus qu'à reprendre le cours de sa vie, à avancer. Elle ne se sentait même plus coupable de la mort de son père. Triste, bien sûr, mais plus coupable.

— Quand rentrez-vous aux États-Unis ?

— Je l'ignore. Pas tout de suite. J'aime beaucoup mon appartement parisien, que j'occupe avec Lili, une petite chienne adorable. Je crois que je vais essayer de trouver du travail ici. Et j'ai aussi envie de voyager un peu en Europe.

Sam admirait son courage, car le travail avec Yael, aussi excellent fût-il, n'avait pas dû être facile. Il ne lui demanda pas si elle avait rencontré quelqu'un. D'une part, c'était indiscret, et d'autre part, il se doutait qu'il était encore trop tôt. De toute façon, à son âge, elle avait bien le temps.

— Eh bien, restons en contact, Ariana. Faites-moi signe si vous revenez aux États-Unis.

Il songea cependant que, le voir, ne serait-ce que pour prendre un café, raviverait peut-être trop de souvenirs douloureux pour elle...

En fin de journée, Ariana retourna promener Lili à Bagatelle. Pendant ce temps, Marshall était plongé dans le quatrième carnet de Jorge. Il était à nouveau question de son frère. Ce dernier semblait occuper un poste assez haut placé au gouvernement et jouait double jeu en sympathisant en secret avec la petite armée révolutionnaire de son frère. Apparemment, il faisait tout son possible pour les aider à établir une base financière solide. Jorge laissait même entendre que c'était lui qui avait eu l'idée des enlèvements et des demandes de rançon pour financer leur cause. Il affirmait enfin que son frère les aiderait un jour à renverser le gouvernement, et que ce jour était proche.

Marshall n'avait toujours pas la moindre idée du pays dans lequel ils se trouvaient. Et Jorge ne donnait jamais de nom de famille. L'ancien infiltré de la DEA continua à lire toute la nuit et une partie du lendemain. Il était accro à cette lecture. Son instinct lui soufflait qu'il était tombé sur quelque chose d'important, mais il ne voyait pas quoi en faire ni même à qui en parler. S'il racontait qu'il avait déterré à Paris une boîte en métal contenant des lettres d'amour et un journal de bord indiquant qu'un gouvernement sud-américain qui restait à identifier était menacé, il passerait pour un fou.

Tout de même, il était si préoccupé par cette affaire que, deux jours plus tard, quand il eut achevé la lecture du dernier carnet, il appela Bill Carter à la DEA. L'une des choses qui l'inquiétaient le plus, c'était que Jorge notait à plusieurs reprises qu'il avait tout dit à cette fameuse Ariana. Si son frère était au courant, elle avait certainement à craindre de lui. Ce Jorge lui faisait l'effet d'un type dangereux, comme ces illuminés très brillants qui avaient mal tourné. Son frère ne valait sans doute pas mieux et jouait un double jeu extrêmement risqué.

Bill Carter fut à la fois surpris et heureux de l'entendre. Il regrettait encore ce qui était arrivé à cet agent si doué. Qu'allait-il faire, maintenant, hormis toucher sa pension ? Oh, il était capable de bien des choses, là n'était pas la question. Le problème, c'était que sa vraie et seule passion, c'était les missions d'infiltré.

— Alors dis-moi, où es-tu ?

— À Paris.

— Quelle chance !

Ils savaient l'un et l'autre que ce n'était pas tout à fait exact.

— Je suis arrivé il y a quatre jours. Ça va vous paraître dingue, Bill, mais je crois que je suis tombé sur quelque chose...

— Pitié, ne me dis pas que tu traques les trafiquants de drogue dans Paris !

— Non, juste les révolutionnaires. Je suis tombé sur un journal de bord... je ne sais pas trop ce que je tiens. C'est en espagnol, avec uniquement des prénoms. Les événements racontés me disent vaguement quelque chose, mais je ne sais pas quoi. L'auteur est un certain Jorge. Il a un frère au gouvernement qui se prénomme Luis. Enfin, il y a une femme au cœur de cette affaire – Ariana. Jorge est amoureux d'elle. Je crois l'avoir vue ici : blonde aux yeux bleus. Cela fait beaucoup de petites pièces d'un puzzle que je n'arrive pas à reconstituer. Dans ses carnets, Jorge parle de renverser le gouvernement de son pays. C'est peut-être un vœu pieux, mais peut-être pas. Le problème, c'est que je suis incapable de situer le pays.

— Comment diable es-tu tombé là-dessus, Marshall ?

— Si vous saviez... C'est mon chien qui a déterré les journaux. La femme que je crois être Ariana venait de les enterrer. Je ne suis pas certain que ce soit elle, mais ce serait logique. Ça vous dit quelque chose ?

— Franchement, non. Tu bois beaucoup depuis que tu es en France ? Blague à part, tu ne crois pas plutôt que ton chien a trouvé le premier roman de cette femme ?

— Vous savez, Bill, c'est parfois les histoires les plus farfelues qui donnent quelque chose.

La plupart des pistes tournaient court, bien sûr, mais d'autres s'ouvraient en grand dès qu'on commençait à creuser.

— Vous voulez bien faire quelques recherches quand même ? insista Marshall. D'après ce que j'ai lu dans les journaux du type, ses hommes ont enlevé cette Ariana et ensuite elle est tombée amoureuse de lui. Je sais, moi aussi je trouve ça dingue. Mais vous voulez bien voir avec le service Amérique du Sud ? C'est peut-être de l'histoire ancienne, d'ailleurs : rien n'est daté.

— Trafic de drogue ?

— Non, plutôt dogme révolutionnaire – les salades habituelles : changer le monde, donner le pouvoir aux pauvres... Rien de nouveau, mais il y en a de temps en temps qui réussissent, ou qui font des ravages en essayant.

Les révolutionnaires n'étaient pas la spécialité de Marshall qui s'y connaissait mieux en trafiquants de drogue. Cependant, il arrivait parfois que certains cumulent ou que l'argent de la drogue finance les révolutionnaires.

— Hum... Dans ce cas, nous risquons de ne pas avoir grand-chose sur eux. C'est plutôt du ressort de la CIA. Laisse-moi réfléchir... J'ai un contact que j'appelle parfois quand je sèche. Il me donne de bons tuyaux. Je vais lui demander si ton histoire lui dit quelque chose.

Quand ils raccrochèrent, Bill dut s'occuper d'une petite crise au Chili : un agent qui perdait parfois les pédales était devenu brusquement injoignable alors qu'il se rendait en Bolivie... Il ne téléphona à Sam Adams que le lendemain. Ce dernier était sorti mais le rappela en fin d'après-midi. La journée avait été dure pour la DEA. Leur agent en Bolivie s'était fait descendre et toute l'opération était à l'eau. Deux ans de travail de fond anéantis et un mort.

— Désolé de rappeler si tard, la journée n'a pas été bonne, dit Sam.

— Ah ? Eh bien, ici non plus, répondit Bill.

— Bon, de quoi s'agit-il ?

Bill ne l'appelait que lorsqu'il avait besoin de renseignements.

— J'ai un agent à la retraite à Paris, un jeune gars qui s'appelle Marshall Everett – un crack. Il pense être tombé sur quelque chose. C'est peut-être une chasse aux sorcières ou une vieille histoire mais il a l'air d'y croire. Or c'est un mec doué, un ancien infiltré. À un retour de mission, il a passé une année au Secret Service et s'est fait bousiller le bras en sauvant la vie de la fille du président. Fin d'une brillante carrière. Maintenant, donc, il est à Paris et se demande s'il n'a pas levé un lièvre. Je n'ai que des prénoms : Jorge, Luis et une femme, Ariana. Marshall pense que Jorge a enlevé la fille et qu'il est amoureux d'elle. Il dit l'avoir vue dans un parc – vingt-cinq ans environ, blonde aux yeux bleus, un bon mètre soixante-dix.

Sam soupira.

— Ah oui... je vois très bien. Si on parle de la même Ariana... En effet, c'est de l'histoire ancienne. Argentine, il y a deux ans. Enlèvement de la fille de l'ambassadeur des États-Unis, Robert Gregory. Le chauffeur tué. Prisonnière pendant trois mois. Demande d'une rançon de vingt millions de dollars. Attaque du camp avec l'aide des Israéliens et des Britanniques. Jorge est tué. Libération de la fille. Le père meurt d'une crise cardiaque le lendemain. Curieusement, il se trouve que j'ai parlé avec elle il y a deux jours. Elle vient de finir son travail avec le déprogrammeur à qui nous l'avions adressée à Paris. Il se peut fort bien que ton Everett l'ait croisée : elle est encore sur place. Mais la piste est froide. La bande de Jorge n'a pas bougé depuis sa mort. À part quelques enlèvements crapuleux, Jorge n'avait jamais fait grand-chose et ses partisans n'ont pas l'air très efficaces sans lui. Cela fait deux ans qu'ils n'ont pas fait parler d'eux, expliqua Sam, rassurant. On en a tué pas mal lors de l'attaque du camp, il faut dire.

— D'après Marshall, ce Jorge a un frère au gouvernement, un certain Luis, qui prépare un coup d'État – ou en préparait un.

— On connaît aussi le frère. C'est un ancien activiste gauchiste qui s'est rangé et s'est bien intégré dans l'establishment. D'après nos rapports, les deux frères étaient brouillés et ne se parlaient plus. Je peux revérifier, mais je crois qu'il n'y a rien à craindre du frère.

Sam était dubitatif.

— Peut-être que si, suggéra Bill. Mon gars estime que la femme, Ariana, pourrait être en danger si le frère croit qu'elle est au courant de quelque chose. Or Jorge déclare dans ses carnets qu'il lui a tout dit.

— J'espère qu'il se trompe, alors, fit Sam avec lassitude. Elle a vécu un enfer suite à cet enlèvement. Il lui a fallu deux ans pour se remettre d'aplomb. Jorge lui a fait beaucoup de mal. Cas assez grave de syndrome de Stockholm. Un an dans un couvent puis déprogrammation à Paris. Elle n'a vraiment pas besoin de se trouver replongée dans cette histoire ni de se demander si le frère de Jorge la cherche. Elle a disparu de la presse et des feux de l'actualité depuis deux ans, ce qui est aussi bien. J'étais le seul à savoir où elle se trouvait.

— Tu pourrais m'envoyer une photo ? Qu'on vérifie que c'est bien la même fille ? Si ça se trouve, c'est juste une femme qui a trouvé les carnets dans une poubelle. On peut toujours rêver...

— Pas de problème, je t'envoie ça.

Sam n'était pas trop inquiet : si le frère de Jorge la faisait rechercher, ses sbires n'avaient aucun moyen de savoir qu'elle était en France, avec la vie de recluse qu'elle menait depuis deux ans. Il n'avait même pas envie de lui dire qu'elle pouvait être en danger. De toute façon, rien ne permettait de l'affirmer pour le moment. Ils n'avaient que les soupçons de cet agent.

Cependant, il savait bien aussi que les rebelles – comme les trafiquants de drogue – avaient le chic pour retrouver leurs cibles, même au bout du monde. Ils n'oubliaient jamais une dette ni un visage. Or ils pouvaient fort bien lui en vouloir de la mort de Jorge, comme elle s'en était voulu à elle-même.

En raccrochant, Sam se rappela la boîte de lettres d'amour qu'Ariana avait rapportée du camp et à laquelle elle tenait tant. Un vieux coffret en métal. Il l'avait ouvert et n'avait vu que les lettres. Il n'avait pas remarqué le journal de bord et cela l'inquiétait un peu.

Il envoya donc un e-mail à Bill lui demandant de lui transmettre le journal de bord du Jorge en question, et joignit la photo d'Ariana. Bill fit suivre à Marshall. Il était plus de minuit, heure locale, quand un bip signala à ce dernier qu'il avait reçu un e-mail. Il relatait les grandes lignes de l'affaire, avec une photo en pièce jointe. Pas de doute, c'était bien elle. Ariana Gregory. Marshall rappela Bill Carter.

— C'est elle. Elle en a bavé, on dirait.

— C'est le moins qu'on puisse dire, oui. Elle vient de finir un travail avec un déprogrammeur à Paris.

— Ah... Voilà pourquoi elle avait enterré le coffret, conclut Marshall. C'était sans doute une espèce de rituel pour se débarrasser de son passé.

— La CIA s'intéresse aux carnets, maintenant. Curieusement, ils leur ont échappé à Buenos Aires. Ils connaissent le frère mais le croyaient rangé des voitures. Bien vu, Marshall. Si le frère la cherche, elle est en grand danger.

Bill rappela aussitôt Sam.

— C'est bien elle, confirma-t-il.

— Merde. J'espérais que non. Je voulais croire à une improbable coïncidence. Je ne sais pas comment j'ai pu laisser passer ces carnets à Buenos Aires. Elle m'a dit qu'il n'y avait que des lettres d'amour. Si ça se trouve, elle ne savait même pas qu'il y avait son journal de bord dans la boîte. En tout cas, je n'ai rien vu. Je me faisais tellement de souci pour elle et pour son père mourant... En plus, elle était hors d'elle, folle de rage qu'on ait tué celui qu'elle décrivait comme « un saint homme ».

Bill écoutait en hochant la tête. Lui aussi jugeait la situation inquiétante pour tout le monde.

— Qui est le frère, alors ?

— Un certain Muñoz, le numéro trois ou quatre du gouvernement. Un type très habile. Il pourrait faire beaucoup de dégâts s'il joue double jeu et prépare effectivement un coup d'État. Mais cela va faire deux ans que Jorge est mort, et il ne s'est rien passé. Avec un peu de chance, c'était des paroles en l'air et tout a capoté. Il a désavoué publiquement son frère il y a des années et s'est déclaré soulagé lorsque nous l'avons tué. Il a dit qu'il était fou mais peut-être le sont-ils tous les deux. Cette affaire m'inquiète.

— Oui, moi aussi, lâcha Bill. On devrait s'y mettre tout de suite, non ?

— On va vérifier ce qu'on a sur lui ces derniers temps. Je ne veux pas faire peur à Ariana tant qu'on n'en sait pas plus. Ton gars peut garder un œil sur elle en attendant ?

Personne ne l'avait embêtée depuis deux ans et personne en Argentine n'avait les moyens de savoir où elle était. Elle ne risquait donc rien pour le moment. En revanche, si elle refaisait surface et devenait visible, elle serait en danger. Mais avant de lui faire peur, Sam voulait des rapports récents sur Muñoz.

— Marshall Everett est à la retraite, rappela Bill à Sam. Mais il a l'air d'avoir du mal à s'en souvenir lui-même. Je vais lui dire de veiller sur elle pour le moment, mais il lui faudra une protection plus sérieuse s'ils la recherchent. Car si c'est le cas, tôt ou tard, ils la retrouveront.

Sam ne le nia pas. Il le savait, lui aussi, et il en était malade. Il aimait bien cette jeune femme.

— Bon... Je te tiens au courant dès que j'en sais plus sur les agissements de Muñoz. Il faudra que je voie ces carnets, mais ce que j'ai me suffit pour le moment. À bientôt, Bill.

Ce dernier rappela Marshall pour lui demander de veiller sur Ariana à distance. Il lui envoya son adresse dans l'heure. Marshall se rendit compte qu'elle habitait juste à côté de chez lui. Il avait de la peine pour elle. Si le frère de Jorge la cherchait, il y avait de bonnes chances pour qu'il la trouve et que le cauchemar recommence.

13

La fin de son travail avec Yael eut pour Ariana des airs de remise de diplôme. Le monde entier s'ouvrait à elle. Elle se mit à sortir plus librement, visita des musées, déjeuna seule au restaurant, alla même passer le week-end à Deauville et gagna cinq cents euros au casino. Pas une seule fois elle ne remarqua que Marshall la suivait partout.

Sam s'était renseigné sur Muñoz auprès de ses contacts à Buenos Aires. Rien ne laissait soupçonner qu'il se fût livré à des activités révolutionnaires ces derniers temps. Il semblait plus respectable que jamais, de mieux en mieux placé au sein du gouvernement Est-ce à dire qu'il avait cherché à amadouer son frère en feignant la sympathie pour sa cause ? Sam était un peu rassuré, mais il souhaitait tout de même lire les carnets pour en avoir le cœur net. Marshall avait promis de scanner les journaux pour les lui transmettre mais n'en avait pas eu le temps, occupé qu'il était à veiller sur Ariana.

À son retour de Deauville, Ariana postula chez *Vogue* France. On lui répondit qu'il n'y avait rien pour elle actuellement, mais on l'invita à un énorme événement pour fêter l'arrivée d'un nouveau styliste chez Dior. Cela faisait deux ans qu'elle ne s'était pas rendue à une soirée. Y assister seule l'intimidait, mais elle décida d'y aller quand même et acheta une magnifique robe rouge qui lui valut une photo dans le *Herald Tribune* du lendemain, accompagnée d'un petit article qui la contraria beaucoup. On y lisait qu'elle était la fille de feu l'ambassadeur des États-Unis en Argentine, qu'elle avait été enlevée par des rebelles deux ans auparavant et que son père était mort peu après sa libération. Elle qui aurait tant voulu que cette partie de sa vie soit effacée. Hélas, le récit des événements figurait dans toutes les archives et il n'était pas étonnant qu'il ressorte. Elle téléphona à Yael pour se plaindre.

— Vous n'y pouvez rien, Ariana. Ce genre de chose se produira toujours. La presse n'oublie rien, et surtout pas les histoires horribles, tragiques ou sensationnelles.

Son enlèvement était tout cela à la fois.

— Vous avez raison...

— Et puis vous êtes superbe, sur cette photo, alors haut les cœurs ! Remettez-vous à vivre et donnez à la presse de nouvelles choses à raconter. Rappelez-vous, Ariana, vous avez enterré la boîte...

C'était un code entre eux signifiant que le passé était derrière elle. Oui, elle avait voulu l'oublier, son passé, mais voilà qu'il lui sautait de nouveau au visage. Et maintenant, le tout-Paris était au courant de son kidnapping !

— Essayez de passer à autre chose et de vous amuser, lui conseilla Yael. Les journalistes ne ressortiront
pas l'histoire à chaque fois. Ils vont s'en lasser.

— Je l'espère.

En raccrochant, Yael avait en tête les inquiétudes
de Sam Adams concernant le frère de Jorge. L'agent
de la CIA lui avait précisé cependant qu'il ne semblait pas y avoir de danger pour le moment et que la
surveillance de Marshall Everett devait suffire.

Il commençait à faire un peu plus chaud et ce mois
de mars annonciateur de printemps remonta le moral
d'Ariana. En se promenant dans le parc avec Lili,
elle remarqua un homme qu'elle avait déjà croisé à
Bagatelle avec son grand Saint-Hubert qui essayait
de chasser les paons.

Ce matin-là, Marshall avait été affolé de découvrir la photo d'Ariana dans le journal. C'était le
genre d'image qui pouvait faire le tour du monde
en quelques heures sur Internet. Le père de la jeune
femme était un grand homme d'affaires et elle avait
hérité de toute sa fortune. Ce n'était pas précisé dans
l'article, mais le rapport de la CIA stipulait qu'elle
était fille unique. Le journaliste parlait de l'enlèvement
et il était probable que la photo serait reprise partout
comme suite à l'affaire d'il y a deux ans. C'était précisément ce que tous redoutaient, car Ariana était maintenant localisable… Sans le faire exprès ni même s'en
rendre compte, elle avait réussi à disparaître pendant
deux ans parce qu'elle avait évité la presse et vécu
en recluse. Maintenant, grâce au travail de Yael, elle
commençait à ressortir, hélas. L'article disait qu'elle
vivait à Paris depuis un an, information qui avait dû
être fournie par *Vogue*. Restait à espérer qu'il ne soit
pas repris par une agence ni diffusé trop largement.

Sam avait beau dire qu'il ne s'en faisait pas trop pour Muñoz au vu des premiers rapports, il préférait que Marshall reste vigilant en attendant qu'ils soient confirmés.

Marshall filait Ariana tous les jours. Elle ne semblait pas s'inquiéter de sa présence ni même le remarquer. De son côté, avec tout ce qu'il avait lu sur elle, il avait l'impression de la connaître. Il avait encore chez lui la boîte avec les lettres et les journaux. Où qu'elle aille, il la suivait à bonne distance – sur les quais de la Seine, dans les musées, à l'épicerie... Elle menait une vie calme et ne ressortit pas après la soirée chez Dior. Elle ne dînait jamais dehors, ne semblait pas avoir d'amis à Paris, ne connaissait visiblement personne.

Plusieurs jours s'écoulèrent sans qu'elle sorte de chez elle. Elle devait être malade car il vit la gardienne promener son chien. La jeune femme occupait toutes les pensées de Marshall, et il s'inquiétait de plus en plus pour elle. Il annula la petite escapade qu'il avait prévu de faire à Florence et Venise. Il préférait ne pas s'éloigner tant que Sam Adams ne l'avait pas complètement rassuré. Du reste, cela lui faisait du bien de veiller sur elle, même si elle n'en savait rien. Cela faisait maintenant quinze jours qu'il menait cette drôle de mission. Il se sentait utile. Il avait même loué une voiture par précaution, à ses frais. Pour l'instant, toutefois, elle sortait à pied ou prenait le métro.

Un jour qu'il la suivait dans le parc tout en promenant Stanley, il remarqua un homme qui observait la jeune femme. Le type était assis sur un banc et lui emboîta discrètement le pas quand elle s'éloigna. Marshall les suivit tous les deux. Elle rentra dans son immeuble sans se douter de rien. L'homme resta un moment devant la porte puis monta dans une voiture et partit. Marshall s'alarma, il en avait froid dans le dos. Allons, se dit-il, ce n'est probablement rien. N'empêche, les jours suivants, il exerça une surveillance plus poussée. Monta la garde assis au volant de sa voiture plusieurs heures durant. Ses soupçons se confirmèrent, hélas. Il vit un autre homme la suivre, puis il le repéra au volant d'un véhicule garé en face de chez elle. Il était accompagné par le premier type. Celui qui l'avait suivie au parc. Et elle ne se rendait toujours compte de rien... Marshall rappela Bill Carter.

— Désolé, on dirait un vieil agent parano, mais quelque chose se trame, quoi qu'en dise Sam Adams. J'ai repéré deux hommes : ils la suivent et surveillent son immeuble. Il faut que Sam la prévienne et la mette en garde. Qu'elle n'aille pas leur ouvrir la porte de son appartement, par exemple.

Si ces types tentaient quelque chose contre Ariana, Marshall ne pourrait rien faire : il n'avait qu'un bras et n'était pas armé.

— C'est une très jolie fille, répliqua Bill. Elle a peut-être du succès auprès des Français...

Bill ne prenait pas la chose aussi légèrement qu'il en avait l'air. Il se fiait au flair de Marshall et son inquiétude le préoccupait.

— Ce n'est pas ce genre de types. D'après moi, ce sont de sérieux clients. Et ils la suivent, cela ne fait aucun doute. Dites à Adams de l'appeler.

Bill transmit donc à Sam l'avertissement de Marshall. Mais celui-ci ne partagea pas l'analyse de l'agent et crut à un excès de zèle. Les rapports étaient formels, Muñoz ne bougeait pas. Ou alors il s'agissait de quelqu'un d'autre.

— Si je l'appelle, expliqua Sam, je vais la terroriser alors que c'est peut-être sans aucun lien avec Jorge et son frère. Si je l'affole pour rien, elle va revenir deux ans en arrière.

D'un autre côté, s'il ne la prévenait pas et qu'il lui arrivait quelque chose, il ne se le pardonnerait jamais.

— Ton gars peut la surveiller encore un peu ? demanda-t-il à Bill. J'aimerais attendre encore quelques jours avant de l'appeler. Il me faudrait une photo des deux types pour voir si on les connaît.

Bill rappela Marshall.

— Je ne suis pas équipé, répondit celui-ci. Enfin, je vais voir ce que je peux faire avec mon téléphone.

L'après-midi, il put prendre un cliché d'un des deux hommes qui dormait dans sa voiture garée tout près. Il eut la tête de l'autre le lendemain matin. Le gars était assis sur un banc du parc, en train d'observer Ariana et faisant semblant de lire le journal. Il transmit les photos à Bill, qui les fit parvenir à Sam. Ce dernier rappela un jour plus tard.

— Ton gars a raison, Bill, mais je n'y comprends rien. Il n'y a sans doute aucun lien avec Jorge ou son frère. Le type du parc est chilien et l'autre panaméen. Ce sont des hommes de main de troisième ordre qui ont fait de multiples séjours en prison pour toutes sortes de délit : trafic de drogue, faux chèques, proxénétisme… Ils n'ont aucun lien avec le gouvernement ni avec personne en Argentine. Qui les a engagés ? je n'en ai aucune idée… Quoi qu'il en soit, je ne veux pas affoler Ariana. On ne change rien pour l'instant. Ton gars est assez fort s'il a remarqué tout cela rien qu'en promenant son chien.

Bill rappela Marshall et lui résuma l'échange qu'il venait d'avoir avec l'homme de la CIA.

— Mais il est cinglé ou quoi ? s'écria ce dernier. Qu'est-ce qu'il attend ? Qu'elle se fasse encore enlever ? Je ne peux pas la suivre partout comme si j'étais son garde du corps. Bientôt, elle va croire que je la harcèle et me faire arrêter. Il faut que Sam lui dise ce qui se passe.

— Il ne sait pas ce qui se passe, Marshall, et toi non plus... Ils en ont peut-être après son sac à main, c'est tout.

— C'est n'importe quoi, et vous le savez aussi bien que moi, Bill. Ce ne sont pas des enfants de chœur, ces types. Si Muñoz croit qu'elle peut lui faire du tort, il ne va pas faire de quartier. Elle vient de réapparaître dans les médias et, comme par hasard, ils sont là. Non, on court à la catastrophe...

Marshall avait l'impression de devenir fou. Et se sentait complètement impuissant.

La panique le saisit carrément, le lendemain, quand il vit deux nouveaux types dans une autre voiture qui faisaient le guet devant l'immeuble d'Ariana. Ils étaient quatre, maintenant ! Ils n'allaient pas tarder à passer à l'action, c'était sûr.

Cinq minutes plus tard, Marshall vit la jeune femme apparaître au coin de la rue, probablement de retour du parc. Elle était suivie par les deux premiers hommes qu'il avait repérés, tandis que deux autres attendaient dans la voiture en laissant tourner le moteur.

Par cette journée de mai particulièrement douce, elle était en tee-shirt et en short, chaussée de sandales. Marshall la vit avancer droit sur la voiture. Sa vue globale de la scène lui permit de capter le signe de tête qu'échangèrent deux des hommes. En quatre grandes enjambées, Marshall fut auprès d'elle et lui barra le passage avec un grand sourire, faisant semblant de la saluer comme une bonne copine. Il lui saisit le bras et l'entraîna dans la rue en parlant à mi-voix :

— Ariana, je vous en supplie, faites-moi confiance. Je suis de la DEA. Vous avez quatre Sud-Américains aux trousses en ce moment même. Des types qui ont peut-être quelque chose à voir avec le frère de Jorge... J'aimerais que vous montiez dans ma voiture et que vous partiez avec moi.

Elle fixait sur lui des yeux agrandis par la panique. Il continuait de lui sourire tout en l'entraînant vers le bout de la rue, où était garée sa voiture. Les autres attendaient devant chez elle, considérant probablement qu'elle n'allait pas tarder à revenir. Par chance, Marshall avait ses clés dans la poche. Il déverrouilla les portières.

— Montez maintenant, Ariana, lui enjoignit-il vivement en priant pour qu'elle obtempère.

Ils n'oseraient sans doute pas l'enlever alors qu'elle était avec quelqu'un mais, s'ils le descendaient, ils pourraient facilement emmener Ariana ensuite. D'ailleurs... ils avaient commencé à marcher vers eux d'un pas lent mais régulier. Dans moins d'une minute, ils les auraient rejoints.

— Ne vous retournez pas ; montez et souriez-moi.

Malgré la terreur qui s'était emparée d'elle, elle lui obéit. Elle ne savait pas pourquoi elle croyait cet homme. Peut-être parce que ce qu'il lui disait était trop énorme pour avoir été inventé. Elle attrapa Lili et sauta dans la voiture pendant que Stanley grimpait à l'arrière et que Marshall prenait place au volant. Il appuya sur le bouton de fermeture des portes et démarra à l'instant où deux des types arrivaient à la voiture. Ils ne tentèrent rien : ils pensaient sans nul doute qu'elle allait finir par revenir. Pour eux, ce n'était qu'une promenade impromptue avec un ami.

Marshall tourna aussi vite qu'il put au coin de la rue, puis la regarda. Pâle et tremblante, son chien sur les genoux, elle le fixait d'un air terrorisé.

— Pardon de vous avoir fait peur, dit-il. Je m'appelle Marshall Everett. Je suis retraité de la DEA, l'agence américaine de lutte antidrogue. Ces hommes vous surveillent depuis un bon moment. Ils étaient deux, au début. Les deux autres sont arrivés ce matin, j'imagine. Tout porte à croire qu'ils allaient vous enlever. J'ai fait un rapport à la CIA via mon agence. Ils savent qui sont ces hommes – deux d'entre eux, en tout cas – mais ils ignorent qui les a engagés. Si vous savez des choses sur le frère de Jorge, c'est peut-être lui qui vous en veut. Dans ce cas, il aura mis deux ans à vous retrouver.

La jeune femme tremblait de plus en plus et jetait des coups d'œil inquiets à Stanley en serrant sa petite chienne.

— Mon chien ne va pas faire de mal au vôtre, lui assura-t-il.

— Où m'emmenez-vous ? demanda-t-elle d'une voix étranglée. Je ne sais rien de Luis, si ce n'est qu'il est haut placé au gouvernement et qu'il préparait un coup d'État avec Jorge. Mais je ne connais même pas leur nom de famille. Tout ce que m'a dit Jorge, c'est que son frère était un agent double qui œuvrait pour le bien du peuple.

— Le bien du peuple... quel beau prétexte, maugréa-t-il.

Après avoir changé plusieurs fois de direction, Marshall prit le périphérique à la porte Maillot puis, sans trop savoir pourquoi, l'autoroute en direction de l'aéroport. L'essentiel, c'était de l'emmener loin des quatre hommes qui l'attendaient avenue Foch.

L'idée qu'elle était peut-être en train de se faire enlever par ce soi-disant Marshall traversa l'esprit d'Ariana. Les mauvais souvenirs d'il y a deux ans affluèrent dans sa tête. Toutefois, quelque chose, chez cet homme, inspirait confiance. Il n'était en rien semblable à Jorge. Et les informations qu'il détenait témoignaient en faveur de la crédibilité de son histoire.

— Je ne sais pas où je vous emmène, répondit-il honnêtement. À l'abri.

Il appela Bill Carter avec l'option mains libres pour le prévenir et rassurer Ariana. Il tomba directement sur sa boîte vocale, mais le message le présentait comme le Senior Special Agent Bill Carter, de la DEA. Cela donna à Marshall un semblant de crédibilité – même si rien ne prouvait à Ariana qu'il ne s'agissait pas d'un faux.

Elle avait eu trop peur pour lui résister quand il lui avait dit qu'elle était en danger et avait insisté pour qu'elle monte en voiture avec lui. Elle l'avait déjà vu au parc, bien sûr, mais sans faire attention à lui, pas plus qu'aux autres. Maintenant, elle ne savait pas où il l'emmenait, et lui non plus, d'ailleurs. Il laissa un message à Bill lui expliquant ce qu'il se passait et lui demandant de le rappeler de toute urgence. La situation était grave. Il fallait qu'il prévienne Sam Adams au plus vite.

En l'entendant prononcer le nom de l'agent de la CIA, Ariana se détendit nettement. Au moins, Marshall devait être qui il disait. Mais, dans ce cas, les autres aussi, ceux qui voulaient l'enlever.

— Que me veulent-ils ?

— Aucune idée, mais ils vous suivent depuis plusieurs semaines. Je l'ai signalé dès que je m'en suis aperçu et mon ancien patron de la DEA a appelé Sam Adams.

Il ne lui révéla pas qu'il avait d'abord appelé au sujet des carnets qu'il avait trouvés. Il ne voulait pas qu'elle sache qu'il les avait récupérés.

— Pourquoi ne m'a-t-il pas prévenue ?

Elle avait l'air perturbée et très inquiète, ce qui n'était pas étonnant. Tout cela devait lui rappeler des souvenirs affreux.

— Parce qu'ils ne savent pas ce qui se passe ni qui est derrière. Sam Adams ne voulait pas vous affoler pour rien. Hélas, je suis au regret de vous dire que, pour moi, ce n'est pas rien.

C'était même encore plus grave que ce qu'il imaginait jusque-là. Elle avait pu le mesurer, d'ailleurs. Les larmes ruisselèrent sur les joues d'Ariana. Frissonnante, livide, elle semblait malade. Elle devait se retrouver deux ans en arrière, en plein cauchemar.

— Je croyais que c'était fini, fit-elle d'un air malheureux.

Il était désolé pour elle.

— C'est ce que tout le monde croyait, repondit-il. Je pense que la photo du *Herald Tribune* a dû circuler sur Internet et que c'est ainsi qu'ils vous ont localisée. Mais nous allons trouver qui tire les ficelles, promit-il de son ton le plus rassurant.

Une idée lui vint subitement et il composa un autre numéro. Le téléphone eut à peine le temps de sonner qu'un homme décrochait et se mettait à parler avec un fort accent écossais.

— MacDonald. New Scotland Yard, dit-il d'un ton si officiel que c'en était presque inquiétant.

Il faut dire qu'il commandait une unité d'enquête spécialisée dans le crime organisé international au sein du Specialist Crime Directorate du London Metropolitan Police Service, le Met. Marshall avait fait sa connaissance à l'époque où Geoff MacDonald suivait un entraînement spécial à la FBI Academy de Quantico alors que lui-même se trouvait en formation pour entrer à la DEA. Au fil du temps, ils avaient eu quelques occasions de travailler ensemble et s'étaient liés d'amitié.

— Bonjour, Mac. C'est Marshall Everett. J'aimerais que tu me rendes un service.

— Encore toi ? Ce n'est pas possible. La dernière fois que je t'ai vu, à Panamá, tu as bien failli me faire arrêter. Comment ça va, mon vieux ? Et où es-tu, là ? J'ai toujours du mal à te suivre.

Ils ne s'étaient pas vus depuis quatre ans et beaucoup de choses avaient changé dans la vie de Marshall.

— Je suis à Paris, avec une amie. Tu aurais la possibilité de nous accueillir chez toi ?

— Vous êtes si mal payés que ça ? Tu ne peux pas l'emmener à l'hôtel ?

— Je suis bien trop radin, voyons. Je me contenterai du canapé, si tu en as un.

— Et tu me laisses ta nana ? Sympa.

Ariana sourit malgré elle. Il avait l'air gentil et ajoutait du crédit au récit de Marshall. « Scotland Yard », cela en imposait. Il était peu vraisemblable que ce soit un coup monté... Elle n'était pas plus rassurée, mais, maintenant, elle croyait Marshall. Elle n'en revenait toujours pas d'être montée en voiture avec lui sans résister. Il avait su se montrer très convaincant et son regard lui disait qu'elle n'avait pas le choix, que, autrement, quelque chose d'épouvantable allait arriver. Il lui avait sauvé la vie.

— Quand arrivez-vous ?

— Nous serons là dans cinq heures environ. Nous voulions te faire la surprise. Nous quittons Paris à l'instant.

Marshall affichait une décontraction qu'il était loin de ressentir.

— Toujours infiltré ?

— À l'instant, oui. Dans la vraie vie, non. Tu sauras pourquoi une fois que nous serons chez toi.

— Quelle veine pour ces Sud-Américains à qui tu gâchais le boulot. Je ne comprends pas qu'ils ne t'aient pas descendu !

— Ce n'est pas faute d'avoir essayé, repartit Marshall en riant. Écoute, Mac, ne parle de ma visite à personne, s'il te plaît. Ni de mon amie.

— Ah, tu trompes ta bourgeoise ? J'espère que je ne suis pas sur écoute.

Il partit d'un grand éclat de rire si communicatif que même Ariana l'imita.

— Bien sûr que si, tu l'es. Et moi, je ne suis toujours pas marié. Personne ne veut de moi.

— Normal. Tu es plutôt tequila ou scotch, par les temps qui courent ? Je vais faire le plein avant ton arrivée.

— Je suis en service, Mac, protesta Marshall qui s'efforçait d'avoir l'air respectable devant Ariana.

Mais Geoff et lui avaient conclu plusieurs affaires sur des virées mémorables.

— Bien sûr, bien sûr. Alors que tu es en voiture avec une nana... C'est un agent ?

— Non. Je te raconterai en arrivant. Je t'appelle dès que nous sommes à Londres. Tu me donneras ton adresse à ce moment-là.

— Bon voyage. Les deux mains sur le volant et les yeux sur la route, hein !

Il éclata de rire à sa propre blague et raccrocha. Marshall jeta un regard contrit à Ariana.

— Désolé. Il est un peu brut de décoffrage, mais c'est un type en or. Nous avons travaillé ensemble : je remettrais ma vie entre ses mains. D'ailleurs, je l'ai déjà fait.

Il sourit. Tout en roulant, il se rendit compte à quel point son métier lui manquait. Il sentait monter l'adrénaline. Il repensa aux quatre hommes qui avaient failli enlever Ariana avenue Foch. Où étaient-ils ? Que faisaient-ils ?

— Nous ne pouvons pas rentrer à Paris tant que nous ne savons pas qui sont ces types et ce qu'ils mijotent. Il faudra attendre les instructions de Sam.

Elle hocha la tête. Elle n'avait aucune envie de se retrouver nez à nez avec eux.

— Nous pourrons rester chez Mac le temps que la CIA détermine ce qui se passe. Les Sud-Américains s'attendent sûrement à vous voir réapparaître rapidement. Ils ne vont pas comprendre tout de suite que vous avez filé. Ils doivent vous croire dans mon lit. Demain matin, ils vont commencer à se douter de quelque chose. Y a-t-il des objets ou des documents sensibles chez vous ?

Elle secoua la tête. Stanley posa sa grosse tête sur le dossier du siège passager et flaira la petite chienne qui lui lécha la truffe. Pour l'instant, ils s'entendaient bien.

— Des choses qu'il ne vaut mieux pas qu'ils trouvent ? Quoi que ce soit qui permette de faire le lien entre vous et Jorge et son frère ?

— Non, je me suis débarrassée de tout il y a quelque temps.

Il se contenta d'acquiescer d'un signe de tête. Oui, il était au courant...

— Comment vous êtes-vous rendu compte de ce qui se passait ? s'enquit-elle.

— J'ai vu un homme vous surveiller. Puis un autre. Au début, ils n'étaient que deux et vous suivaient à tour de rôle au parc. J'ai appelé mon chef à la DEA et il s'est renseigné auprès de Sam Adams, qui lui a raconté votre histoire. J'avais envoyé une photo de vous pour vous identifier.

L'explication était plus que boiteuse mais elle était trop perturbée pour s'en rendre compte.

Mon Dieu ! songea-t-elle, complètement chamboulée. Que serait-il arrivé s'il n'avait rien remarqué ? À l'heure qu'il était, elle serait dans le coffre de leur voiture, un sac sur la tête. Ou peut-être morte.

Ils roulèrent plusieurs heures en silence jusqu'au tunnel à Coquelles, tout près de Calais. Marshall avait réservé un billet par téléphone. Ils arrivèrent à temps pour enregistrer, une demi-heure avant le départ de la navette. Ils décidèrent de rester dans la voiture pendant la traversée. Il valait mieux qu'Ariana ne sorte pas, au cas où les autres auraient pu les suivre. Il ne le croyait pas, et il avait été très vigilant sur la route, mais on n'était jamais trop prudent. Par chance, Marshall avait toujours son passeport sur lui et Ariana avait le sien dans son sac. À l'étranger, elle ne s'en séparait pas, car il lui servait de pièce d'identité. Si on les interrogeait, il répondrait que les deux chiens étaient des chiens guides. Il avait en outre dans son portefeuille une vieille carte de la DEA.

Le passage de la Manche durait trente-cinq minutes. Ils débarquèrent de la navette à Folkestone, montrèrent leur passeport à la douane et repartirent. Ils atteignaient la banlieue de Londres quand Bill le rappela de son bureau. Marshall lui raconta plus en détail ce qui était arrivé. Ariana écoutait la conversation. Elle était toujours muette et d'une pâleur effrayante.

— Où l'emmènes-tu ? demanda Bill, très inquiet.

— Chez un ami de Scotland Yard.

— Pas le cinglé qu'ils ont envoyé à Panamá avec toi, au moins ? lança Bill en riant.

— Lui-même. Dans sa maison de Londres. Elle n'aura rien à craindre, là-bas.

— J'espère qu'elle a une bonne descente...

Marshall jeta un coup d'œil à Ariana. Elle souriait. Au moins, cet échange avait détendu l'atmosphère.

— J'appelle tout de suite Sam, dit Bill. Mademoiselle Gregory, comment vous sentez-vous ?

— Ça va, fit-elle, hésitante.

Les dernières heures avaient été terriblement stressantes et elle essayait de résister aux terrifiants souvenirs de son enlèvement par la bande de Jorge. Maintenant, au moins, elle était rassurée sur l'identité et les intentions de Marshall. Par miracle, elle avait pris la bonne décision en montant avec lui.

— Ne vous inquiétez pas, vous êtes entre de bonnes mains, lui assura Bill Carter. Les meilleures mains, devrais-je dire. Nous n'allons pas tarder à résoudre cette affaire. L'agent Everett a bien fait de vous faire quitter Paris.

— Je l'en remercie, répondit-elle d'une toute petite voix. Que me veulent-ils, à votre avis ?

— Nous ne savons pas encore, mais l'agent Everett a peut-être raison. Il se pourrait que le frère de Jorge pense que vous en savez trop et qu'il cherche à vous faire taire avant que vous ne le dénonciez. Il lui a fallu un petit moment pour vous retrouver.

— Mais je ne sais rien du frère de Jorge ! Juste qu'il est au gouvernement. Rien de plus.

— Il semble que Luis Muñoz joue double jeu. Le fait que vous soyez au courant le met en danger. C'est suffisant pour qu'il veuille vous faire disparaître. Pour le reste, nous allons laisser enquêter Sam Adams, dit-il calmement.

Il fallait aussi voir comment procéder à l'arrestation et à l'interrogatoire des quatre types qui l'attendaient à Paris. Certains étaient sans doute fichés comme terroristes, ce qui permettrait de les faire extrader. Mais le plus important restait d'identifier le commanditaire. C'était très certainement le frère de Jorge. Encore fallait-il le prouver.

Marshall rappela ensuite Geoff MacDonald, qui lui donna son adresse personnelle et leur promit de les retrouver chez lui dans vingt minutes. C'est le temps qu'il leur fallut pour arriver. Mac les attendait déjà quand ils sonnèrent. Il ne faisait pas aussi doux qu'à Paris. Ariana entra en grelottant dans sa tenue légère. Mac donna une grande tape dans le dos à Marshall.

— Ça fait plaisir de te voir, mon vieux.

Grand, la petite cinquantaine, il avait un physique d'ancien rugbyman. Avisant Ariana, il la considéra avec admiration, lui décocha son plus beau sourire et lui fit signe d'entrer.

— Désolé pour le désordre, mademoiselle. Ma femme m'a quitté il y a trente ans et je n'ai pas eu le temps de faire le ménage depuis.

La présence des deux chiens ne parut nullement le déranger. Ariana alla à la cuisine pour leur donner à boire. Elle les observa un instant en souriant. À les voir, on aurait cru qu'ils avaient été élevés ensemble. Stanley aspergea copieusement Lili en buvant, puis Marshall eut la bonne idée de leur faire visiter le jardin. Tout seuls. C'était pratique, ils se tenaient compagnie.

Mac proposa un verre à Marshall et Ariana, lesquels déclinèrent. Il offrit la chambre d'amis du premier étage à Ariana et indiqua solennellement le canapé à Marshall. Il ne devait pas lui rester beaucoup de ressorts, mais tant pis. C'est alors que Mac remarqua son bras.

— Bon sang ! Qu'est-ce qui t'est arrivé ?

— Retraite instantanée. Après six ans comme infiltré en Amérique du Sud, je suis prêté un an au Secret Service et c'est là que je prends une balle. Pour la bonne cause, je t'avoue : ça a sauvé la vie de la fille du président. Va comprendre. Du coup, je traîne à Paris. Mais le boulot me manque. Il n'y a rien de tel que l'adrénaline procurée par le danger.

Ariana eut le cœur serré pour lui. Elle venait juste de se rendre compte qu'il ne pouvait presque pas se servir de son bras gauche, et très peu de sa main gauche.

— Hum... Oui, c'est les coups du sort, ça, lâcha Mac. Je suis désolé pour toi, vieux... Bon, alors, votre histoire, de quoi s'agit-il ?

Marshall lui raconta les événements du matin et ce qui s'était passé deux ans plus tôt.

— Ce ne sont pas des tendres, on dirait. D'accord avec toi : je parie sur le frère.

— La CIA est en train de creuser tout ça, dit Marshall d'un ton égal.

— On va essayer de vous donner un coup de main ici aussi. On ne peut pas laisser ces salopards embarquer une aussi jolie fille, ajouta-t-il en enveloppant Ariana d'un regard admiratif. On va leur faire la peau.

Sam Adams les rappela chez Mac un peu plus tard, pendant que celui-ci faisait la cuisine – une espèce de ragoût aux légumes. Ils en sauraient plus d'ici quelques heures. En attendant, il remerciait Marshall d'avoir emmené Ariana à Londres, chez Mac qu'il connaissait de réputation – car tout le monde connaissait Mac de réputation. Il avait été horrifié d'apprendre par Bill Carter qu'elle avait failli être enlevée à nouveau. Quelle chance que Marshall ait réagi aussi vite, que sa voiture n'ait pas été garée loin et qu'elle se soit fiée à lui alors qu'elle ne le connaissait pas... Cet enchaînement de circonstances favorables était miraculeux.

La soirée fut très sympathique et le ragoût que leur servit Mac absolument délicieux. Après en avoir mangé une part généreuse, Ariana reprit des couleurs. Le repas fini, les deux hommes burent un cognac. Elle était épuisée du choc et de la tension émotionnelle de la journée mais se sentait en sécurité avec les deux agents. Elle remercia encore Marshall de l'avoir amenée à Londres.

— Il n'y a pas meilleur que lui dans le métier, confirma Mac. Il ne tient absolument pas l'alcool, mais à part cela, c'est lui le plus fort.

En riant, Ariana leur souhaita bonne nuit et monta se coucher.

— Si j'étais toi, lui conseilla Mac en leur resservant une bonne rasade de cognac, je ferais semblant de me perdre et je finirais dans son lit. Si tu te dégonfles, il se pourrait bien que je tente ma chance.

Marshall fit semblant de se moquer de lui, mais il savait que ces histoires d'alcool et de femmes étaient un genre qu'il se donnait pour amuser la galerie. En réalité, c'était l'un des agents les plus performants et les plus respectés de Scotland Yard. Il avait d'ailleurs littéralement sauvé la vie de Marshall, au Panamá, dans une histoire de narcotrafic qui avait mal tourné.

Les deux hommes parlèrent jusque tard dans la nuit. La perte de l'usage de son bras et la retraite forcée de Marshall attristaient sincèrement Mac. Son ami faisait preuve de beaucoup de courage et d'élégance dans cette épreuve. Voir sa carrière finie à trente ans, pour un homme aussi doué que lui, c'était une tragédie et une grande injustice. Ils évoquèrent également la situation d'Ariana. Mac lui glissa que tout cela ne lui disait rien qui vaille. Si Luis Muñoz voulait sa peau et que personne ne l'arrêtait, elle risquait de vivre traquée, en danger permanent pendant des années.

— Il lui sera impossible de mener une vie normale dans ces conditions. Dommage, ça a l'air d'être une fille super.

Sam Adams rappela le lendemain matin pour leur annoncer que les quatre hommes de l'avenue Foch avaient été arrêtés. Les deux premiers étaient bien les deux voyous qu'ils avaient identifiés. Ceux qui les avaient rejoints étaient plus inquiétants. L'un figurait sur une liste de terroristes internationaux recherchés et restait détenu en France. Quant à l'autre, il avait un faux passeport, pas de visa et était également soup-çonné d'activités terroristes. Il était connu au Pérou, où il avait été condamné pour meurtre. Les types prétendaient bien entendu que leur présence, à tous les quatre, devant cet immeuble à Paris, était un hasard. Aucun ne donna à la police le moindre indice sur leur mission ni sur le commanditaire.

Huit heures plus tard, Sam rappela Marshall sur son portable.

— Bingo, dit-il. D'après un de nos meilleurs indics, Muñoz était en train d'organiser discrètement un groupe de rebelles en Bolivie. Il est de la même étoffe que son frère, en plus intelligent. Et il attend son heure. Il a été extrêmement prudent jusqu'à maintenant. Notre indic n'a pas entendu parler d'Ariana, mais si Muñoz croit qu'elle en sait trop, il est certain qu'il voudra la supprimer.

— Hum... C'est bien ce que je pensais.

— Un de nos contacts à Buenos Aires va le dénoncer au gouvernement pour subversion. Je ne sais pas s'il pourra conserver son siège après cela. Le groupe de terroristes boliviens avec lequel il collabore en ce moment ne passera pas bien en haut lieu. Cela fait mauvais genre. D'autre part, même s'il ne peut être retenu contre lui officiellement, le lien avec Jorge, s'il défend les mêmes théories, va lui faire du tort. Enfin, les carnets le désignent comme un traître. Il pourrait même être arrêté ; on ne le sait pas encore. Le problème, c'est que même si on le fait évincer du gouvernement, il sera toujours dans la nature, et plus en colère que jamais. À moins que nous le fassions éliminer – ce qui, au vu des critères actuels, paraîtra brutal –, Ariana ne sera jamais en sécurité nulle part. Et vous non plus, d'ailleurs, s'ils découvrent que c'est vous qui nous avez mis sur cette piste. C'est un sérieux problème.

— Oui... un problème très sérieux, lâcha calmement Marshall.

Il ne s'en faisait pas pour lui-même. Il avait longtemps été la cible des trafiquants de drogue. C'était une vie à laquelle il était habitué et qu'il avait acceptée en choisissant cette carrière. Mais pas Ariana. Elle ne pouvait pas passer le restant de ses jours dans la peur, ou cachée. D'autant que Muñoz finirait forcément par la retrouver un jour ou l'autre.

— En attendant, que voulez-vous que je dise à Ariana ? reprit-il.

— Donnez-nous quelques jours pour voir ce qui ressort de l'enquête sur Muñoz. Ensuite, nous vous ferons venir ici. Nous parlerons sérieusement de la stratégie à adopter à ce moment-là. Ne retournez en aucun cas à Paris. Vous ne serez en sécurité ni chez vous ni chez elle. Vous avez tout ce qu'il vous faut sur vous ? Vos passeports ? Et les carnets, où sont-ils ?

Marshall n'avait pas eu le temps de les copier.

— Dans mon appartement, à Paris. Je peux envoyer quelqu'un les chercher.

Il allait être un peu délicat de révéler à Ariana qu'il détenait sa boîte de métal. Mais c'était en lisant son contenu qu'il lui avait sauvé la vie. Il espérait qu'elle lui pardonnerait.

— Très bien. Occupez-vous de ça, nous nous chargeons du reste, c'est-à-dire de Muñoz. Et nous vous attendons ici.

Rentrer à Washington ne lui disait rien qui vaille, mais ce n'était que pour quelques jours de débriefing. Il faudrait qu'il explique aux hommes de la CIA ce qu'il avait découvert et comment ; de son côté, Ariana leur raconterait tout ce qu'elle savait de la bande de

Jorge. C'était le genre d'entretiens qu'il fallait mener en face à face.

Quand la jeune femme se leva, ils prirent le café ensemble. Marshall la tint au courant des grandes lignes et lui annonça qu'ils devraient se rendre à Washington. Cela ne l'enchanta pas plus que lui. C'était un débriefing de routine, lui assura-t-il. Ils n'en parlèrent pas, mais elle devait se douter qu'il allait lui falloir vivre entourée en permanence de gardes du corps et dans un lieu le plus sûr possible. Dans l'immédiat, Marshall allait la protéger. En tant qu'ancien agent de la DEA, il était habilité à porter une arme. La veille au soir, il avait demandé à Mac de lui en procurer une.

Dans l'après-midi, Marshall et Ariana allèrent se promener avec Stanley et Lili. Ensuite, ils déposèrent les chiens chez Mac et se rendirent en taxi chez Harrods, où elle acheta quelques vêtements. Elle ne pouvait tout de même pas se contenter de son short et de son tee-shirt ! Deux heures plus tard, elle rentrait un peu mieux équipée. Marshall, lui, avait acheté une veste et un pantalon. Il voulait être présentable pour la réunion à Washington.

Sur le chemin du retour, Ariana le remercia encore de tout ce qu'il avait fait pour elle.

— Cela faisait des semaines que je m'inquiétais pour vous, reconnut-il.

— Comment avez-vous su qui j'étais ?

— Après avoir vu le premier type vous suivre, j'ai appelé Bill, qui a appelé Sam pour savoir si cela lui disait quelque chose. Il a renvoyé à Bill une photo que Bill m'a fait suivre avec un rapport succinct. Cela m'a confirmé que vous étiez sans doute vraiment suivie. Ah, et puis j'avais vu votre photo dans le *Herald Tribune*.

Elle l'observait, incrédule. Il avait beau faire, elle se rendait compte qu'il manquait une pièce du puzzle. Comment aurait-il pu faire le lien entre une femme suivie à Paris et l'histoire de son enlèvement en Argentine ? Il tourna la tête, gêné. Il allait devoir lui avouer la vérité ; de toute façon, elle ne tarderait pas à la découvrir.

— J'ai lu les carnets, lâcha-t-il.

Cela lui fit un choc visible.

— Comment cela ?

— Je vous ai vue enterrer la boîte le jour de mon arrivée à Paris et Stanley l'a déterrée. C'est un chien de chasse, et moi un ex-agent. Ma curiosité a été la plus forte et j'ai voulu voir ce qu'il y avait dedans. Je l'ai emportée chez moi et j'ai lu les carnets. Cette histoire me disait quelque chose. C'est là que j'ai appelé Bill et qu'il s'est renseigné. Pardon, Ariana. Je n'aurais pas dû.

Il était mort de honte.

— Ne vous culpabilisez pas, Marshall. Au contraire, c'est une bénédiction que vous ayez fait cela, répondit-elle avec douceur.

Finalement, c'était la curiosité de Marshall et son instinct qui l'avaient sauvée.

Lorsque Mac rentra ce soir-là avec un délicieux dîner indien, Marshall lui demanda s'il avait un jeune agent à envoyer à Paris. Washington voulait la boîte en métal avec les journaux et lui-même avait besoin de quelques affaires.

— Pas de problème, mon vieux. J'envoie quelqu'un demain. Passe-moi tes clés.

Marshall les lui donna avec l'adresse et le code et lui précisa où se trouvait le coffret. Le lendemain soir, l'homme de Mac se présenta avec la boîte en métal. Ariana poussa un cri.

— Moi qui pensais ne jamais la revoir ! s'exclama-t-elle.

Elle demanda immédiatement à Marshall de la cacher à sa vue. Elle en avait fini avec ces souvenirs pour toujours. Même si Marshall l'avait déterrée, elle ne faisait plus partie de sa vie. La plaie était refermée. Jorge était définitivement sorti de sa vie.

La semaine suivante se passa à attendre des nouvelles de Washington. Marshall restait en liaison constante avec Bill et Sam. Heureusement, l'agent de Mac lui avait rapporté son ordinateur de chez lui. Enfin, Sam leur donna des nouvelles plus concrètes le vendredi soir.

— J'ai une bonne nouvelle et une mauvaise, annonça-t-il à Marshall.

La bonne, c'était qu'ils avaient mis au jour les activités d'agent double et de révolutionnaire de Luis Muñoz et qu'il avait été aussitôt débarqué du gouvernement. La mauvaise, c'était qu'il avait disparu et que personne ne savait où il était passé, pas même les meilleurs indics.

— Il peut être n'importe où, fit Sam, découragé. En Amérique du Sud, en Afrique du Nord, même en Europe. C'est une vraie anguille, ce type, et il est malin. Il s'est littéralement volatilisé.

Marshall redoutait d'avoir à apprendre cela à Ariana. Tant que le frère de Jorge courrait, elle ne serait en sécurité nulle part.

— D'ici combien de temps pouvez-vous venir ici ? demanda Sam.

— Ce qui vous arrange. Nous ne faisons rien d'autre qu'attendre de vos nouvelles. Et Mac doit en avoir assez de nous, maintenant.

— Lundi ? proposa Sam.

— Ça marche.

Ariana fut en proie au désespoir, le lendemain, quand Marshall lui apprit que le frère de Jorge était en fuite. Elle le savait, c'était très mauvais pour elle.

— Qu'allons-nous faire, maintenant ? demanda-t-elle à Marshall d'un air malheureux.

— Franchement, je ne sais pas. J'imagine qu'ils vont nous le dire lundi.

Une chose était sûre : leur vie allait changer.

14

Le samedi, Marshall et Ariana ne mirent pas le
nez dehors. Ariana était abattue. Elle ne dit rien
à Marshall et à Mac, mais ses conditions de vie
actuelles commençaient à lui rappeler sa séquestration. Certes, il n'y avait pas de rebelles, pas de
boîte dans laquelle elle passait ses journées enfermée.
Toutefois, l'impression d'être prisonnière demeurait
la même. Et le danger était partout. Elle était mena-
cée. Il en serait sans doute ainsi toute sa vie. Plus
étrangement encore, la vie avec ces deux hommes
depuis plusieurs jours faisait remonter des souvenirs
de sa séquestration. Pourtant, cela n'avait rien à voir.
Mac et Marshall lui témoignaient tous les égards
possibles. Mais Jorge aussi avait été bon avec elle.
Elle ne voulait pas retomber dans le syndrome de
Stockholm.

En proie à une crise de claustrophobie et d'angoisse, elle téléphona à Yael. Elle le mit au courant
de la situation et lui dit ce qu'elle éprouvait : sa peur,
son impression d'être prise au piège.

Il l'écouta attentivement. Ce n'était pas bon, en effet. Perdre peut-être pour toujours cette liberté qu'elle venait à peine de reconquérir – et au prix de quels efforts ! –, c'était un coup terrible. Elle était terrassée, il l'entendait au son de sa voix.

— Vous sentez-vous coupable ? lui demanda-t-il. Pour le frère de Jorge ou pour n'importe quoi d'autre ?

— Non, répondit-elle lentement, avec son honnêteté habituelle. Non, je ne crois pas. J'ai peur, c'est tout. Et je suis triste de penser que je ne pourrai jamais vivre normalement. Je commençais tout juste à profiter à nouveau de la vie. Je me sentais si libre… j'avais envie de retrouver du travail. Et tout s'est à nouveau enrayé.

Comme lors de son enlèvement.

— Marshall et Mac sont extrêmement gentils avec moi, ajouta-t-elle, mais je ne peux rien faire. Je crois que je vais retourner au couvent Sainte-Gertrude. Peut-être que j'entrerai dans les ordres.

Au moins, Muñoz et ses hommes n'iraient pas la chercher là-bas. Elle serait en paix. Il n'empêche qu'elle était complètement découragée. À vingt-cinq ans à peine, elle avait l'impression que sa vie était finie. Et c'était en partie vrai. Tout s'était arrêté le jour où elle était partie en Argentine. C'était ce qui lui était arrivé de pire après la mort de sa mère. Cela avait coûté la vie à son père, et, maintenant, même si c'était d'une façon moins radicale, à elle aussi.

— Les choses finiront certainement par se tasser, assura Yael. Ce type ne va pas vous traquer éternellement. Il n'en a pas les moyens humains ni financiers.

Sauf s'il s'alliait avec les barons de la drogue – et c'était peut-être déjà le cas. Là, rien ne le freinerait plus. Il la retrouverait, ne serait-ce que pour se venger.

À cause d'elle, il avait été éjecté du gouvernement argentin.

— Il a d'autres chats à fouetter, à mon avis, répliqua le thérapeute. Et puis, s'il craignait que vous ne révéliez son double jeu, c'est trop tard maintenant : c'est fait. Pour le moment, son souci, c'est de se cacher – en Bolivie, au Chili, en Équateur, en Colombie ou Dieu sait où. Un jour ou l'autre, il vous oubliera. Mais, c'est vrai, il va falloir que vous soyez prudente pendant un moment. Peut-être un long moment. Et ce ne sera pas facile.

— Marshall et moi rentrons aux États-Unis demain soir. Nous avons rendez-vous avec la CIA à Washington lundi matin.

Cela aussi faisait resurgir de mauvais souvenirs, ceux de l'époque si pénible où la CIA faisait partie de son quotidien.

— J'espère qu'ils me permettront bientôt de revenir à Paris, dit-elle tristement sans y croire vraiment.

— S'ils vous y autorisent, cela supposera de mettre en place un système de protection, remarqua-t-il avec franchise. Vous pourriez peut-être engager cet ancien de la DEA comme garde du corps...

D'ailleurs, un seul gorille ne lui suffirait pas. Il lui en faudrait beaucoup. Heureusement, elle en avait les moyens.

— Il ne peut se servir que d'un bras, objecta-t-elle.

Yael rit.

— Croyez-moi, ces types sont des machines de guerre même sans bras. Ils ont été entraînés pour survivre. Il pourrait probablement vous aider. Sérieusement. Il vous faut un excellent dispositif de protection, et vous devrez vous faire discrète le temps que Muñoz réapparaisse puis disparaisse pour de bon. En attendant, relevez la tête et soyez positive. Courage. Vous avez la force de survivre à cela. Ça va aller. Ce n'est pas comme la dernière fois. Vous êtes bien entourée, vous n'êtes pas captive et vous n'êtes pas à la merci des hommes qui vous entourent, lui rappela-t-il.

— Ils me nourrissent et me protègent des méchants, fit-elle valoir. Comme Jorge.

— Non.

Il fallait qu'elle prenne du recul. Marshall n'avait rien à voir avec Jorge. Il insista.

— La situation est très différente, Ariana. Les lignes sont nettes et les joueurs clairement identifiés. Les gentils, ce sont les hommes de toutes ces agences désignées par des acronymes et de Scotland Yard. Les méchants, ce sont les autres. La dernière fois, les méchants se faisaient passer pour des gentils. C'est ce qui vous a embrouillée. Cette fois, les équipes sont bien définies et chacun fait ce qu'il est censé faire. Les méchants veulent vous attraper et vous faire du mal, les gentils vous protègent. Je le répète, malgré vos impressions, la situation n'a rien à voir : un seul exemple : dépendez-vous de quelqu'un pour vous nourrir et vous donner à boire ? La réponse est non, bien sûr, lui rappela-t-il.

C'est ce petit détail qui fit toute la différence. Dans la forêt, sans Jorge, elle serait morte de soif et de faim.

— Vous pouvez vous faire livrer des pizzas. Et même du champagne si vous en avez envie. Vous voyez, ce n'est vraiment pas la même chose, Ariana. Je sais que c'est une situation très dure, injuste et stressante, mais vous n'avez pas totalement perdu le contrôle. Vous pouvez faire des choix. Des choix pas forcément idéaux, qui ne vous plaisent peut-être pas, mais, par exemple, vous êtes en mesure de décider comment vous voulez être protégée. Avec Jorge, vous n'aviez jamais votre mot à dire. Il contrôlait tout.

Elle soupira. Il avait raison.

Tandis qu'Ariana parlait au téléphone avec Yael, Marshall et Mac prenaient un café dans la cuisine.

— Tu crois qu'elle va tenir le coup ? demanda Mac.

Il voyait combien elle était tendue.

— Cela doit être dur pour elle, répondit Marshall. Comme un retour en arrière. Elle avait tout juste fini de surmonter ce qui lui était arrivé avec l'aide d'un déprogrammeur. Et la voilà replongée à fond dedans.

Il comprenait qu'elle n'aille pas bien. Elle mangeait très peu, avait-il remarqué. Cela dit, vu sa minceur, elle ne devait jamais avoir beaucoup d'appétit.

— Qu'est-ce que tu crois qu'ils vont vous dire, à Washington ?

— De nous mettre au vert, au moins pendant un temps. Ils vont peut-être vouloir nous cacher quelque part. Je ne peux imaginer qu'ils la laissent repartir seule à Paris. Ce serait de la folie.

Mac était de son avis. Et Ariana ne pouvait pas vivre éternellement dans sa chambre d'amis. Il n'aurait pas été contre, remarque. Cela faisait des années qu'il n'y avait pas eu de femme dans sa vie. Il était sorti quelque temps avec un agent d'une autre section, mais elle aussi avait fini par ne plus le supporter et l'avait quitté. C'était un célibataire endurci ; il en plaisantait volontiers. Son travail ne lui laissait pas beaucoup de temps pour s'amuser ou faire des rencontres, et cela lui convenait. Pour lui, seule importait la lutte contre les forces du mal. Marshall était pareil, du temps où il travaillait. Du moins jusqu'à Paloma. Avant elle, aucune femme n'avait été une priorité dans sa vie.

— Et toi ? Il va falloir que tu sois sur tes gardes quelque temps aussi, rappela Mac d'un air paternel.

— Je devrais y arriver, même comme ça, ajouta-t-il en regardant son bras gauche inutile.

S'il le fallait, il n'hésiterait pas à se servir de l'arme que lui avait donnée Mac et qu'il gardait en permanence dans sa poche.

— Quel sale coup pour toi, quand même..., lâcha Mac.

— Peut-être pas. Tu sais, si Amelia Armstrong – ou sa mère, qui était enceinte de huit mois – avait été tuée par manque de réflexe de ma part, je ne me le serais jamais pardonné.

— Tu es donc un héros. Sauf que les méchants gagnent, puisque tu ne peux plus les combattre.

— Moi non, mais nul n'est irremplaçable. Pas plus moi que toi. Nous faisons bien notre travail, mais nous ne sommes pas les seuls. Nous finirons par être plus nombreux. Il faut continuer la lutte.

— Ils continuent aussi de leur côté. Ils nous ont pris beaucoup de bons éléments, rien que pendant mes années de service, observa Mac, la mine sombre.

— Quelle ironie que celui qui m'a fiché une balle dans le bras, en fin de compte, ait été un tireur isolé... Cela faisait six mois qu'il était sorti de l'hôpital psychiatrique. Si au moins il s'était agi de quelqu'un d'intelligent, qui avait une bonne raison de vouloir me descendre... Là, c'était le truc idiot. Un peu comme se tuer en glissant dans la baignoire.

— Pas tout à fait, quand même. Tu viens de le dire : tu as sauvé la fille du président. Il y a une légère nuance.

Sur ce, Ariana entra dans la cuisine et alla se faire une tasse de thé. Elle semblait plus calme.

— Je peux me rendre utile ? proposa-t-elle en s'asseyant à la table de la cuisine.

Sa conversation avec Yael lui avait fait beaucoup de bien et lui avait permis de relativiser la situation : ce huis clos forcé avec ces deux hommes n'était pas si dramatique que cela. Yael savait toujours lui remettre les idées en place. Il appelait ça un réglage.

— Oui, répondit Mac avec emphase. Nettoie ma maison, femme ! Et n'oublie pas les vitres et les sols. Tu comptes me laisser vivre dans cette porcherie combien de temps ?

Ariana éclata de rire. Avenue Foch, elle avait une femme de ménage qui venait deux fois par semaine. Avant, elle n'avait jamais eu à s'en occuper non plus. Ce n'était vraiment pas son truc.

— Désolé, mon cher Mac, mais je ne suis pas très douée pour ce genre de choses, moi non plus, avoua-t-elle.

Mac fit la grimace.

— Vous êtes toutes pareilles, vous, les jeunes. Ah, les femmes modernes ! Bonnes à rien qu'à faire du shopping et se peindre les ongles. Qu'est-ce que vous voulez que ça nous fasse ? La cuisine, le ménage, la lessive : voilà ce que font les vraies femmes !

Comment résister à cet homme ? Ariana rit de plus belle. Quelle tristesse qu'il soit seul, sans femme ni enfants... Marshall lui avait dit que c'était le lot de beaucoup de vieux agents dans son style. Et de jeunes, aussi. La vie qu'ils menaient ne laissait guère de place au mariage, aux relations, aux histoires d'amour. Les femmes n'étaient pas heureuses avec eux.

Il songea à Paloma. C'était elle qui avait eu la plus mauvaise part, à cause de lui.

Ils bavardèrent encore un peu, puis elle monta faire son sac. Mac leur concocta encore un ragoût dans lequel il mit tout ce qui traînait dans le réfrigérateur sauf deux vieux citrons verts et un paquet de préparation instantanée pour gâteau au chocolat.

Il sortit une bonne bouteille de vin, mais la jeune femme n'en prit qu'une gorgée. Elle était trop angoissée par la perspective du voyage et du rendez-vous avec la CIA.

— Ça va aller, ne t'inquiète pas, Ariana.

Mac se voulait rassurant mais il n'en était pas persuadé.

Le lendemain, il les accompagna à l'aéroport. En étreignant Marshall, soudain, il eut peur pour son ami. Cela ne lui était jamais arrivé.

— Fais attention à toi, mon garçon, lui enjoignit-il d'une voix chargée d'émotion.

Leurs bagages étaient enregistrés. Stanley voyageait dans une cage en soute, Lili en cabine avec eux, dans un sac de transport que Mac avait acheté. Ariana s'occupait des formalités au guichet et des cartes d'embarquement pendant que les deux hommes parlaient.

— Vous formez un joli couple, observa Mac à voix basse. Tu pourrais trouver pire. D'ailleurs, tu as sûrement déjà trouvé pire.

Il ne le taquinait qu'à moitié. À vivre pendant une semaine avec Ariana, il l'avait trouvée très intelligente et charmante. Elle n'avait pas les grands airs qu'on voit parfois chez les personnes de sa classe sociale, habituées au luxe et à la vie facile. Mac éprouvait pour elle beaucoup de sympathie et d'admiration.

— Très drôle, répliqua Marshall avec une grimace.

Même s'il était à la retraite, il tenait actuellement le rôle d'un agent en exercice. Sa mission était d'amener sa protégée saine et sauve à Washington et de la confier à la CIA, laquelle prendrait le relais. Il ne la voyait pas comme une femme, mais comme une victime potentielle sur laquelle il fallait veiller.

— Il faudra quand même que tu lui apprennes à faire la cuisine. Autrement, elle ne te servira à rien.

Ils riaient tous les deux quand elle les rejoignit avec Lili. Elle n'avait qu'une petite valise contenant ce qu'elle avait acheté chez Harrods. Le reste était encore à Paris, où elle n'avait d'ailleurs pas grand-chose vu la simplicité de la vie qu'elle avait menée là-bas.

Elle embrassa Mac et le remercia de son hospitalité. Elle était triste de le quitter.

— La prochaine fois, tu dormiras dans ma chambre, annonça-t-il avec un clin d'œil.

Sa façon de flirter aussi inoffensive qu'outrancière ne manquait jamais de la faire rire. Au demeurant, les deux hommes étaient restés très réservés avec elle en toute circonstance et ne lui avaient témoigné que de la gentillesse et du respect. Yael avait raison. Son séjour à Londres n'avait rien à voir avec son kidnapping.

— Faites attention à vous, tous les deux, et soyez sages !

Mac les suivit des yeux jusqu'au portique de sécurité. Bien que sa plaque de Scotland Yard lui eût permis de les accompagner, il ne le fit pas. Marshall avait pris les choses en main. Mais avant de partir, il lui avait dû lui rendre l'arme, bien sûr.

Mac rentra chez lui les yeux humides et le cœur lourd. À la vue de la vaisselle de leur petit déjeuner dans l'évier, il se servit un verre et but à la santé de son ami. Pourvu que tout se passe bien pour eux deux, qu'il ne leur arrive rien...

Ariana s'arrêta pour acheter des magazines avant d'embarquer. Elle choisit les éditions espagnole, française et américaine de *Vogue* ainsi que l'*International Herald Tribune*. Pour des raisons de sécurité, la CIA les rapatriait en première classe sur British Airways et non en classe économique ni même business – celle que Marshall prenait habituellement. Le jeune homme avait pour ordre de ne pas la quitter des yeux et de la garder tout près de lui, pour ainsi dire à portée de main, en permanence.

— J'ai de la chance ; grâce à vous, je voyage en première, plaisanta-t-il.

Elle leva les yeux de ses magazines et lui sourit. Tout s'était déroulé à merveille jusque-là. Pendant le décollage, il songea à Mac. Cela lui avait fait plaisir de le revoir, et il se promit de lui rendre visite quand il retournerait à Paris pour voyager en Europe d'ici quelques mois. Il était nostalgique de leurs missions ensemble. Il avait adoré travailler avec lui. C'était l'un des êtres les plus intelligents et les plus courageux qu'il ait rencontrés. Il ne fallait pas se fier à son allure décontractée, voire débraillée, ni à ses costumes de tweed. Sous ses airs de professeur d'université éméché, c'était un tireur d'une rapidité stupéfiante. Marshall l'avait vu abattre trois hommes en quelques secondes, une nuit, avant de tuer le quatrième au couteau.

On leur servit un repas léger, puis Ariana commença à lire ses magazines et s'endormit rapidement. Il posa une couverture sur elle très doucement. L'hôtesse lui sourit. Elle devait les croire en voyage de noces. Comment aurait-elle pu se douter qu'elle avait affaire à un ex-agent de la DEA et à une femme poursuivie par des rebelles argentins qui se rendaient à une réunion avec la CIA ?

Ariana se réveilla deux heures plus tard, remarqua la couverture et remercia Marshall avec un sourire encore endormi. Il arrêta le film qu'il regardait et ôta les écouteurs.

— Ça va ?

Il s'inquiétait de ce qui pouvait se passer dans sa tête, du stress qu'elle devait subir. Elle se laissa aller contre le dossier du siège et le regarda en soupirant.

— Je suis anxieuse pour demain, reconnut-elle. Que vont-ils faire de moi ? Je n'ai pas envie qu'ils m'enferment quelque part au prétexte de me garantir un risque zéro.

Lui non plus ne souhaitait pas ça pour elle. Cela lui paraissait injuste. Elle était trop jeune. Il fallait qu'elle vive sa vie. Il ne lui vint pas à l'idée que lui aussi avait une vie à vivre. Il y avait renoncé depuis trop longtemps. Il n'y avait pas eu de femme dans sa vie depuis Paloma, trois ans auparavant. Parfois, il lui semblait que cela ne faisait que quelques jours qu'elle était morte. Et depuis, il n'avait regardé personne d'autre. Il était trop douloureux de perdre quelqu'un qu'on aimait. Et par sa propre faute, en l'occurrence. Il s'en voudrait éternellement de sa mort. Il avait son sang et celui de leur bébé sur les mains.

— Je pense qu'ils vont simplement vous affecter un petit détachement pendant un moment. Ensuite, il faudra sans doute que vous complétiez avec des gardes du corps. Je pourrai vous aider à les recruter, si vous voulez. Beaucoup d'anciens de la DEA ou de la CIA font ce métier.

— Vous aussi ?

Elle se posait des questions sur lui. Très discret, il n'évoquait jamais son handicap ni sa vie privée. Elle savait qu'il avait vécu à Paris quelque temps, mais ignorait pourquoi. Elle l'avait entendu raconter à Mac dans quelles circonstances il avait perdu l'usage de son bras gauche. Il ne lui en avait pas parlé directement.

— Non, moi, c'est fini, répondit-il simplement, sans amertume. C'est la vie. Je ne me verrais pas louer mes services avec un seul bras valide. Ou alors à moitié prix.

Cette mauvaise plaisanterie fit faire la grimace à Ariana. Elle avait observé qu'il se servait un peu de sa main dans la vie courante, mais que son bras pendait, inerte, à son côté. Cela ne l'avait pas empêché de lui sauver la vie.

— J'ai eu beaucoup de chance pendant longtemps, et puis, un jour, la chance a tourné. Les narcotrafiquants auraient fini par m'avoir un jour ou l'autre, de toute façon. Je me suis fait beaucoup d'ennemis, au fil de mes missions. Il faut bien arrêter un jour.

C'était une façon de voir les choses. Philosophe, il semblait avoir accepté ce qui lui était arrivé. Si jeune, tout de même, cela n'avait pas dû être facile. Il venait d'avoir trente et un ans – six ans de plus qu'elle, donc.

— Vous savez ce que vous allez faire, maintenant ?

— Voyager un peu, pour commencer. Et faire tout ce que je n'ai pas eu le temps de faire quand je travaillais. Cela faisait des années que je n'avais pas pris de vacances. Ensuite, je pourrai peut-être enseigner. Je connais très bien l'Amérique du Sud et la politique étrangère. Je verrai bien le moment venu. Et vous ?

Elle n'avait pas vraiment besoin de travailler, il le savait. Mais que comptait-elle faire de son temps, du moins quand elle serait libre ?

— Je travaillais dans la mode, avant. Je venais d'être engagée par un magazine en ligne quand nous sommes partis en Argentine. J'étais en bas de l'échelle, mais j'adorais ce milieu. J'aimerais bien retrouver un poste là-dedans. J'allais me mettre à chercher sérieusement juste avant que... Enfin, j'étais prête. Maintenant, je ne sais pas ce qui va être possible.

Elle lui raconta son année à Sainte-Gertrude avec les sœurs.

— La vie religieuse m'a toujours semblé être le comble de la tristesse et du gâchis, avoua-t-il.

Elle secoua la tête.

— Franchement, vous vous trompez. Les sœurs que j'ai connues s'amusent beaucoup, elles sont merveilleuses et mènent une vie très agréable. Ce sont elles qui m'ont appris à faire pousser des légumes.

Elle sourit au souvenir de mère Elizabeth, de sœur Paul, de sœur Marianne, de toutes les autres.

— Vraiment ? Vous pouvez être jardinière, alors, dit-il pour rire.

— Là où je suis vraiment nulle, c'est pour éplucher les patates. Plus sérieusement, je me suis demandé un temps si je n'avais pas la vocation, mais la mère supérieure m'a démontré que non, que j'avais seulement peur de retourner dans le monde. Elle avait raison. C'est après cela que je suis allée à Paris pour travailler avec Yael Le Floch. Je ne le regrette pas une seconde, mais me revoilà à la case départ, en train de fuir des rebelles qui veulent m'enlever. Pour l'instant, on dirait que c'est cela, mon destin.

Ils arrivèrent à l'heure à Washington. Deux agents de la CIA les retrouvèrent à la descente de l'avion et leur firent passer les contrôles à toute vitesse. Après avoir récupéré les bagages et Stanley, ils furent conduits à l'hôtel Four Seasons de Georgetown, où les attendait une suite de deux chambres avec salon. Un agent montait la garde devant la porte.

— Voyager avec vous, c'est une sacrée expérience, commenta-t-il. La dernière fois que je suis rentré de quelque part, ils m'ont mis dans un hôtel de l'aéroport.

Cette suite double lui permettait de garder un œil sur elle, avec l'autre agent en soutien. La CIA ne voulait prendre aucun risque. Ils ne pourraient pas se justifier si elle était enlevée aux États-Unis, sous leur nez. La dernière fois, ce n'était pas leur faute. Ici, ils seraient responsables.

On les avait priés de dîner dans leur suite. Marshall commanda un cheeseburger et Ariana une salade. Stanley eut droit à de la viande pour hamburger et Lili à du poulet en tranches. Le premier boudait toujours depuis son voyage en soute. La seconde, elle, avait dormi tout le temps dans son sac. Comme Ariana ne devait pas quitter la suite, c'est Marshall qui sortirait les deux chiens.

Il avait mis les carnets et les lettres de Jorge dans son attaché-case mais laissé la vieille boîte en fer chez Mac car il savait que cela troublait Ariana de la voir. Il lui avait proposé de lui photocopier les lettres avant de les remettre à Sam Adams, elle avait refusé. Tout cela était bien terminé, pour elle.

Ils regardèrent un film ensemble dans le salon de la suite et se couchèrent de bonne heure. Lili dormit sur le lit d'Ariana. Stanley s'était étendu de tout son long sur le canapé du salon et ronflait. Marshall le laissa en riant.

— Lui aussi, il apprécie de voyager avec vous.

Ariana resta longtemps éveillée à se demander ce qui allait se passer le lendemain. Et si un miracle s'était produit ? Et s'ils avaient retrouvé et arrêté le frère de Jorge ? Elle serait libre. C'était peut-être trop espérer. Sam Adams les avait appelés à leur arrivée pour leur confirmer la réunion prévue à neuf heures trente dans les locaux de la CIA, à McLean, en Virginie, à quelques kilomètres de Washington.

Ariana fut debout à six heures. Elle commanda un café et se mit à lire le *Washington Post*, bien installée et en bonne compagnie : Lili et Stanley. Marshall ne tarda pas à apparaître à son tour, en jean, et sortit les deux chiens.

Ils prirent le petit déjeuner ensemble à son retour, une heure plus tard, puis se préparèrent. Ils laissèrent les chiens dans la suite de l'hôtel avec le panonceau « Ne pas déranger » sur la porte. À neuf heures quinze, ils prenaient place dans la voiture de la CIA qui les attendait en bas. Ariana portait le pull et le chemisier noir acheté chez Harrods pour cette réunion et Marshall le costume qu'il s'était fait apporter de Paris par l'agent de Mac. Ils faisaient très sérieux mais Ariana tremblait intérieurement.

Sam Adams vint les accueillir. Il serra la main de Marshall et étreignit Ariana pour la rassurer. Quelques minutes plus tard, une demi-douzaine d'hommes qui travaillaient sur leur affaire entrèrent et tous prirent place autour de la grande table de réunion. Rien n'avait changé. Muñoz n'avait pas encore été retrouvé. Il pouvait être n'importe où, même si le plus probable était qu'il se trouve en Amérique du Sud. Il rendait certainement Ariana responsable de sa destitution, ainsi que de la mort de son frère. Or ils savaient maintenant que Muñoz était animé du même esprit de vengeance que Jorge. La différence, pour Sam Adams, c'était que Luis devait avoir plus de relations et être beaucoup plus intelligent pour avoir réussi à jouer ce double jeu pendant des années.

— Nous avons donc de bonnes raisons d'être inquiets, résuma un des hommes de Sam.

La veille, ils avaient établi un plan. Marshall écoutait sans un mot. Quelque chose lui disait qu'il devinait la suite. Il espérait encore se tromper.

— Vous êtes en grand danger, mademoiselle Gregory, reprit Sam. Tant que nous n'aurons pas localisé Muñoz, que nous ne l'aurons pas mis en prison ou tué, nous ne pourrons pas assurer votre protection comme nous le souhaitons. Vous avez vu ce qui a failli arriver à Paris ; cela se reproduira. Dès qu'ils vous repéreront, ils essaieront encore de vous enlever, pas pour une rançon, cette fois, mais pour se venger. À moins qu'ils ne vous gardent en vie le temps que vous leur fassiez parvenir de l'argent pour financer leur cause et ne vous tuent qu'ensuite. Bref, le risque est beaucoup plus grand. L'enlèvement crapuleux est un jeu d'enfant comparé à cela. Nous ne savons pas encore qui Muñoz a avec lui, si d'autres membres du gouvernement le suivent, qui est chargé d'exécuter ses ordres et de faire le sale boulot. Le quatuor de Paris était une équipe disparate constituée de mercenaires, de rebelles et de tueurs à gages. Là, vous avez affaire à de vrais méchants, conclut-il.

Ariana était livide.

— Alors que faut-il que je fasse ? Que je me cache le restant de mes jours ?

C'était une perspective horrible. Elle se demandait si elle n'aurait pas mieux aimé être morte.

— Non, pas pour le restant de vos jours, mais pour un moment tout de même, expliqua Sam. Quelques années. Nous voulons vous rendre la vie la plus vivable possible, Ariana. Je sais que c'est dur. Nous vous avons fait venir ici pour vous proposer d'entrer dans le Programme de protection des témoins, au niveau de sécurité maximum, en faisant en sorte que ce soit relativement confortable pour vous.

— Vous voulez dire que je vais devoir vivre dans un trou perdu, du genre le Montana, et me faire passer pour quelqu'un d'autre ? demanda-t-elle, horrifiée.

Comme ils hochaient la tête, les larmes lui montèrent aux yeux.

— Mais que voulez-vous que je fasse, là-bas ? Je serai seule. Je ne connaîtrai personne.

Finalement, oui, c'était pire que la mort – pas tant à cause du lieu que du mode de vie qui lui serait imposé, sous une fausse identité, avec des inconnus qui ne sauraient jamais la vérité sur elle ni qui elle était. Son existence ne serait qu'un mensonge. Et pour combien de temps ?

— Nous pouvons vous aider à engager du personnel et placer des agents autour de vous le temps que vous vous acclimatiez, mais nous espérons surtout que vous n'aurez pas besoin d'eux. Vous serez dans un environnement protégé jusqu'à ce que la situation évolue, ici ou en Argentine, du côté de Muñoz. Bien entendu, nous ne cesserons pas de le rechercher. Le retrouver prendra peut-être beaucoup moins longtemps, ajouta Sam, encourageant.

Ariana pleurait à chaudes larmes. Marshall aurait voulu pouvoir la réconforter sauf qu'il ne pouvait rien dire pendant cette réunion et qu'il savait que les hommes de la CIA avaient raison. C'était ce qu'il aurait préconisé, lui aussi. Vivre dans le monde était trop dangereux pour elle pour l'instant.

— Et si je refuse ? lâcha-t-elle d'un air têtu.

Soudain, elle faisait son âge.

— Vous prendriez un énorme risque qui pèserait sur vous chaque jour. Le risque de voir ce qui s'est passé à Paris se reproduire. Nous pouvons vous aider à choisir un lieu. Nous avons certaines préférences : un environnement rural, des régions au taux de criminalité bas et où vous n'attirerez pas l'attention. Évidemment, pas des grandes villes comme Washington ou New York.

Elle n'était pas loin quand elle parlait du Montana. En fait, le Wyoming, juste en dessous, était l'un des États qu'ils préféraient pour la protection des témoins.

— Nous sommes convaincus que c'est la seule solution pour vous actuellement. En principe, le Programme de protection des témoins est réservé à des gens qui vont témoigner lors d'un procès et qu'il faut protéger jusque-là. Votre cas est un peu différent, mais il se peut fort bien qu'un procès ait lieu à un moment donné et que vous soyez citée à comparaître comme témoin. Quoi qu'il en soit, notre préoccupation numéro un pour l'heure, c'est votre sécurité.

Sam Adams précisa que, avant de lui faire cette proposition, il avait déjà entrepris toutes les démarches pour qu'elle puisse prendre effet immédiatement. Pendant qu'elle était encore à Londres, ils avaient obtenu l'accord du ministère de la Justice pour son admission dans le programme. Apprendre que la demande avait non seulement déjà été faite mais acceptée fit un choc à Ariana. Tout s'était décidé sans elle, en fait. Cela la contrariait plus encore.

Elle n'avait personne pour la conseiller, lui dire quoi faire. Elle était trop jeune et trop seule pour prendre une décision aussi importante qui aurait des conséquences sur toute sa vie et même sa survie.

— Voulez-vous y réfléchir un jour ou deux, Ariana ? Je sais que c'est très difficile. Nous pouvons vous donner une liste de lieux envisageables. Nous ferons tout notre possible pour que vous y soyez bien. Nous vous aiderons à trouver du travail si vous le souhaitez, nous avons des logements à vous proposer et nous pouvons vous proposer un traitement allant jusqu'à soixante mille dollars par an. Nous nous chargerons de tous les documents et vous apporterons une assistance psychologique si vous en éprouvez le besoin.

La tête lui tournait. Elle n'avait pas besoin de ces soixante mille dollars par an du fait de son héritage, qui lui permettait de se construire une vie confortable n'importe où, mais ce n'était pas le cas de tout le monde. Elle acquiesça et regarda les hommes de Sam quitter la salle, comme en état de choc. Elle était complètement noyée.

Marshall avait transmis les carnets et les journaux à Sam, dans une enveloppe kraft, avant la réunion. Une fois les autres partis, Sam se tourna vers lui.

— Tout ceci vaut également pour vous, Everett. Nous sommes désolés. Vous êtes en danger, vous aussi. Si les quatre hommes de main de Paris vous ont repéré et pris en photo, ils ne vont pas tarder à vous rechercher. Nous souhaitons que vous entriez dans le PPT, soit avec Mlle Gregory, une fois qu'elle aura fait son choix, soit de votre côté. Cela dépend de vous deux.

Sam leur tendit à chacun une liste de lieux adaptés à leur cas.

— Vous voulez me mettre au frais ? fit Marshall, étonné.

Adams hocha la tête.

— Vous êtes aussi menacé qu'elle, si ce n'est plus, si l'on ajoute votre passé au fait que vous avez été vu avec elle.

Sam ne plaisantait pas. Il emmena Marshall et Ariana dans son bureau où ils parlèrent encore quelques minutes. Ariana retenait ses larmes. Marshall était abasourdi.

— J'ai l'impression que vous m'envoyez en prison, ou en Sibérie, avoua-t-elle à Sam en partant.

— Il s'agit de vous sauver la vie, Ariana. Nous nous sommes donné beaucoup de mal pour vous sortir des griffes de Jorge. Nous n'avons pas envie de vous perdre.

Dehors, la voiture les attendait. Ariana éclata en sanglots en sortant du bâtiment et pleura jusqu'à l'hôtel. La voir dans cet état rendait Marshall malade. C'était trop, pour elle. Trop d'informations. Trop d'émotions. Une fois dans la suite, il la prit dans ses bras et elle pleura contre sa poitrine.

— Je sais que cela vous paraît affreux, mais ce ne sera pas si terrible que cela. Et ce n'est pas pour toujours. Des types comme moi retrouvent des types comme Muñoz tout le temps. Il faut juste leur laisser le temps de faire leur travail. Et vous avez vu ? Maintenant, je suis embarqué dans le même bateau que vous. Moi aussi, ils veulent me mettre en prison – ou m'envoyer en Sibérie, comme vous dites.

Il n'était pas désespéré comme elle. Étonné, simplement. Il avait été habitué à être expédié dans des endroits bien pires, dans des conditions bien plus difficiles et pour des périodes indéterminées, mais longues.

— Je suis désolée, dit-elle d'un air encore plus malheureux en se mouchant dans le mouchoir qu'il lui tendait. C'est ma faute.

— Pas du tout. C'est ainsi que je vis depuis toujours. C'est mon métier. Pendant des années, j'ai été la cible des narcotrafiquants. Quand j'ai quitté la Colombie, c'est parce qu'il y avait eu une fuite. J'ai dû filer immédiatement – en quelques minutes. J'avais une femme et un bébé. Le frère de ma femme était le trafiquant dont j'infiltrais le camp depuis trois ans. Il l'a tuée, ainsi que le bébé, le jour de mon départ. Ces types ne font pas dans la demi-mesure. Sam a raison. Muñoz vous tuera s'il le peut. Ne lui donnons pas cette possibilité. Vous avez la vie devant vous, Ariana. Cette situation est provisoire.

Il s'efforçait de lui présenter les choses sous le jour le plus anodin, comme un entracte dans sa vie.

— Elle peut très bien durer des années, répliqua-t-elle en se mouchant encore.

Elle n'arrivait pas à arrêter de pleurer quand elle pensait à ce qui l'attendait. Et puis, elle le regarda.

— Vous viendrez au même endroit que moi ?

Elle commençait à le considérer comme son ami, son seul ami. Et puis l'idée de « disparaître » seule lui faisait trop peur. Au moins, avec lui, elle connaîtrait quelqu'un. Et elle se sentirait en sécurité. Elle avait été touchée qu'il se livre enfin, pour la première fois, et très émue par l'histoire de sa femme et de son enfant.

— Je suis vraiment désolée de ce qui vous est arrivé. Pourquoi ces hommes sont-ils tellement cruels ?

— Ils sont comme ça, c'est tout. Pas de morale, pas de conscience, des idéaux tordus, motivés par l'argent, le pouvoir ou les deux. Cela corrompt les gens. Et puis il y en a qui naissent comme cela, sans doute.

Il avait dû voir des choses terribles pendant ses années à la DEA. Cela se lisait dans ses yeux.

Il lui donna un verre d'eau, et ils s'assirent pour étudier les différentes possibilités. Le Wyoming figurait en tête de liste. L'État de Washington, l'Alaska, le Dakota du Nord et du Sud, le Montana, l'Oklahoma, l'Arkansas et le Nouveau-Mexique. Des zones rurales à faible densité de population, des États agricoles. Rien ne la tentait. Elle se remit à pleurer. Puis elle songea au Wyoming.

— J'ai eu envie de vivre dans un ranch, quand j'étais petite. Ça a bien dû durer dix minutes. Je montais beaucoup à cheval. Nous pourrions peut-être élever des chevaux ?

L'idée lui était venue comme ça, à l'instant. Au moins, s'ils achetaient des chevaux et qu'elle pouvait monter, elle aurait quelque chose à faire.

— Hum... Pourquoi pas ? Et si nous ne sommes pas trop loin d'une ville universitaire, je pourrais enseigner, proposa Marshall d'un air pensif. Je ne crois pas pouvoir me rendre très utile dans un ranch, souligna-t-il avec un sourire penaud en indiquant son bras gauche.

— Le meilleur professeur d'équitation que j'aie eu était manchot, répondit-elle avec un sourire qui avait tout l'air d'être sincère.

— Non, non, je vous laisse les chevaux, assura-t-il.

Mais il était prêt à l'accompagner. Cela la rassura un peu. Néanmoins, elle voulait encore réfléchir.

Ils allèrent se promener à Rock Creek Park avec quatre agents et reparlèrent du plan. Le Wyoming était l'État qui leur convenait le mieux sur la liste. L'idée d'un ranch commençait à plaire à la jeune femme – du moment que cela ne durait qu'un an ou deux, ou quelques mois. Marshall avait presque réussi à la convaincre qu'ils n'allaient pas tarder à attraper Luis. Il espérait ne pas se tromper. Mais il était possible également que Muñoz disparaisse pendant des années, voire pour toujours, et qu'ils se retrouvent bloqués dans le Wyoming indéfiniment.

— Qu'enseigneriez-vous, Marshall ?

— Les sciences politiques, notamment dans le contexte des pays d'Amérique du Sud. Ou l'espagnol, s'il n'y a rien d'autre. Ou les deux.

Il avait envie de reprendre une activité. Par ailleurs, l'idée de vivre avec elle lui plaisait bien. Lui non plus n'avait pas envie de se retrouver seul dans le Programme de protection des témoins. Bien qu'il soit d'une nature solitaire et indépendante, s'il repartait de zéro dans un lieu inconnu, sans aucune attache, et sous une autre identité, il se sentirait trop isolé. Certes, il avait déjà vécu de cette manière quand il était infiltré, mais c'était bien plus excitant. Il était très actif, sans cesse sur le qui-vive. Cette fois, ce serait beaucoup plus tranquille, plus confortable, mais moins intéressant. Il lui raconta sa vie dans le camp de Raul ; elle lui posa des questions sur Paloma. Il lui parla d'elle quelques minutes avant de changer de sujet. Elle sentait que ce souvenir était aussi douloureux pour lui que l'avait été celui de Jorge pour elle.

Le lendemain matin, ils appelèrent Sam et lui proposèrent de passer à l'hôtel. Marshall lui annonça qu'ils étaient prêts à entrer dans le Programme de protection des témoins, que le Wyoming les tentait, mais qu'ils auraient aimé en savoir plus sur les sites proposés par la CIA. Il expliqua qu'ils souhaitaient être près d'une ville universitaire et qu'Ariana avait envie d'élever des chevaux. C'était un projet qu'elle financerait elle-même. Elle comptait offrir l'opportunité à des enfants défavorisés de monter à cheval et leur donner des cours – même si Marshall lui avait fait observer qu'il y avait sûrement moins d'enfants défavorisés à la campagne que dans les grandes villes. En tout cas, l'idée leur plaisait bien. La réponse de Sam les surprit.

— Figurez-vous que nous possédons un assez grand ranch dans le Wyoming, qui nous a déjà servi dans le cadre du programme. Il est vacant actuellement. Il faut sans doute y faire quelques travaux. La maison principale est suffisamment grande pour une famille. Les derniers témoins à l'avoir occupée avaient quatre enfants. Il y a un autre logement et d'autres bâtiments plus petits répartis sur la propriété. Vous aurez un peu de travaux à faire en arrivant, à nos frais bien sûr. Et il y a une ville universitaire à proximité. Ce n'est pas Harvard, bien sûr, mais c'est un établissement tout à fait convenable. On dirait que cela correspond à ce que vous cherchez tous les deux, conclut Sam, visiblement soulagé.

Ariana restait circonspecte.

— Comment aurai-je accès à mes fonds ?

Ce n'était pas le souci majeur de la plupart des membres du PPT. Cependant, tout était prévu.

— Vous pouvez faire virer de l'argent sur un de nos comptes en fidéicommis. Nous pouvons même nous en charger afin qu'il ne soit pas possible de remonter jusqu'à vous. Et nous transférerons les sommes que vous souhaitez sur le compte correspondant à votre identité dans le programme. Ce n'est pas un problème. Au fait, il faut que vous vous choisissiez un nouveau nom, leur rappela-t-il.

— Puis-je décorer la maison à mon idée ?

— Dans les limites du raisonnable, oui, répondit Sam en souriant. Si vous repeignez tout en rose vif à rayures mauves, les prochains témoins ne seront peut-être pas ravis. Mais nous pourrons voir cela plus tard.

Ariana était soulagée. Un an ou deux dans ces conditions, cela semblait tenable. Avec Marshall. Certes, elle ne le connaissait pas encore bien, mais elle avait confiance en lui et il s'en était déjà montré digne.

— Quand devrons-nous partir ? s'enquit-elle non sans appréhension.

— Bientôt.

— C'est-à-dire ? Demain ?

Elle fut prise de panique. On était mardi.

— Disons, d'ici vendredi. Nous préférons vous faire disparaître au plus vite. Le monde est petit et nous ne savons même pas où se trouve Muñoz. Cela nous met dans une posture très difficile. Il peut très bien être ici sous un faux nom. Bref, il faut que vous partiez dès que possible.

Marshall hocha la tête.

— On peut emmener les chiens, au moins ?

— Bien sûr. Il faut aussi travailler sur votre identité et votre histoire. D'où vous venez, pourquoi vous vous êtes installés là, ce que vous faisiez avant. Où vous avez fait vos études. Vous pouvez vous faire des amis sur place, mais pas de gaffe ! Marshall, vous connaissez ça très bien. Vous expliquerez tout à Ariana.

L'ex-infiltré était expert en la matière. Pendant six ans, sa vie en avait dépendu. Il était carrément devenu celui pour lequel il se faisait passer.

Des responsables du programme vinrent dans l'après-midi leur montrer des photos du ranch. Il y avait une grande ferme plus très fraîche. Ariana prit aussitôt la décision de la repeindre à ses frais et de refaire les clôtures. Le mobilier aussi paraissait fatigué. Elle allait arranger cela. La deuxième maison, celle de Marshall, paraissait spacieuse. Elle avait été refaite pour le contremaître du temps où c'était un ranch, avant que le gouvernement rachète la propriété. Le jeune homme assura que cela lui convenait parfaitement. Il n'avait besoin de rien d'extraordinaire et ne se souciait pas de la décoration. Il faut dire qu'il avait passé trois ans dans une cabane dans la jungle en Colombie et vécu sous une tente en Équateur avant cela. Une maison, c'était déjà un grand pas en avant, pour lui.

— Vous vous installerez en tant que... amis ? demanda poliment l'un des agents du programme. Mari et femme ? Frère et sœur ? Employeur et employé ?

Ils n'y avaient pas réfléchi.

— Amis, répondit Ariana. Marshall vient m'aider à créer l'élevage de chevaux, après la mort de sa femme. Quant à moi, je viens de perdre mon père.

Se faire passer pour frère et sœur serait trop délicat. Et il n'était pas son employé. Amis, sur un pied d'égalité, ils seraient plus à l'aise tous les deux. Enfin, plus ils restaient près de la vérité, moins ils avaient de risques de se trahir. Il fallait seulement qu'ils prennent l'habitude de se tutoyer.

Marshall comptait poser sa candidature pour enseigner à l'université. Le PPT lui proposa de l'aider à repérer les offres qui lui correspondaient et de lui fournir les références nécessaires. Restait les noms. On leur conseilla comme à tous les témoins dans leur situation de conserver le même prénom ou les mêmes initiales. Comme nom de famille, Marshall opta pour le nom de jeune fille de sa mère, Johnson, et Ariana pour Robert, le prénom de son père. Ils allaient recevoir cartes de crédit et de retrait, passeport, permis de conduire, compte en banque et toutes sortes de papiers correspondant à leur nouvelle identité d'ici la fin de la semaine. Le PPT se chargeait de tout.

Ce soir-là, Ariana se coucha épuisée. Quand elle fut endormie, Marshall téléphona à la Maison-Blanche. Il avait envie de revoir les Armstrong avant de partir avec Ariana dans le Wyoming. Les enfants devaient avoir tellement grandi ! Il apprit que le président était en visite d'État à Tel-Aviv mais que les enfants et Melissa étaient là. La première dame l'invita à venir jeudi après l'école. Elle était ravie.

Entourée de quatre agents femmes, Ariana sortit le lendemain faire des courses pour acheter tout ce dont elle pensait avoir besoin dans le Wyoming. Marshall en fit autant, avec un seul garde du corps toutefois. Il pensa à acheter des valises pour eux deux, mais dut en commander d'autres une fois rentré à l'hôtel. Il ne s'attendait pas à ce qu'Ariana achète autant de vêtements « au cas où ». Elle avait l'air toute penaude, mais il rit. La seule femme avec laquelle il avait vécu, c'était Paloma. La vie selon Ariana représentait pour lui une aventure inédite.

Le jeudi, il lui proposa de l'accompagner chez les Armstrong. Elle en fut aussi touchée que surprise. Certes, elle avait rencontré Phillip Armstrong et son épouse auparavant, lors du bal d'investiture où elle avait accompagné son père, et le président avait assisté aux obsèques de ce dernier. Cependant, elle fut impressionnée par la relation affectueuse et chaleureuse qui liait Marshall à la famille présidentielle.

Amelia lui raconta comment il lui avait sauvé la vie et lui décrivit par le menu toutes ses activités. Pendant tout ce temps, Brad faisait voler son nouvel hélicoptère télécommandé dans la pièce au risque de le leur envoyer dans la tête. Marshall et Ariana purent tenir le bébé dans leurs bras, ce qui les émut beaucoup. Ils passèrent avec eux deux heures de délicieux répit qui contrastaient avec la tension dans laquelle ils vivaient depuis la tentative d'enlèvement à Paris.

— Je vais partir quelque temps, expliqua Marshall aux enfants.

Leur mère haussa un sourcil mi-interrogateur, mi-inquiet. Les enfants avaient déjà demandé si Ariana était sa petite amie. Il avait répondu que non, que c'était simplement une amie. Amelia avait paru soulagée. Maintenant, elle était surtout triste qu'il s'en aille.

— Tu retournes jouer à cache-cache ? lui demanda-t-elle en écarquillant ses grands yeux bleus.

— En quelque sorte, oui.

— Je croyais que tu ne pouvais plus.

— C'est exceptionnel. Mais je ne risque rien. Je reste aux États-Unis et je vais dans un endroit très sûr. Je reviendrai vous voir dès que je pourrai.

Avant de partir, il serra les enfants dans ses bras. Melissa l'engagea à mi-voix à prendre soin de lui, puis elle remercia chaleureusement Ariana de sa visite. Sa secrétaire lui avait rappelé qui elle était et ce qui lui était arrivé. Marshall assurait-il sa sécurité ? Elle était charmante, en tout cas. D'ailleurs, en la voyant, Melissa s'était rappelé l'avoir déjà rencontrée.

Dans la voiture qui les ramenait à l'hôtel, Ariana ne tarit pas d'éloges sur les enfants. Elle avait été touchée de le voir si proche d'eux, si gentil. Ils avaient une place dans son cœur pour toujours. Quel merveilleux père il aurait fait, si la vie avait été différente... Au fond, songea-t-elle, ils avaient tous les deux perdu un bébé de l'être qu'ils aimaient, dans des circonstances traumatisantes. Le destin s'en était mêlé.

À l'hôtel, ils trouvèrent Stanley et Lili dormant profondément l'un contre l'autre, la petite chienne entre les pattes du gros chien qui ronflait doucement, le nez posé sur elle. La présence des chiens était pour eux un réconfort et leur bonne entente une bénédiction. Stanley aurait pu ne faire qu'une bouchée de Lili. Par chance, il n'en avait absolument aucune envie, même quand elle se pendait à ses grandes oreilles pour jouer. Quand il en avait marre, il la repoussait d'un petit coup de patte et allait se coucher dans un coin.

Le vendredi sonna le grand départ. Ariana sortit de la salle de bains en jean, avec une chemise à carreaux roses, un pull rose, des chaussures plates. Sans maquillage, les cheveux retenus par une simple queue-de-cheval, on lui aurait donné seize ans. Elle installa Lili dans son sac de transport. Tout le reste était prêt. On leur avait remis tous leurs papiers d'identité et autres documents la veille au soir, et même des téléphones portables et des ordinateurs à leurs nouveaux noms. Tout ce qui pouvait être associé à leur ancienne identité avait été changé. Les plans administratif et judiciaire étaient en règle. Enfin, les propriétaires de leurs appartements parisiens avaient été avertis de leur départ, avec deux mois de préavis.

Marshall avait déjà vécu ce type de situation, mais pour Ariana, c'était complètement nouveau. L'air abattu, elle ne dit pas un mot sur le chemin de l'aéroport. Ils montèrent dans le jet privé qui les emmenait dans le Wyoming, accompagnés de quatre agents de la CIA. Au niveau administratif, les agents du PPT avaient fait en sorte qu'ils paraissent avoir acheté le ranch pour une bouchée de pain, si jamais quelqu'un se donnait la peine de vérifier. Toujours muette, Ariana regardait par le hublot. Elle avait appelé Yael avant de partir pour le tenir au courant. Il l'avait engagée à ne pas hésiter à lui téléphoner en cas de besoin. Cela lui faisait bizarre d'aller s'installer dans un endroit où elle n'avait jamais mis les pieds avec un homme qu'elle connaissait à peine.

Il y avait quatre heures de vol jusqu'à Casper, leur destination. Ariana ne dormit pas, ne parla pas, ne mangea pas. Elle resta le regard perdu dans les nuages. Marshall s'inquiéta. Elle avait déjà été fragilisée par un lourd traumatisme. Il ne fallait pas que ce nouvel épisode la replonge dans des souvenirs trop violents. Elle semblait hantée par le passé. Le PPT avait réitéré son offre d'assistance psychologique, qu'elle avait déclinée car elle préférait se tourner vers Yael Le Floch.

Parce qu'il avait vécu des expériences similaires dans des contextes moins favorables, Marshall n'appréhendait pas le changement d'identité. Tout juste craignait-il un peu leur installation et sa faculté d'adaptation à la vie avec quelqu'un. Ariana, elle, renonçait une fois de plus à tout ce qu'elle connaissait. Ne sachant trop que dire, il la laissa tranquille et bavarda avec les agents. Il avait appelé Mac la veille au soir pour lui dire au revoir et lui avait laissé entendre à mots couverts ce qu'ils allaient faire sans lui donner de détails.

« Je me doutais qu'ils allaient la mettre au frais un moment, avait répondu son ami. C'était la seule chose à faire. Fais attention à toi, mon garçon. J'espère que tu seras bien. Ça ne peut pas être pire que ce que tu as connu. Mais ce que j'en dis, moi, c'est que c'est bien des complications pour lever une fille, hein ? Et ne te laisse pas berner au niveau ménage, surtout. Elle a beaucoup à apprendre sur ce chapitre.

— Je ne suis pas sûr d'avoir beaucoup d'espoir à cet égard », avait-il répliqué en riant.

Lorsque l'avion amorça sa descente vers l'aéroport, Ariana observa le paysage : elle découvrit des maisons et quelques ranchs, mais la région lui semblait quasi déserte. Elle avait presque l'impression de se poser sur la lune.

— Ça va ? lui demanda Marshall avec sollicitude.

Elle le regarda en hochant la tête, mais sans grande conviction. Cela devenait soudain bien trop réel. Paris lui manquait. Et Buenos Aires. Et New York. Et même la petite cuisine vieillotte mais cosy de Geoff MacDonald à Londres. Elle aurait voulu être n'importe où, sauf ici. Pleurant en silence, elle débarqua de l'avion à la suite des quatre agents et de Marshall.

15

Il y avait une demi-heure de route de l'aéroport de Casper au ranch. Une camionnette les attendait à l'arrivée pour les transporter avec chiens et bagages. La barrière d'entrée de la propriété avait besoin d'un bon coup de peinture. Il y avait une boîte à lettres de campagne et ils disposaient également d'une boîte postale. L'université de Casper, où Marshall enseignerait, était à quarante minutes de route, ce qui semblait raisonnable.

Ils remontèrent une longue allée qui passait devant la maison du contremaître et diverses dépendances. L'écurie sur la gauche serait parfaite pour loger les chevaux. La maison principale apparut bientôt, avec son porche et sa clôture, entourée d'arbres centenaires. On apercevait Casper Mountain au loin. Il faisait doux et une brise légère soufflait. L'un des agents monta les marches, sortit un jeu de clés et ouvrit la porte. Un pick-up et une petite berline tout neufs étaient garés devant. Marshall et Ariana échangèrent un regard inquiet avant d'entrer à l'intérieur.

Il n'y avait pas une habitation à des kilomètres à la ronde. Le site était magnifique, mais bien vide au goût d'Ariana qui n'avait jamais vécu à la campagne. La grande ville lui manquait déjà. Même le couvent était moins silencieux, moins loin de tout que cet endroit.

L'agent alluma la lumière. Le reste du groupe entra et visita les lieux. Il y avait un salon, une salle à manger, un bureau avec une cheminée et une belle bibliothèque, une grande cuisine bien claire et un large escalier qui desservait l'étage composé de quatre chambres. Le mobilier était simple et réduit au minimum, un peu comme dans un motel ; les murs étaient nus. L'ensemble manquait cruellement de chaleur. On était loin du charme de son appartement parisien. Sheila, la secrétaire de son père, devait s'y rendre pour faire expédier toutes ses affaires chez son père, à New York. Ariana l'avait mise au courant dans les grandes lignes de ce qu'elle allait faire, sans lui préciser le lieu ni son nouveau nom. Elle ne pourrait pas l'appeler au cas où son téléphone serait piraté. Les messages devraient transiter par le PPT ou la CIA. Sheila s'était montrée sincèrement désolée de ce qui lui arrivait.

Ariana se tourna tristement vers Marshall.

— Bienvenue chez toi, dit-il gentiment en regrettant que la maison ne soit pas plus attrayante.

Il allait falloir se donner beaucoup de mal pour donner un peu de chaleur à cet intérieur spartiate.

L'équipe de préparation du PPT avait rempli le réfrigérateur et un placard de denrées de base : lait, œufs, beurre, pain, salade, yaourts, jambon et dinde sous vide, bananes, céréales pour le petit déjeuner, café instantané et sucre. Ils avaient de quoi se nourrir le jour de leur arrivée et le lendemain matin. Une liste des magasins des environs trônait sur le comptoir ; les plus proches se trouvaient à quinze kilomètres. Une demi-heure plus tard, les agents étaient repartis, les laissant seuls, Marshall et elle.

— Un coup de peinture et de nouveaux meubles, et ce sera déjà beaucoup mieux, assura-t-il, encourageant.

Il voyait combien elle était malheureuse. Luis Muñoz avait éteint toute étincelle de vie en elle, comme, sans doute, son frère, deux ans auparavant.

Elle s'assit à la table de la cuisine pendant que Marshall leur faisait du café. Le paysage était somptueux, certes, mais quel changement brutal avec Paris ou New York, quel choc culturel... Après avoir bu quelques gorgées de café dans une affreuse tasse ébréchée, elle leva la tête et lui sourit.

— Je n'aurais jamais survécu à cette épreuve sans toi, dit-elle franchement.

Peu lui importait le confort rudimentaire. C'était l'isolement qui lui pesait et la terrifiait. N'empêche, plus elle regardait autour d'elle, plus tout lui paraissait laid. Elle ne se voyait pas vivre là plusieurs années – voire indéfiniment. Dans ce cadre tellement impersonnel, il lui semblait vraiment vivre la vie de quelqu'un d'autre.

— Mais si, tu aurais survécu. Tu as surmonté bien pire.

— Heureusement que je me suis acheté des vêtements présentables avant de venir, fit-elle d'un ton ironique.

Par la fenêtre, ils virent Stanley et Lili se poursuivre dehors en aboyant comme des fous.

— Les chiens sont contents, au moins.

Oui... C'était tout ce qu'il y avait de positif, pour le moment. Pourtant, il lui fallait absolument relativiser. Cela aurait pu être bien pire. Elle aurait pu se faire enlever à Paris. Sans doute serait-elle morte, à l'heure qu'il était.

— Nous allons nous y habituer, tu verras, Ariana.

Il ne pouvait pas être très convaincant puisque la maison le déprimait lui aussi. Bizarrement, une cabane dans la jungle lui paraissait moins lugubre que cette bâtisse abandonnée dépourvue de chaleur.

— Mais comment peut-on tomber aussi bas ? lâcha Ariana en regardant d'un air de dégoût sa tasse ébréchée.

Subitement, elle se leva et alla ouvrir les placards. Elle y trouva quantité d'assiettes grossières et de verres dépareillés. Des couverts qui semblaient avoir fait plusieurs séjours dans la poubelle. Des fourchettes et des cuillers tordues.

— Bon, dit-elle, trop, c'est trop. Je ne supporte pas la vilaine vaisselle. Allons en ville en racheter !

De l'avoir dit, elle se sentait mieux. Il sourit. Décidément, vivre avec une femme allait être une sacrée expérience. Elles pensaient à de ces choses…

Elle courut à l'étage examiner le linge de maison qu'elle déclara tout aussi laid.

— Opération shopping, Marshall ! Il doit bien y avoir un Target ou un Ikea quelque part. Avec un peu de chance, nous trouverons aussi des meubles et des trucs à mettre aux murs.

La décoration intérieure, elle connaissait bien, mais c'est à un tout autre standing qu'elle l'avait pratiquée à l'ambassade de son père. Elle songea un instant aux magnifiques antiquités qu'elle avait achetées à Buenos Aires. Qu'à cela ne tienne ! Elle était décidée à relever le défi de cette immonde baraque. Marshall jugea que c'était bon signe.

Ils laissèrent les chiens à l'intérieur et prirent le pick-up. Ils s'arrêtèrent à la maison du contremaître et purent constater qu'elle valait à peine mieux, si ce n'est que la cuisine était moins sinistre et qu'il y avait un très beau lit en bois ancien dans la chambre de maître. Il semblait sculpté à la main.

— Toi aussi, tu vas devoir faire un peu de déco, observa-t-elle en remontant dans le véhicule.

Pendant qu'ils roulaient, elle mit de la musique et regarda par la vitre en soupirant. Ils traversèrent un village avec une épicerie. Il y avait également une laverie automatique, un pressing, une librairie, une station-service et quelques autres magasins, mais ils ne s'arrêtèrent pas. Une demi-heure plus tard, ils étaient à Casper, une ville pleine de vitalité, de jeunes gens, avec des restaurants et des cafés, des galeries d'art et même un magasin d'antiquités dans la rue principale. Ariana devint tout de suite plus gaie. Ils s'arrêtèrent pour manger un morceau et boire un cappuccino, puis elle se mit au travail. Elle dénicha deux jolies tables et un bureau chez l'antiquaire, un grand tableau dans une galerie et une demi-douzaine de jolies photos sous verre dans une autre. Ensuite, ils allèrent chez Target, où elle trouva des draps et des serviettes dans des tons et avec des motifs convenables. Elle acheta encore des tables, des sièges, des babioles et des ustensiles et autres accessoires de couleurs vives pour la cuisine, un service bleu et blanc en céramique italienne, des verres à vin tout simples et des gobelets bleus en verre de Murano pour l'eau, une ménagère en inox à manche en os... Rien de très sophistiqué, mais des choses jolies, colorées et de bon goût. Marshall ne savait pas s'il était plus impressionné par ses trouvailles ou par l'efficacité avec laquelle elle les avait amassées. Ils chargèrent le pick-up et elle organisa la livraison des meubles pour le lendemain. Elle avait même acheté des choses pour chez lui. Tout cela à une vitesse proprement ahurissante. Elle lui expliqua que sa mère adorait la décoration intérieure et lui avait enseigné cet art. Bref, Ariana avait fait bon usage de ses nouvelles cartes de crédit.

— Tu es très forte dans ton genre, dit-il, admiratif. Chapeau. Il m'aurait fallu un an pour aboutir au même résultat.

— Oh, j'adore ça ! C'est très amusant.

Pour la première fois depuis leur arrivée, elle semblait heureuse.

— Si tu avais vu l'ambassade, à Buenos Aires... Nous l'avons trouvée pratiquement vide. Mais après mon passage, elle était magnifique. J'ai tout laissé là-bas, en souvenir de mon père... Bon, si cet après-midi shopping a été divertissant, j'espère quand même que nous allons rester moins de cent ans ici. Je n'ai pas envie de finir mes jours à Casper.

— Ce ne sera pas long, promit-il avec conviction.

— Comment le sais-tu ?

— Parce que les gars de la CIA sont bons. Ils vont le trouver. Enfin, ils ne sont pas tout à fait aussi bons que ceux de la DEA, bien sûr.

Elle rit. Au moins, il arrivait à la dérider par ses plaisanteries. Garder le moral et voir le bon côté des choses, tirer le meilleur parti des situations les plus difficiles : il avait fait cela toute sa vie. Et puis, il aimait beaucoup Ariana. Il voulait la voir heureuse, même dans ces circonstances loin d'être idéales. Force était de reconnaître qu'elle faisait tout ce qu'elle pouvait pour rester positive.

Casper semblait être une ville charmante, mais quand même pas très amusante pour une citadine comme elle. Lui, il lui tardait de pêcher, de faire des randonnées, mais rien de tout cela ne plaisait à Ariana. La bonne nouvelle, c'était qu'on pouvait skier en hiver. Ils aimaient cela tous les deux. Et puis il y avait tout de même un théâtre, un orchestre symphonique, un musée.

Ils s'arrêtèrent à l'épicerie du petit village pour prendre de quoi dîner. Il acheta un barbecue en jurant que c'était sa spécialité, même s'il n'en avait pas fait depuis des années.

— Tant mieux, parce que si tu comptes sur moi pour te nourrir, tu vas mourir de faim. À Paris, je ne mangeais que des salades, des plats à emporter et du fromage.

Ici, hélas, ce n'était pas Paris. Mais elle n'avait jamais appris à faire la cuisine.

— Je te propose un deal, Marshall : à toi les fourneaux, à moi la déco.

Elle lui sourit. C'était drôle d'apprendre à connaître quelqu'un ici, comme des naufragés sur une île déserte. Une heure plus tard, alors qu'ils dînaient et que la nuit tombait, Ariana sentit la panique l'envahir. Elle avait peur de rester seule dans la maison cette nuit. Marshall perçut son inquiétude.

— Je garderai mon portable allumé, si tu veux, dit-il. Appelle si tu as le moindre problème.

— Quoi, par exemple ? Un loup qui entrerait pour dévorer Lili ?

Elle plaisantait à peine. Jamais elle n'avait vécu dans un endroit aussi isolé. Elle se sentait plus en sécurité en ville, même traquée par des tueurs à gages.

— Tu préférerais que je dorme dans une chambre d'amis ici ?

L'air un peu penaude, elle hocha la tête.

— Je sais que ça paraît idiot, mais j'ai peur. Très peur. J'ai peine à croire que l'on soit plus en sécurité dans ce ranch isolé qu'en ville, au milieu de la foule.

— Personne ne va t'enlever ni te tuer, Ariana. Ils ne peuvent pas se douter que tu es là.

C'était tout l'intérêt du programme, d'accord, mais la peur, cela ne s'explique pas.

Après le dîner, Marshall alla donc chercher ses bagages dans la maison du contremaître. Il choisit la chambre la plus éloignée de celle d'Ariana pour ne pas la déranger si l'envie le prenait de regarder la télévision, ce qui lui arrivait souvent. Il y avait un téléviseur dans chaque chambre et un grand écran plat dans le bureau, ainsi qu'une chaîne de bonne qualité. Il lui promit de lui télécharger de la musique.

Ariana monta dans sa chambre défaire ses bagages pendant qu'il relevait ses e-mails sur son ordinateur. Quand elle l'entendit monter un peu plus tard, elle ouvrit la porte de sa chambre pour le remercier. Elle avait l'air détendue et portait une chemise de nuit blanche avec de la dentelle et des rubans bleu ciel. Ses longs cheveux blonds tombaient librement sur ses épaules. Elle était si jeune, si jolie qu'il resta un instant interdit. Cela faisait drôle de se dire qu'ils habitaient dans la même maison comme des amis, des colocataires, au fond. Il était bien loin de sa vie dans la jungle ou de l'existence solitaire qu'il avait menée depuis.

— Dors bien, ajouta-t-elle en refermant sa porte.

Il resta longtemps étendu dans son lit sans fermer l'œil, à penser à elle. Quand il s'assoupit enfin, il rêva de Paloma. Il la sentait encore entre ses bras, comme si elle n'en était jamais sortie.

Le lendemain matin, ils firent le tour de l'écurie. Elle la trouva en meilleur état que les maisons. Ils retournèrent ensuite à Casper. Ils trouvèrent un magasin Best Buy, où ils firent provision de DVD et de CD. Ils constatèrent qu'ils avaient beaucoup de goûts cinématographiques et musicaux en commun, même s'il aimait aussi la musique latino, ce qui n'était pas étonnant après toutes ces années passées en Amérique du Sud. Elle lui dit qu'elle avait appris le tango en Argentine. Il sourit. Ils prirent encore quelques bricoles pour la maison.

Dans l'après-midi, les meubles furent livrés. Ariana se mit à tout déménager avec l'aide de Marshall. C'était fou, la différence que faisaient des coussins, des bougies, quelques nouveaux meubles, un grand miroir dans l'entrée et le tableau et les photos qu'il l'aida à accrocher. Elle savait sans hésiter où placer chaque chose et la maison s'en trouva instantanément embellie.

— Waouh ! Magique ! s'exclama-t-il, impressionné du résultat. Oublie l'élevage de chevaux et lance-toi dans la déco. Tu as un talent extraordinaire !

Ce soir-là, il fit cuire des travers de porc et du poulet au barbecue et mit de la musique. Ils se sentirent presque chez eux – presque seulement. Tout cela était encore très nouveau.

Ils regardèrent un film sur le grand écran. Ariana s'endormit au beau milieu, la tête sur l'épaule droite de Marshall, qui passa le bras autour d'elle pour la garder contre lui jusqu'à la fin du film.

— Mêle-toi de tes affaires, chuchota-t-il à Stanley qui le regardait d'un air perplexe.

Ariana se réveilla à la fin du film et il la taquina un peu pour avoir dormi. La fatigue des activités de la journée s'ajoutant au stress de ce changement de vie, elle n'avait pas résisté.

Ils passèrent les jours qui suivirent à nettoyer les autres bâtiments. Après la maison du contremaître, ce fut le tour de la sellerie et des remises. Marshall lui suggéra de faire venir de l'aide pour vider l'écurie. Dès que celle-ci serait prête à accueillir des chevaux, Ariana irait à des ventes aux enchères des environs. Il lui tardait aussi d'assister à des rodéos et l'idée plaisait bien à Marshall. Ce devait être amusant, et cela ferait toujours une sortie.

La semaine suivante, il se rendit à l'université afin de déposer un dossier de candidature pour enseigner les sciences politiques ou l'espagnol. Un cours de droit pénal qui y était proposé lui sembla également dans ses cordes. D'après ses nouvelles « références », il avait servi deux ans dans l'intelligence militaire. Il avait les documents qui le prouvaient. Ariana l'accompagna et en profita pour regarder les annonces sur le panneau d'affichage : elle cherchait une femme de ménage et une équipe pour nettoyer l'écurie. Elle nota quelques noms et adresses e-mail. Quand elle aurait acheté des chevaux, il lui faudrait quelqu'un pour l'aider à s'en occuper. Elle prit donc des contacts pour cela aussi.

Sam Adams les appela pour savoir comment ils allaient. Très bien, répondit Marshall. Et Ariana avait meilleure voix. Au bout de deux semaines, elle se sentait bien dans la maison, même si Marshall dormait toujours dans la chambre d'amis et qu'elle craignait encore de se retrouver seule la nuit. On entendait des coyotes au loin ; elle faisait toujours attention à Lili quand elle la sortait. Stanley, lui, profitait pleinement de cet espace immense où s'ébattre.

À la demande d'Ariana, ils allèrent à la messe le dimanche et firent la connaissance de plusieurs voisins. Ces derniers se montrèrent très accueillants et leur apportèrent même dans les jours suivants gâteaux, confitures maison et autres tartes – probablement un peu par curiosité, pour voir ce qu'ils faisaient du ranch. Ariana et Marshall se rendirent compte qu'ils étaient entourés de gens gentils, bienveillants à leur égard et qui exerçaient toutes sortes de métiers en ville. Ils firent ainsi la connaissance du conservateur du musée de Casper, d'un chef d'orchestre et de plusieurs professeurs d'université.

Ils étaient là depuis six semaines environ quand une dame de la paroisse vint leur déposer des pots de confiture de mûres. Marshall était en train de tondre la pelouse et Ariana lui proposa de prendre un café dans la cuisine.

— Depuis combien de temps êtes-vous mariés ? demanda la dame entre deux commentaires admiratifs sur la décoration.

Ariana fut prise de court.

— Je... euh... en fait, nous ne sommes pas mariés. Nous sommes amis, c'est tout. Marshall a perdu sa femme, mon père est mort, et quand j'ai décidé d'acheter le ranch, il m'a proposé de venir m'aider à m'installer. Il se trouve que cela tombait bien pour nous deux. Nous sommes amis depuis des années et nous avions besoin l'un et l'autre de changer d'air, de nous éloigner de Chicago.

À mesure qu'elle parlait, elle se rendait compte que son histoire ne tenait pas debout ; sa visiteuse ne sembla d'ailleurs pas y croire une seconde. Elle hocha la tête en souriant, sans rien dire, tandis qu'Ariana bafouillait de plus en plus.

Elle raconta la scène à Marshall peu après, alors qu'il venait prendre une bouteille de Gatorade dans le réfrigérateur. Il se tourna vers elle, surpris, la main sur la porte du réfrigérateur.

— On devrait peut-être leur dire qu'on vit dans le péché et en finir une bonne fois, suggéra-t-il avec un sourire polisson. De toute façon, ils en sont persuadés.

Ariana avait lavé les chiens après le départ de la paroissienne et sa chemise trempée lui collait au buste. Sans réfléchir, il s'approcha d'elle, l'enlaça de son bras droit, l'attira à lui et l'embrassa. Il ne comprit pas comment ni pourquoi il agissait ainsi, mais cela lui semblait naturel. Elle lui passa les bras autour du cou et lui rendit son baiser et son étreinte.

— Tu crois qu'on fait bien ? demanda-t-il d'une voix rauque, le souffle court.

Il y avait si longtemps qu'il n'avait pas fait de place à la passion dans sa vie qu'il craignait qu'elle ne dévore tout sur son passage. Et Ariana semblait emportée par la même vague. Il la souleva dans son bras valide et la porta dans sa chambre. Là, ils arrachèrent leurs vêtements pour faire l'amour comme des assoiffés découvrant une source d'eau fraîche. Seuls depuis trop longtemps, ils furent bientôt engloutis par leurs sentiments.

Vingt minutes plus tard, Ariana le contemplait d'un air émerveillé. Soudain, elle laissa échapper un petit rire.

— Waouh ! Que se serait-il passé si cette bonne dame patronnesse ne m'avait pas posé cette question innocente ?

Il rit à son tour et se souleva sur son coude pour l'admirer. Elle était belle, sensuelle, avec un corps sublime. Il n'en avait pas eu conscience vraiment, mais il la désirait depuis le début. C'est juste qu'il s'interdisait d'éprouver des sentiments pour une femme depuis des années. Maintenant, cela l'inquiétait un peu.

— Cela aurait peut-être pris un peu plus de temps, mais sans doute pas beaucoup, répondit-il.

Même si cela lui faisait peur, il avait le sentiment que c'était inévitable. Il lui frôla la pointe d'un sein avec douceur, du bout des doigts, déjà envahi d'une nouvelle vague de désir.

— Je devenais fou, à penser à toi le soir dans l'autre chambre, avoua-t-il.

Il ne voulait surtout pas qu'elle croie que son désir était lié aux circonstances actuelles, à savoir leur vie forcée sous le même toit. En réalité, il avait commencé à s'attacher à elle en lisant les journaux de Jorge et en comprenant ce qui lui était arrivé. C'est là qu'elle lui avait pris son cœur.

— Moi aussi, je pensais à toi, confessa-t-elle. Est-ce que c'est de la folie ? Et si on se mettait à se détester ?

Mais pourquoi se détesteraient-ils ? Ce n'était pas comme s'ils se connaissaient à peine. Ils s'entendaient à merveille depuis plusieurs semaines qu'ils vivaient en colocataires. Elle était facile à vivre, douce, attentionnée, et lui aussi.

— Si jamais cette hypothèse hautement improbable se produit, répliqua-t-il, nous pourrons toujours demander au PPT de nous loger séparément. Ou alors j'irai dans la maison du contremaître… Ariana, je veux que tu saches que tout cela est nouveau pour moi. À l'époque où j'étais infiltré, je n'avais pas le temps d'avoir des relations, même quand j'étais en permission. Mes parents sont morts alors que j'étais étudiant, de sorte que je n'avais pas vraiment de chez-moi. Et je n'avais pas envie de faire poireauter une fille pendant des années, de la faire souffrir et, finalement, peut-être, de me faire tuer. Il me semblait que je n'avais le droit d'infliger cela à personne, même si, égoïstement, il aurait été réconfortant de savoir que quelqu'un m'attendait quelque part et m'aimait. Cela n'aurait pas été honnête.

Il marqua une pause, pris par l'émotion.

— Et puis j'ai rencontré Paloma. Sans le vouloir, je suis tombé fou amoureux d'elle – et elle a été tuée à cause de moi. J'ai l'impression que tous les êtres que j'aime finissent par mourir : mes parents, Paloma, notre bébé... C'est une des raisons pour lesquelles, depuis sa mort, je suis resté seul. Je ne veux pas aimer quelqu'un que je vais perdre encore – ou pire, qui va souffrir ou mourir à cause de moi. Je ne me pardonnerai jamais ce qui lui est arrivé.

Il avait les larmes aux yeux. Jamais il n'avait été aussi honnête avec personne, même avec Paloma, ne serait-ce que parce qu'il lui était interdit de lui révéler sa véritable identité. À cause de cela, leur vie commune avait été construite sur un mensonge. S'il devait partager sa vie et son cœur avec Ariana, il voulait tout lui dire dès le début.

— Je ne sais pas trop ce qu'il reste de moi, reprit-il tristement. Une partie de moi est morte en Colombie en même temps qu'elle.

Ariana l'embrassa très doucement, profondément touchée par sa confession.

— Tu sais, Marshall, je ne suis pas sûre non plus de comprendre pleinement mon histoire avec Jorge.

Aujourd'hui, je sais que c'était un être abject. Pourtant, ce qu'il y a eu entre nous était magique, ou semblait l'être. Je l'aimais, il m'aimait. J'ai complètement changé quand j'étais avec lui. Cela paraissait si réel, si parfait. J'étais tellement heureuse de porter son bébé... Je crois que j'ai temporairement perdu la tête... Lui aussi est mort à cause de moi. Je ne l'oublierai jamais, ni le bébé que j'ai perdu.

— Il est mort parce qu'il t'avait enlevée – donc parce qu'il t'avait fait subir une chose épouvantable, rétorqua Marshall avec douceur comme l'aurait fait Yael. Il est mort à cause de ce qu'il avait fait, pas à cause de toi.

Ce n'était pas le cas de Paloma, victime innocente. Quoi qu'il en soit, Ariana et Marshall avaient tous deux perdu des êtres qu'ils aimaient passionnément, et un bébé. Ils avaient l'un et l'autre vécu des histoires impossibles qui n'auraient pas pu durer. Ils le savaient aujourd'hui, mais leur amour n'en avait pas été moins fort, ni leur souffrance, et leurs cicatrices étaient profondes.

— Moi aussi, j'ai peur qu'il ne se produise quelque événement épouvantable si j'aime quelqu'un, avoua Ariana. Je ne supporterais pas qu'il t'arrive quelque chose à cause de moi.

— Il n'arrivera rien. C'est pour cela que nous sommes ici. Et je ferai tout ce que je pourrai pour te protéger.

— Espérons surtout que ces horreurs soient derrière nous bien vite, que nous puissions partir d'ici un jour.

Marshall ne put s'empêcher de se demander si elle voudrait encore vivre avec lui par la suite, quand ils seraient libres. C'était difficile à imaginer, avec toutes les possibilités qui s'offraient à elle. Que ferait-elle d'un manchot retraité de la DEA, elle qui aurait tous les hommes à ses pieds ? Mais il ne pouvait plus reculer. C'était trop tard. Il l'aimait et, par l'un des plus cadeaux de la vie, elle l'aimait aussi.

— Je t'aime, Marshall, dit-elle comme en écho à ses pensées.

— Moi aussi, je t'aime, Ariana.

Alors, il l'enveloppa de son bras valide et lui fit encore l'amour.

16

À partir de ce jour, Marshall s'installa officiellement dans la maison principale, dans la chambre d'Ariana. Leur chambre, désormais. Ils formaient un vrai couple et aménageaient peu à peu le ranch et les terres. Elle travaillait d'arrache-pied aux travaux de l'écurie. Puis elle commença à acheter des chevaux, un à un, jusqu'à en avoir six dans ses box tout neufs. Elle embaucha deux personnes pour l'aider à s'en occuper.

Pour la fête du 4 Juillet, ils furent invités à un pique-nique chez des voisins. Ils les convièrent à leur tour à un barbecue. Les hommes allèrent à la pêche. Ariana s'entendait bien avec la femme et proposa aux enfants du couple de venir monter les chevaux qu'elle dressait elle-même. Elle avait pris contact avec deux associations pour offrir des cours d'équitation gratuits à des jeunes défavorisés. Elle leur apprenait à monter et à s'occuper des chevaux et y prenait grand plaisir. Fin août, Marshall reçut de bonnes nouvelles de l'université de Casper. Le département d'espagnol lui proposait un remplacement. Il accepta avec joie.

Ils avaient donc tous les deux fort à faire et rencontraient des gens sympathiques. Ils évitaient toutefois de trop se lier de peur de se démasquer. Ils étaient heureux comme cela, à vrai dire. Ils s'entendaient merveilleusement et ne cessaient de se rapprocher.

Marshall apprit qu'il avait des chances d'être retenu sur un poste de professeur de sciences politiques, vacant à partir du deuxième semestre. Il était enchanté. Ariana voulait acheter d'autres chevaux. Tout allait pour le mieux, même s'il était un peu étrange d'être coupés de toutes les choses et de tous les êtres de leur vie d'avant. À croire qu'ils étaient nés le jour de leur arrivée dans le Wyoming et n'avaient pas de passé.

En novembre, il commença à neiger. Il leur arrivait de passer des week-ends entiers à paresser au lit, à faire l'amour, à somnoler, enlacés, en écoutant de la musique, à regarder des films. Ariana dit à Marshall qu'elle n'avait jamais été aussi heureuse. Elle rayonnait. Quant à lui, il éprouvait un sentiment de plénitude tout aussi nouveau. Il avait aimé Paloma, mais c'était une enfant et elle ne savait rien du vaste monde. Elle ne connaissait que la jungle et le camp de son frère. Elle n'aurait pas pu comprendre sa vie ni être heureuse avec lui ailleurs. Ariana et lui, au contraire, formaient un couple parfaitement équilibré. Ils pouvaient parler des heures durant et se découvraient des opinions communes sur beaucoup de sujets. Ils aimaient tous les deux les livres et la musique, allaient au théâtre et au concert. Ils se réjouirent ensemble quand Phillip Armstrong fut réélu pour un second mandat.

Ils se sentaient presque bénis des dieux. Ils avaient vécu l'un et l'autre des choses très difficiles et profitaient pleinement de ce bonheur qui s'offrait enfin à eux. Ils passèrent Noël au ranch en tête à tête et allèrent à quelques soirées quand les chutes de neige ne les en empêchaient pas. Marshall aimait beaucoup enseigner l'espagnol et venait d'être sélectionné pour le poste de sciences politiques orienté vers l'Amérique du Sud. Cela faisait maintenant six mois qu'ils vivaient dans le Wyoming. Ils avaient peine à le croire. À d'autres moments, à l'inverse, ils avaient l'impression d'être là depuis toujours.

Ariana l'accompagnait souvent à Casper lorsqu'il avait cours. Elle faisait un tour des galeries et des boutiques avant de le retrouver à leur café préféré. Ce qu'il y avait de merveilleux, c'était qu'ils se sentaient en sécurité. Ici, il ne leur arriverait rien. Les hommes de Muñoz ne pouvaient pas les retrouver. Ils n'en parlaient que très rarement, d'ailleurs, et Ariana avait cessé de se demander quand ils pourraient sortir du programme. En fait, elle était tellement heureuse qu'elle aurait voulu que cela ne s'arrête jamais.

Au printemps, Ariana acheta deux autres chevaux : une jument et son poulain. Elle donnait de plus en plus de leçons, toujours avec autant de plaisir, et montait tous les jours. Marshall s'était peu à peu habitué au contact des chevaux. Beaucoup plus détendu, maintenant, il l'accompagnait en promenade de temps en temps.

Un jour, alors qu'elle rentrait d'un grand tour dans les collines, Ariana aperçut une voiture inconnue garée devant la maison. Elle mit pied à terre et rentra son cheval au box. Elle traversa la cour en bottes, cheveux au vent. Les cours étaient terminés, Marshall avait dû accueillir le ou les visiteurs. Elle pressa tout de même le pas, prise d'une angoisse subite. En entrant, elle découvrit Marshall et Sam Adams assis dans le canapé du salon. C'était grave, elle le sentait. Muñoz avait-il découvert où ils se cachaient ? Était-il à leurs trousses ? Marshall perçut son inquiétude et se hâta de la rassurer.

— Tout va bien, Ariana. Ils ont trouvé Muñoz et l'ont abattu. Il était en Bolivie en train de constituer une armée de rebelles. C'est fini.

Tout en parlant, il s'était levé pour l'enlacer. Il lui fallut une minute pour saisir ce qu'il lui disait et ce que cela signifiait pour eux. La guerre était finie. Ils n'avaient plus besoin de se cacher.

— Vous allez pouvoir rentrer chez vous, Ariana, confirma Sam, qui se leva à son tour pour venir l'embrasser.

Il avait noté le discret échange de regards entre Marshall et la jeune femme et l'intimité de leur étreinte. Il en fut bien plus heureux que surpris. C'était l'un et l'autre des gens bien qui avaient traversé de dures épreuves et méritaient de connaître le bonheur.

Ariana était troublée. Elle fixa Sam, stupéfaite. Ils pouvaient rentrer chez eux ? Mais où était-ce, chez eux ? L'appartement vide de son père à New York ? Une autre location à Paris ? Marshall, lui, n'avait rien. La CIA avait fait emballer ses affaires et les avait stockées dans un garde-meuble. Ils n'avaient plus de famille ni l'un ni l'autre. Ils étaient seuls au monde. Chez eux, c'était ce ranch du Wyoming avec leurs chevaux et leurs chiens, cette maison qui appartenait au PPT et allait servir à d'autres.

— Cela veut dire que nous sommes à la rue ? demanda-t-elle à Marshall d'un air un peu perdu.

— Ariana, tu ne rends pas compte ? Muñoz est mort. Nous sommes libres !

Il la fit asseoir et lui sourit tendrement.

C'est vrai, elle n'en croyait pas ses oreilles. Elle regarda Sam, qui confirma. Il avait tenu à le leur annoncer en personne. Ils méritaient bien cela.

— Je suis venu dès que j'ai pu. C'est arrivé hier. Une opération de nettoyage est encore en cours en Bolivie et au Chili, mais notre équipe d'évaluation des risques assure que vous pouvez rentrer sans problème.

Marshall n'avait plus rien à craindre de Muñoz, lui non plus, ni même des Colombiens. Il avait quitté le pays depuis plusieurs années, la piste devait être complètement brouillée. Qui plus est, sa véritable identité n'avait jamais été éventée. Rien ne permettait de faire le lien avec Pablo Echeverría, l'homme qu'il était à l'époque.

— Mais tu as raison, ma chérie, je crois que cela signifie que nous sommes mis à la porte, remarqua-t-il en souriant.

Cette nouvelle lui procurait également un sentiment aigre-doux. Ils avaient été heureux, ici. Où iraient-ils ? Et même, resterait-elle avec lui ? Elle disposait de tellement plus d'atouts que lui… Il ne voulait présumer de rien. Il n'était sûr que d'une chose : il l'aimait.

— Quand faut-il que nous partions ? demanda-t-elle à Sam. Je dois vendre mes chevaux.

Elle en avait dix, maintenant.

— Nous pouvons nous en charger pour vous, proposa-t-il. Vous pouvez partir quand vous voulez. Dès demain, si vous le souhaitez. Vous êtes libres.

Ces mots, Ariana avait craint de ne jamais les entendre. Maintenant, elle ne savait plus trop qu'en faire. Elle interrogea Marshall du regard.

— Prévenez-nous quand vous serez prêts à déménager, leur suggéra Sam.

Ils allaient faire vite, c'était sûr. Il leur fallait juste le temps de digérer la nouvelle.

Sam prit congé rapidement, car il rentrait à Washington le soir même. C'était une visite strictement professionnelle.

Ariana s'assit sur une marche du porche et regarda Marshall. Ils avaient beaucoup de choses à se dire.

— Eh bien... je ne m'attendais pas à ça, avoua-t-elle. Je pensais que cela prendrait des années.

— Pas moi, dit-il en se posant à côté d'elle. Qu'est-ce qu'on fait, alors ?

— On rentre chez nous, non ? Si on trouve où c'est... Qu'est-ce que tu en dis ? Où as-tu envie d'aller ?

Le monde entier leur était ouvert. Mais à force d'être déracinés et de voir leurs vies chamboulées, ils ne savaient plus trop ni l'un ni l'autre où ils voulaient aller. Marshall n'avait plus rien à faire à Washington et Ariana ne tenait pas particulièrement à retourner à New York. Ils n'avaient plus d'appartement à Paris ni l'un ni l'autre.

— Tu vois bien : nous sommes à la rue, redit-elle en souriant.

Il se pencha pour l'embrasser.

— Et pour le reste ? demanda-t-il sérieusement.

— Quel reste ?

— Nous.

— Quoi, nous ?

— Cela fait un an que tu es coincée avec moi. Un peu comme un kidnapping ou un naufrage, au fond. Mais nous voilà délivrés, Ariana. Tu n'es plus bloquée avec moi. Tu es libre d'aller où tu veux, avec qui tu veux. Rien ne t'oblige à rester avec un bandit manchot. Tu viens d'un monde autrement plus grand que le mien.

Il voulait lui permettre de s'en aller si elle le souhaitait. Il l'aimait suffisamment pour lui souhaiter le meilleur.

— Tu es fou ou quoi, Marshall ? D'abord, tu n'es pas un bandit manchot. Et je t'aime. Je n'étais pas « coincée » avec toi. Nous aurions pu choisir des résidences séparées. Rien ne nous obligeait à rester ensemble sous ce toit. Nous l'avons fait parce que nous en avions envie. Pourquoi serait-ce différent ailleurs ? Je n'ai pas envie d'être avec quelqu'un d'autre. Je veux être avec toi. Je t'aime. Je t'aimerai n'importe où.

Tandis qu'elle parlait, le visage de Marshall s'était illuminé. Il l'embrassa.

— Je voulais juste te rappeler que tu avais le choix, ma chérie. Pour que tu ne te sentes pas obligée d'être avec moi.

— Pas du tout. Mais j'espère que toi, si, parce que si tu me quittes, je te suivrai partout, toujours.

Au cours de cette année, ils avaient l'un et l'autre surmonté leur peur de l'amour et de la perte de l'autre.

— Je ne pourrais pas vivre sans toi, Marshall. Je serais complètement perdue…

Ils s'embrassèrent longuement, toujours assis sur les marches, puis il reprit :

— Bon, où allons-nous vivre ?

Elle ferma les yeux et fit semblant de faire tourner une mappemonde imaginaire puis de l'arrêter.

— Paris ! s'exclama-t-elle en souriant. Qu'en dis-tu ? C'est là que nous nous sommes rencontrés. Et là, nous commencerons une nouvelle vie, et nous partirons sur de bonnes bases. J'ai toujours envie de travailler. Toi, tu pourrais peut-être enseigner, comme ici ? Nous vivrions comme des gens normaux !

Elle rayonnait d'un bonheur communicatif.

— À une condition, dit-il en se levant.

Il descendit les marches. Elle le regarda, étonnée. Soudain, il mit un genou à terre et plongea les yeux dans les siens.

— Ariana Gregory... Ariana Robert... Veux-tu m'épouser avant de partir à Paris ? Ou dès que nous serons là-bas, si tu préfères. Veux-tu être ma femme ?

Elle lui sauta au cou, manquant de le faire tomber à la renverse. Ils étaient libres et il la demandait en mariage ! Ces liens-là, ceux qui allaient l'unir à Marshall, elle espérait n'en être jamais libérée. Jamais.

— Oui, je le veux !

Elle l'embrassa, encore et encore.

— Tu te rends compte que, si Luis Muñoz n'avait pas projeté de me faire enlever, nous ne nous serions jamais rencontrés ? nous n'aurions pas passé cette année ensemble ? nous ne nous serions pas aimés ? Nous lui devons beaucoup, finalement ! conclut-elle joyeusement tandis qu'ils rentraient, enlacés.

— N'allons peut-être pas jusque-là, répondit Marshall en souriant à sa future femme.

Il s'arrêta et la regarda attentivement.

— Y aura-t-il des bébés dans notre avenir ?

Ils avaient l'un et l'autre vécu l'expérience traumatisante de la perte d'un enfant à naître. Avait-elle été trop marquée pour souhaiter essayer à nouveau ? Ils n'en avaient jamais parlé. Quand elle leva les yeux vers lui en faisant oui de la tête, il crut exploser de bonheur. Il l'embrassa. Là, à cet instant, la vie était parfaite.

17

Il leur fallut trois jours pour s'organiser et faire leurs bagages. Ariana allait passer les chevaux à une vente aux enchères. Elle regrettait de se séparer d'eux, mais il aurait été absurde d'essayer de les garder. C'était vraiment la solution la plus simple.

Ils appelèrent quelques voisins et collègues pour leur annoncer leur déménagement et leur dire au revoir. Cependant, dans cette vie entre parenthèses, ils ne s'étaient pas fait de vrais amis. Ariana vendrait-elle l'appartement de son père à New York? Elle ne savait pas encore. Elle y avait beaucoup de souvenirs de ses parents et rien ne la pressait.

Marshall avertit l'université qu'il partait s'installer en Europe avec sa future femme. On allait beaucoup le regretter, lui répondit-on. Il avait donné entière satisfaction.

Ils décidèrent de laisser la vaisselle, le linge et les nouveaux meubles aux prochains occupants et de ne prendre pour ainsi dire que leurs vêtements, les chiens et leurs CD. Ils allaient tout recommencer de zéro à Paris, ensemble. Elle avait déjà commencé à envoyer des candidatures spontanées à des magazines papier et en ligne. Marshall, lui, avait pris contact avec l'ambassade des États-Unis à Paris pour un poste civil. Autrement, bien entendu, il adorerait enseigner à la Sorbonne.

Ariana téléphona à Yael et lui annonça qu'elle était libre, qu'elle revenait à Paris. Il ne fut pas surpris de son choix : elle y avait été heureuse. Elle envoya ensuite un e-mail à mère Elizabeth pour lui dire qu'elle allait se marier ; celle-ci lui adressa en retour les félicitations de toutes les sœurs.

La veille de leur départ du Wyoming, Marshall appela Mac. Il lui donna les dernières nouvelles : Muñoz avait été abattu et lui-même avait demandé Ariana en mariage.

— J'espère qu'elle a dit non, repartit son ami, taquin, alors que sa voix vibrait de joie. Tu lui as appris à faire le ménage, au moins ?

— Pas vraiment, non...

— Bon, j'espère bien que vous viendrez à Londres, qu'on fête ça ensemble. Et je te souhaite qu'elle reste plus longtemps que la mienne, qui est partie avec le facteur, je crois. Enfin, je ne sais plus trop. Mais tu es beaucoup plus gentil que moi. Elle ne te quittera pas.

Il était très heureux pour eux deux et chargea Marshall d'embrasser Ariana de sa part.

Le vendredi, ils étaient prêts. Un agent de la police fédérale vint les chercher chez eux, plus pour le protocole que par nécessité, et les escorta jusqu'à Washington. À l'arrivée, ils signèrent encore quelques papiers. Voilà, ils étaient libres. Ils passèrent la nuit au Four Seasons, et, le lendemain matin, Ariana alla faire des courses et revint avec une robe de soie blanche toute simple pour leur mariage. Ils avaient décidé de ne pas passer plus de temps que nécessaire aux États-Unis et s'envolaient pour la France l'après-midi même. Il leur tardait d'être à Paris et de commencer leur nouvelle vie. En attendant de trouver un appartement, ils s'installeraient au Ritz, l'hôtel préféré d'Ariana.

Dans l'avion, ils parlèrent de leur avenir. *Vogue*, *L'Officiel* et un site Internet avaient déjà répondu à Ariana ; elle allait passer des entretiens. Et le service des ressources humaines de l'ambassade américaine avait trouvé le CV de Marshall très intéressant et souhaitait le rencontrer. Surtout, ils voulaient se marier dès leur arrivée, avant même de s'installer.

Le vol se déroula sans encombre. Dès qu'ils arrivèrent au Ritz, Ariana prit contact avec des agents immobiliers tandis que Marshall téléphonait à l'ambassade pour organiser la cérémonie. Il leur semblait plus simple de se marier là que de faire face à toutes les formalités imposées aux étrangers qui veulent se marier en France. La secrétaire de l'ambassade lui apprit que les diplomates n'étaient pas habilités à célébrer des mariages sur le sol français. Il fallait impérativement un officiel français, et une période d'attente assez longue était à prévoir. Marshall précisa alors qu'il était retraité de la DEA, qu'il avait été décoré par le président Phillip Armstrong et que la mariée était la fille d'un ambassadeur. La secrétaire lui promit que tout serait fait pour accélérer le processus au maximum et qu'ils allaient trouver quelqu'un pour présider la cérémonie. Il pouvait venir remplir les papiers quand il voulait : il serait possible de les marier dès le lendemain.

— Parfait, merci beaucoup, mademoiselle, dit-il en raccrochant.

De son côté, Ariana était ravie, elle aussi. L'agent immobilier proposait de leur montrer trois appartements qui semblaient correspondre parfaitement à leur recherche. L'un avenue Foch, du côté ensoleillé, un autre dans une impasse décrite comme charmante et le troisième au parc Monceau. Elle avait envie de tous les visiter l'après-midi même. Marshall suggéra qu'ils passent à l'ambassade après.

Ils ne voulaient qu'une cérémonie toute simple. Ils n'avaient personne à inviter. Elle avait voulu demander à Yael d'être son témoin. Sans lui, ils n'en seraient pas là ; jamais elle n'aurait enterré la boîte qui avait conduit Marshall jusqu'à elle. Il était en quelque sorte le père de leur histoire. Hélas, il s'était absenté pour la semaine.

À l'ambassade, l'après-midi, il y avait des cordons de police à l'extérieur et un service de sécurité renforcé, pour cause de visite présidentielle. Ils purent tout de même entrer. Alors qu'ils attendaient leur tour dans le hall, Marshall eut une idée. Il alla au guichet de la réception.

— Bonjour, dit-il, M. le président est-il dans les locaux ?

— Pourquoi voulez-vous le savoir ? demanda le marine de service en le scrutant avec attention.

Il dut lui trouver l'air convenable, car il se détendit un peu.

— Je suis un ami de la famille. Marshall Everett, ex-Secret Service, ex-DEA. J'aimerais lui parler, si c'est possible, expliqua-t-il discrètement.

Le jeune soldat composa un numéro et s'entretint avec deux personnes différentes avant de passer le combiné à Marshall, l'air intrigué. Le président était en ligne.

— Quel bon vent vous amène à Paris, Marshall ? lui demanda-t-il d'un ton jovial.

— Figurez-vous que je vais m'y installer. Et me marier. Monsieur le président... je sais que vous êtes très occupé, mais... accepteriez-vous d'être mon témoin ?

Phillip Armstrong accepta sans hésiter. Il fit patienter Marshall quelques secondes, le temps de s'enquérir de son programme du lendemain.

— Si c'est demain à onze heures quinze, je suis votre homme, reprit-il. Melissa et les enfants m'accompagnent. Peuvent-ils venir aussi ?

— Mais bien sûr ! Nous serons enchantés !

— Qui épousez-vous, au fait ?

— Une jeune femme merveilleuse. Ariana Gregory. Je crois que vous avez connu son père.

Ça alors ! Le président se souvenait parfaitement de Robert. La vie réservait vraiment de drôles de surprises. Et quelle chose incroyable que le hasard des rencontres...

— Je ne savais pas que vous la connaissiez.

Il n'était visiblement pas au courant de leur visite à Melissa et aux enfants.

— Nous avons fait connaissance l'année dernière. Nous venons de passer un an ensemble dans le Programme de protection des témoins. Nous en sortons tout juste.

— Très bien ! Vous me raconterez tout cela demain ! proposa le président.

Marshall raccrocha et alla retrouver Ariana.

— Le président a accepté d'être mon témoin ! Et tu peux demander à Melissa, si tu veux...

Ariana sourit. Avoir le président et la première dame comme témoins à son mariage, quel privilège !

C'était le genre de choses que l'on racontait à ses petits-enfants...

— Formidable, répondit-elle avec un grand sourire.

Ils remplirent les papiers. On leur attribua le créneau de onze heures quinze le lendemain matin. L'assistante du président avait déjà tout organisé.

Ils rentrèrent au Ritz et prirent une coupe de champagne au bar tout en parlant des appartements qu'ils avaient visités. Celui de l'avenue Foch avait la préférence d'Ariana, qui avait beaucoup aimé le quartier quand elle y avait vécu. Grand, ensoleillé, il plaisait aussi à Marshall. Il n'était pas meublé ; elle allait pouvoir exercer ses talents de décoratrice. Avec trois chambres, il était suffisamment vaste pour qu'ils puissent un jour fonder une famille.

Ils montèrent dans leur chambre et firent l'amour. Cette première journée à Paris avait été parfaite en tout point.

Le lendemain, ils étaient à l'ambassade à onze heures tapantes. Les papiers étaient prêts et l'assistante de l'ambassadeur les accompagna à l'étage. Marshall fut surpris de découvrir que l'ambassadeur en personne les attendait. La cérémonie serait célébrée par le premier adjoint au maire de Paris. Une dispense spéciale de publication des bans avait été accordée. Cinq minutes plus tard, le président, Melissa et les enfants entraient, entourés d'agents du Secret Service.

Ariana portait sa robe blanche, simple et élégante, et ils s'étaient arrêtés en chemin pour acheter un bouquet de muguet chez un fleuriste. Ses longs cheveux blonds et brillants tombaient librement dans son dos. Le visage d'Amelia s'éclaira quand elle la vit, puis elle eut l'air déçue.

— Tu ne ressembles pas à une mariée. Tu devrais avoir une grande robe à frou-frou.

— Je n'en ai pas trouvé, expliqua Ariana. Mais regarde, j'ai un bouquet de muguet. Tu veux voir comme il sent bon ?

La fillette sourit.

— Cela te dirait d'être ma demoiselle d'honneur, Amelia ?

La petite fille rosit de bonheur et prit avec délicatesse les fleurs que lui tendait Ariana. Marshall, quant à lui, confia les alliances à Brad.

La cérémonie commença. L'adjoint au maire parvint à en faire un moment très touchant alors même qu'il ne connaissait pas les futurs époux. Marshall couvait Ariana d'un regard fier et ému. Quel chemin parcouru pour en arriver là ! Melissa souriait. Amelia veillait sur les fleurs d'un air très sérieux. Brad donna les alliances à Marshall juste au bon moment. Ariana n'en revenait pas qu'il les ait. Il était allé seul, la veille, les acheter chez Cartier. Quand il lui passa au doigt l'anneau d'or sobre et pur, il lui allait parfaitement. Il l'embrassa, et le premier adjoint les déclara mari et femme.

Phillip Armstrong fut le premier à venir embrasser la nouvelle Mme Everett. Ils burent du champagne et, à midi moins cinq, le président prit congé pour se rendre à son rendez-vous suivant. Melissa et les enfants restèrent encore une demi-heure, puis durent partir à leur tour.

Après avoir chaleureusement remercié l'assistante de l'ambassadeur et le premier adjoint, Ariana et Marshall sortirent de l'ambassade. Il héla un taxi.

— C'est fou, dit-elle en s'installant à côté de lui. Nous voilà mariés...

— Où voulez-vous aller, madame Everett ? lui demanda-t-il en souriant.

Ils décidèrent de déjeuner dans les jardins du Ritz. Ensuite, Ariana avait envie de faire une promenade dans le parc de Bagatelle. C'était là qu'il l'avait vue pour la première fois, là que tout avait commencé.

Ils déjeunèrent au champagne, sans se presser, en évoquant des destinations de voyage de noces. Il proposa Venise. Elle trouva l'idée merveilleuse.

Ils se promenèrent longuement à Bagatelle. Ariana n'arrêtait pas de jouer avec son alliance, de la contempler puis de regarder Marshall avec émerveillement. Elle paraissait au comble du bonheur. Il éprouvait la même chose. Ils s'arrêtèrent près du buisson où elle avait enterré la boîte. Tout était parti de là. Elle avait enfoui son passé et il avait découvert leur avenir. Il leur semblait que toute une vie s'était écoulée entre les deux. Aujourd'hui, ils étaient de retour à Paris. La boucle était bouclée. L'histoire s'achevait parfaitement. Ou plutôt, elle commençait.

Vous avez aimé ce livre ?
Vous souhaitez en savoir plus sur Danielle STEEL ?
Devenez, gratuitement et sans engagement, membre du
CLUB DES AMIS DE DANIELLE STEEL
et recevez une photo en couleur dédicacée.

Pour cela il suffit de vous inscrire sur le site
www.danielle-steel.fr
ou de nous renvoyer ce bon accompagné
d'une enveloppe timbrée à vos nom et adresse au
Club des Amis de Danielle Steel
– 12, avenue d'Italie – 75627 PARIS CEDEX 13

Monsieur – Madame – Mademoiselle
NOM :
PRÉNOM :
ADRESSE :

CODE POSTAL :
VILLE :
Pays :

E-mail :
Téléphone :
Date de naissance :
Profession :

La liste de tous les romans de Danielle Steel publiés aux Presses de la Cité se trouve au début de cet ouvrage. Si un ou plusieurs titres vous manquent, commandez-les à votre libraire. Au cas où celui-ci ne pourrait obtenir le ou les livres que vous désirez, si vous résidez en France métropolitaine, écrivez-nous pour le ou les acquérir par l'intermédiaire du Club.

Composition et mise en pages
Nord Compo à Villeneuve-d'Ascq

MARQUIS

Québec, Canada

Achevé d'imprimer au Canada
chez Marquis imprimeur inc. en juin 2017
Dépôt légal : juillet 2017